POCH

LE SECRET DES FEMMES

OUVRAGES D'ÉLISA BRUNE
CHEZ ODILE JACOB

La Révolution du plaisir féminin. Sexualité et orgasme, 2012.

La Mort dans l'âme. Tango avec Cioran, 2011 (prix de la Société des gens de lettres 2011).

Bonnes Nouvelles des étoiles (avec Jean-Pierre Luminet), 2009.

Participez à la prochaine étape de la recherche sur l'orgasme féminin en répondant au questionnaire détaillé qui se trouve en ligne à la page Web : www.elisabrune.com/enquete

ÉLISA BRUNE
YVES FERROUL

LE SECRET DES FEMMES

Voyage au cœur du plaisir et de la jouissance

15, rue Soufflot, 75005 Paris

www.odilejacob.fr

ISSN : 1621-0654
ISBN : 978-2-7381-2813-3

Avant-propos

par Élisa Brune

Faire l'amour, ça ne s'apprend pas, dit-on. Il faut laisser parler la nature. Pour procréer, cela suffit en effet. Les couples ont toujours trouvé leur chemin vers la descendance. Mais pour cultiver le plaisir et l'épanouissement sexuel, la nature n'offre pas de garantie convenable. Pour les femmes, en tout cas, l'accès à l'orgasme n'a rien d'automatique – le chemin peut être inexplicablement long et difficile. À cet égard, les hommes se partagent en deux catégories : ceux qui croient qu'ils savent, et ceux qui savent qu'ils ne savent pas. Car même ceux qui savent ne savent pas. Pas plus que nous. Personne ne sait le fin mot sur la fragile géométrie du plaisir féminin. Parfois ça marche, parfois ça ne marche pas. La raison en est inconnue, et le fait lui-même reste souvent secret – pour le partenaire, pour le reste du monde, généralement pour les deux. Qui d'entre nous parle ouvertement à qui que ce soit de la façon dont elle jouit ? On s'étend sur ses cours de fitness, sur sa nouvelle voiture ou sur la rougeole du petit, mais nulle ne tient le blog de ses orgasmes.

En avez-vous ? Où, quand, avec qui, comment, depuis quand, est-ce bon ? Jamais je n'aurais osé poser ces questions, même à mes amies les plus proches. Tout a commencé autrement. Je voulais raconter de petites histoires sur la découverte de la sexualité. Le premier baiser. Le premier contact. Le premier amant. Je voulais écrire, juste pour rire, un catalogue des frissons et surprises du début. Mais pourquoi s'en tenir à mon maigre répertoire ? Des candeurs et des bévues de débutante, chacune en a son lot. J'étais curieuse du palmarès d'autrui. J'ai titillé la confidence auprès de mes amies. Elles ont parlé. On a bien ri. C'est alors que le chemin s'est tracé tout seul sous mes pas. L'évocation des premières fois a tout naturellement mené vers la question du premier orgasme. Et celui-ci n'était pas souvent au rendez-vous. Pas avant longtemps. Ou même jamais. Non, je ne rêvais pas. Au XXIe siècle, parmi les femmes de mon entourage, on ne jouissait pas, ou pas souvent, ou pas quand ni comme ni avec qui on l'aurait voulu. Coup de théâtre ! La libération sexuelle n'avait libéré que les mœurs, pas le plaisir. La situation semblait alarmante. Et pourtant, l'actualité ne s'en souciait pas. L'unification de l'Europe, la crise financière, les jeux Olympiques, ça oui. Mais le bonheur des femmes, non. Qu'elles se débrouillent toutes seules.

J'ai rassemblé ces témoignages et confidences dans un volume intitulé *Alors heureuse... croient-ils* (Le Rocher, 2008), puis j'ai voulu continuer l'enquête de manière plus organisée. J'avais fait entendre des récits sur la nature capricieuse du plaisir féminin, encore fallait-il chercher à la comprendre, et dans la mesure du possible à l'améliorer. Mon travail s'est déroulé en deux volets, simultanés. D'une part, un questionnaire détaillé sur l'orgasme diffusé par Internet a permis d'entendre ce que les femmes ressentent et comment elles vivent l'accès au plaisir. D'autre part, une recherche approfondie dans la littérature scientifique a fait le tri entre ce que l'on sait et ce que l'on ignore encore. Le clitoris, le vagin, le point G, l'orgasme multiple, l'éjaculation féminine, le rôle du cerveau... chaque sujet a ses acquis et ses points d'interrogation. Yves Ferroul m'a aidée à organiser et interpréter cette matière complexe, multiple, foisonnante, bien souvent étonnante. Nous livrons ici le résultat de ce tour d'horizon le plus complet possible sur la question de l'orgasme féminin.

On pourra objecter d'emblée que le plaisir n'est pas le bonheur. Qu'il y a des femmes épanouies sans orgasmes, et des jouisseuses invétérées qui rament dans l'existence. Je veux bien. Mais adoptons une approche minimaliste : l'orgasme, c'est comme l'argent, ça ne fait pas le bonheur, mais ça aide. Et à tout le moins la pénurie pose question. Alors abordons le problème en face.

Introduction

Hommes et femmes sont loin d'être égaux devant le plaisir sexuel. Selon des enquêtes récentes, 90 à 95 % des hommes parviennent toujours ou presque toujours à l'orgasme lors des rapports sexuels. Pour les femmes, un tiers répond « souvent ou toujours », un tiers « environ une fois sur deux » et un tiers « rarement ou jamais ».

Quelle énorme différence, alors que tant de pas ont été franchis ! La révolution sexuelle a assoupli les contraintes morales, allégé les tabous, libéré les mœurs et les discours sur la sexualité. Les études et le travail des femmes ont favorisé leur indépendance économique et le libre choix du partenaire. La contraception a protégé les femmes des grossesses non désirées. Plus récemment, les médicaments érectogènes ont réduit l'incidence des troubles érectiles. Aucun de ces progrès n'a réussi à combler le fossé entre le plaisir des hommes et le plaisir des femmes.

Ce livre a pour ambition de faire le point sur les connaissances objectives et subjectives en matière d'orgasme féminin. Bien que le sujet concerne la moitié de l'humanité depuis la nuit des temps, il est surprenant de voir combien peu de témoignages spontanés, peu d'enquêtes et peu de recherches scientifiques l'ont abordé de manière centrale. L'orgasme féminin est une tache aveugle, qu'on l'envisage sous l'angle de la médecine, de la biologie, de la sociologie, de l'histoire ou de la littérature. On trouvera plus facilement dans la bibliothèque mondiale des renseignements sur la cuisson du riz, sur l'élevage des labradors ou sur le traitement du panaris que sur la façon pour une femme d'atteindre l'extase au lit.

Pour voir aborder la sexualité humaine au laboratoire, et pour y voir consacrer des enquêtes statistiques, il a fallu attendre le milieu du XXe siècle. L'orgasme en particulier, et surtout féminin, est un objet d'étude tout récent, au même titre que les trous noirs ou les supraconducteurs. Il n'y aurait peut-être pas lieu de s'y intéresser particulièrement si pour tout le monde cela « marchait » automatiquement. Le fait est que ce n'est pas le cas. Sortir d'un labyrinthe est difficile quand on ne dispose pas de son dessin général et qu'on n'ose pas le demander. On trouvera ici l'ensemble des connaissances actuelles sur l'orgasme féminin. Nous entamerons le panorama par ce qu'on sait sur l'expérience animale et sur les données préhistoriques et historiques, avant d'exposer en détail les découvertes de la science actuelle ainsi que les réponses données par 314 femmes à une enquête ciblée sur l'orgasme tel qu'il est vécu. Voilà qui devrait faire le tour d'un sujet par essence explosif – et ce n'est pas pour le cerner, c'est pour l'encourager à exploser davantage…

CHAPITRE PREMIER

L'orgasme avant l'humanité

Il est de notoriété publique que les humains ne font pas l'amour seulement pour se reproduire. C'est même plutôt rare qu'ils pensent à cette possibilité (en dehors des stratégies pour l'éviter). Alors pourquoi fait-on l'amour ? Eh bien... pour faire l'amour, pardi ! C'est un plaisir en soi, pas besoin d'un dessin. La sexualité fait du bien.

Dans le reste de la nature, et surtout dans ses stades peu évolués, on voit tout le contraire : des comportements sexuels mécaniques et saisonniers qui ne visent que la reproduction de l'espèce.

Comment est-on passé de l'un à l'autre ? Du sexe outil au sexe hédoniste ? Où et quand a surgi ce plaisir qui nous chavire ?

L'ORGASME EXISTE-T-IL DANS LA NATURE ?

L'existence d'un plaisir associé à la reproduction ne peut raisonnablement pas s'envisager chez les plantes, ni chez les bactéries, ni chez les champignons, ni chez les éponges. L'on n'est guère tenté non plus d'attribuer de grands émois aux insectes ou aux araignées, pas plus qu'aux animaux pour qui la fécondation a lieu hors du corps (comme les poissons qui fraient à distance) ou aux animaux qui se reproduisent sans rapport sexuel (oui, il y en a : d'obscurs lézards qui se clonent de mère en fille), et pas non plus à tous ces animaux inquiets qu'on voit, dans les documentaires, copuler vite fait tout en surveillant anxieusement les alentours.

Pour les mâles, on serait tenté de considérer, par anthropomorphisme, que la question de l'orgasme commence à se poser à partir du moment où il y a pénétration et éjaculation. Tant que leur participation consiste à arroser des œufs, on ne voit pas que cela transporte les mâles au septième ciel. Pour parler d'orgasme, il nous faut au moins cet équipement de base : un organe spécifique qui permet d'établir une copulation physique, en un mot comme en cent, le pénis.

Pour ingénieux qu'il soit, le pénis est apparu indépendamment dans différents groupes du règne animal : les paramécies, les insectes, certains oiseaux, les requins, et bien sûr les mammifères. À strictement parler, on peut même dire que les algues vertes ou certaines bactéries ont inventé le pénis, puisque, chez ces unicellulaires, des individus (disons « mâles ») ont la capacité de pousser une protubérance qui va transpercer la paroi d'un autre individu (disons « femelle ») pour y injecter quelques gènes – même si en général elles se reproduisent par clonage. Comme quoi, la pénétration n'est pas une invention particulièrement moderne. Elle a été pratiquée dès l'origine de la vie, mais à titre d'extra et sans organe permanent, comme un système D qui ne sera repris et perfectionné que bien plus tard dans certaines branches de l'évolution. Mais, aux bactéries et aux algues, pas d'étreintes langoureuses. Pour nous approcher de l'orgasme, il faut en plus qu'il y ait éjaculation, c'est-à-dire que l'on ait affaire à des animaux dotés de glandes productrices de sperme et qui éjectent celui-ci lors d'un épisode de contractions musculaires. Si ces contractions s'accompagnent, comme chez l'homme, d'une sensation de plaisir intense, on sera en droit de penser que ces animaux éprouvent des orgasmes.

Cependant, il est important de savoir que tous les animaux ne sont pas capables de ressentir du plaisir. Le plaisir est un raffinement de l'évolution qui demande des câblages particuliers, tout comme la vue réclame des yeux et des nerfs optiques. Jusqu'à l'étape évolutive des reptiles, le système nerveux ne fait rien de plus que contrôler de façon réflexe la physiologie de la reproduction, en un enchaînement de réactions physiologiques programmées, ce qui exclut la notion de plaisir, et donc d'orgasme. Ainsi un poisson qui éjecte son frai dans l'eau de la rivière ou de la mer obéit-il à un automatisme et ne peut-il en tirer du plaisir. Chez les mammifères simples, le système nerveux contrôle en plus les comportements de reproduction déclenchés par les périodes de chaleur ou de rut. On verra apparaître des parades nuptiales et autres rituels d'accouplement mais, là encore, l'automatisme du comportement ne permet pas d'imaginer un appétit de plaisir comme motivation ou comme bénéfice secondaire recherché. Pourtant, ces mammifères disposent déjà d'un circuit nerveux spécialisé de la récompense. Celui-ci rend possibles les apprentissages en procurant des sensations agréables ou désagréables. Avec le système punition-récompense, on peut dresser n'importe quel mammifère, alors qu'on ne peut rien apprendre à un brochet ou une crevette. Cela permet aussi de développer des comportements spontanés de recherche du plaisir. C'est pourquoi ces mammifères vont adopter, à côté des comportements reproductifs, d'autres comportements sexuels liés à la recherche du plaisir pour lui-même, telle la masturbation. S'accoupler, c'est dans le programme, mais se chouchouter, c'est tout bonus pour le circuit de la récompense qui clignote de joie. L'autofellation des chats et des chiens est bien connue, et d'innombrables autres espèces sont adeptes de gâteries parfois acrobatiques : les lapins sont capables d'autosodomie, par exemple, introduisant leur propre verge dans leur rectum, l'éléphant manie adroitement sa trompe pour se faire éjaculer, les cerfs y parviennent même en se frottant avec l'extrémité de leurs bois (qui a demandé à quoi servaient de si longues ramures ?), tandis que le taureau doit utiliser le concours d'un arbre, et le fait sans hésiter.

Pour les mammifères au cerveau plus complexe, les comportements reproductifs sont de moins en moins automatiques. Un apprentissage des gestes et des attitudes pour l'approche et l'accouplement est indispensable, et il se fait tout simplement par observation et imitation. Les jeunes rats, par exemple, doivent assister à des interactions sexuelles entre les adultes du groupe – faute de quoi ils seraient incapables de parvenir à leurs fins une fois le moment venu.

Les différences entre les systèmes nerveux se marquent aussi à travers les hormones, qui ont souvent une action systématique chez les animaux (telle hormone provoque tel comportement). Chez les animaux peu évolués, le lien est tout à fait mécanique. Si vous êtes assez adroit pour injecter de la lulibérine dans le cerveau d'une crevette, vous verrez que la petite bête adopte aussitôt et automatiquement la position du coït – alors même qu'il n'y a pas l'ombre d'un partenaire en vue. L'action de cette même hormone sera moins systématique chez un organisme plus évolué comme le rat, dont l'état psychique, notamment le stress, peut tempérer l'action de l'hormone.

Finalement, il faut attendre le système nerveux encore plus complexe des primates pour voir apparaître un comportement sexuel orienté essentiellement ou exclusivement vers la gratification – la reproduction étant alors une conséquence secondaire. Chez ces animaux, les chimpanzés, les bonobos, les grands singes et l'homme, toute automaticité est perdue, les apprentissages sont obligatoires, et la réceptivité des femelles est permanente, ce qui se traduit par une invisibilité de l'ovulation dans beaucoup de cas, et par une généralisation de l'activité sexuelle en dehors des périodes fécondes. On observe alors un déploiement sans précédent des pratiques sexuelles non fécondantes comme la masturbation et l'homosexualité entre mâles ou entre femelles. La sexualité sert manifestement d'autres buts que la reproduction, notamment le tissage de liens sociaux, le lissage de tensions, ou le plaisir pour lui-même. Les dauphins sont à mettre aux côtés des primates pour cet affranchissement de la sexualité par rapport à la procréation. Ils semblent même devoir décrocher la palme en matière d'expérimentation sexuelle : la recherche du plaisir les amène non seulement à pratiquer couramment l'homosexualité, mais aussi à s'accoupler ou chercher l'accouplement avec des tortues, des requins, des anguilles... voire leur dresseur. Ou alors ils sont très myopes !

Tous ces faits pour conclure que seuls les mammifères dont nous venons de parler sont des candidats sérieux dans la question de l'accès à l'orgasme.

Reste à mettre en évidence le fameux orgasme chez ces animaux. Il est malheureusement très difficile d'y parvenir. Si l'éjaculation, le fait matériel objectif, est bien là, le plaisir, lui, reste une notion éminemment subjective. Il peut se traduire par des manifestations qui semblent reconnaissables, comme des grimaces et des vocalisations. Encore faudrait-il pouvoir faire la distinction entre un « simple » plaisir, analogue à celui produit par des caresses ou de la nourriture par exemple, et le paroxysme que constitue l'orgasme au sens où nous l'entendons. Les mâles semblent bien prendre plaisir à éjaculer. Mais ils prennent également plaisir aux attouchements sexuels : dans beaucoup d'espèces il leur arrive de stimuler eux-mêmes leur pénis sans pour autant aller jusqu'à l'éjaculation. En quoi le plaisir de l'éjaculation est-il différent du plaisir de la stimulation pour un animal ? Il est difficile de le savoir. Il peut s'agir d'un peu plus de la même chose, comme il peut s'agir de franchement autre chose.

On sait par ailleurs que l'éjaculation chez les humains n'est pas toujours synonyme d'orgasme, comme la plupart des hommes ont pu en faire l'expérience une fois ou l'autre dans leur vie. L'orgasme accompagne l'éjaculation dans la grande majorité des cas, mais il arrive qu'il ne soit pas au rendez-vous, tout comme il peut arriver qu'un orgasme se produise sans qu'il y ait éjaculation. Il faut donc garder à l'esprit la distinction très nette entre un événement physiologique et un événement ressenti subjectivement.

Les animaux mâles ont-ils droit à l'orgasme avec l'éjaculation ? Sans doute jusqu'à un certain point, variable selon les espèces. En fonction du système nerveux qu'ils possèdent, et en fonction de la plus ou moins grande précarité des conditions de vie et donc de copulation (car un éléphant sera à coup sûr moins inquiet qu'un écureuil), le plaisir sexuel pourra atteindre des sommets qui sont en tout cas plus élevés que ceux qu'ils peuvent visiter lors d'autres activités.

LES FEMELLES EN ONT-ELLES ?

Chez les femelles, la question est bien plus nébuleuse encore. En l'absence d'un événement précisément repérable comme l'éjaculation, seules les manifestations comportementales peuvent donner des indices sur le moment et sur l'intensité d'un pic éventuel de plaisir. Or la plupart des femelles du monde animal semblent subir de façon assez indifférente les saillies de leur partenaire, qui sont d'ailleurs très rapides. Quelques secondes de coït et bonsoir Marguerite, c'est le maximum avéré pour l'immense majorité des espèces, et beaucoup restent en dessous de la seconde – comme si monsieur avait peur de se faire ébouillanter s'il restait plus longtemps au chaud. Chez les mammifères les plus évolués, la pénétration peut durer aux alentours de 15 secondes, et seules quelques espèces isolées pulvérisent les records : l'être humain bien sûr, mais aussi l'orang-outan (jusqu'à 15 minutes), et le... cochon (jusqu'à 20 minutes) – d'où sans doute sa réputation libidineuse. Mais la truie n'en a cure et semble attendre que ça passe, les vaches continuent à regarder passer les trains, les lapines à brouter l'herbe et les chattes à manger leurs croquettes, tout cela pendant que les mâles s'agitent frénétiquement.

Chez les femelles de certaines espèces de singes, on observe des mimiques et des cris qui semblent témoigner d'un grand plaisir. Il faut noter que cela se produit moins souvent pendant le coït, très court, que pendant les attouchements sexuels, notamment entre femelles. Les femelles bonobos, par exemple, se livrent entre elles à des stimulations génitales caractérisées : frottant leurs clitoris l'un sur l'autre avec ardeur, elles font des grimaces de joie, lèvres totalement retroussées, et poussent des cris aigus. De toutes les femelles du monde animal, ce sont les plus démonstratives. Lors de la copulation, qui dure en moyenne 14 secondes, il est bien plus rare de les voir afficher le même enthousiasme.

Chez les macaques à queue tronquée étudiés par Donald Goldfoot en 1980, certaines femelles adoptent parfois la même « mimique d'éjaculation » que les mâles, c'est-à-dire les lèvres projetées en avant et ouvertes en O (un peu comme quelqu'un qui souffle des ronds de fumée). Cette mimique s'observe surtout lorsqu'une femelle en monte une autre et effectue des poussées pelviennes qui imitent la copulation, lui permettant de stimuler son clitoris.

D'autres femelles macaques de l'espèce fuscata ont été étudiées lors des accouplements par Alfonso Troisi et Monica Carosi en 1998. Ils ont noté que, sur 240 copulations, 80 ont donné lieu à des mimiques d'orgasme, soit un tiers. Il s'est avéré que la probabilité de ces présumés orgasmes était liée à deux variables. D'abord la durée du coït : plus la pénétration est longue et le nombre de mouvements pelviens élevé, plus la mimique d'orgasme a de chances de se produire. Ensuite, le différentiel de rang social : pour un même temps de coït, la plus grande fréquence d'orgasmes s'observait pour des femelles de rang inférieur s'accouplant avec des mâles de rang supérieur. Confirmation inattendue de la nature érotisante du pouvoir ? À moins qu'il ne s'agisse d'une stratégie délibérée des femelles de rang inférieur qui veulent flatter le mâle et l'inciter à renouveler une expérience socialement valorisante pour elles ? On le sait de longue date pour les humains, les femmes ont tendance à être sexuellement excitées par le pouvoir et le prestige social. Une étude publiée en 2009 par Thomas Pollet sur un échantillon de 1 500 femmes chinoises a montré que la fréquence orgasmique de ces dames avait un lien non avec la taille du membre du monsieur, mais avec la taille de son compte en banque. À la question : « Lors des relations sexuelles avec votre partenaire actuel, quelle est la fréquence de vos orgasmes ? », les réponses « souvent » ou « toujours » étaient plus fréquentes parmi les femmes dont le partenaire avait un haut revenu. Les hommes en vue n'ont jamais eu de mal à remplir leur lit, on le savait déjà. Mussolini recevait des lettres par milliers de femmes l'implorant de les prendre comme maîtresses, ce qu'il ne refusait pas toujours (il a eu des relations sexuelles avec une femme différente chaque jour pendant quatorze ans). Mais chez ces hommes, qui n'ont pas une technique sexuelle supérieure aux autres en moyenne, la puissance sociale aurait *en plus* pour effet, s'il faut en croire cette étude, de rendre les femmes plus susceptibles de jouir avec eux. Cet effet n'est pas typique de l'humanité. Chez les singes aussi, on jouit mieux avec les chefs de bande. Pour choquante qu'elle soit, cette corrélation peut s'expliquer par des fondements évolutionnistes simples : ce n'est pas une décision consciente, mais il vaut mieux jouir avec quelqu'un qui sera capable d'assurer l'avenir d'une famille, et ainsi se l'attacher. Mais, pour les guenons, la question demeure : s'agit-il réellement d'orgasmes ? Quelles que soient les grimaces des macaques fuscata, il est impossible d'affirmer que des comportements externes correspondent bien à l'expérience ressentie d'un plaisir paroxystique. Les cris et les mimiques ne sont pas des manifestations suffisamment spécifiques pour constituer la « signature » d'un orgasme. Il est donc nécessaire de rechercher des signes objectifs.

Partant du fait que chez la femme l'orgasme s'accompagne de contractions vaginales et utérines, des chercheurs ont essayé de mettre en évidence ces mêmes contractions chez les femelles animales. Une telle entreprise ne va pas sans difficultés éthiques et pratiques. Elle implique une intromission artificielle pour mesurer les contractions et une excitation artificielle pour les provoquer. Certains chercheurs n'ont pas reculé devant la tâche et se sont mis en peine de stimuler sexuellement des femelles macaques au moyen d'un vibromasseur. En 1971, au laboratoire, après cinq minutes de stimulation clitoridienne et quatre minutes de stimulation vaginale, Frances Burton a montré que les femelles rhésus présentaient trois des quatre phases de la réponse sexuelle décrite par Masters et Johnson : excitation (dilatation, sécrétions, congestion), plateau (avec tumescence clitoridienne), résolution (détumescence). Pour la phase cruciale, le climax, on ne pouvait pas en observer les signes spécifiques car, comme chez les humains, le gland du clitoris est rétracté pendant cette phase et les sujettes n'étaient pas équipées de sondes vaginales. Burton en conclut néanmoins que les macaques possédaient vraiment une aptitude à l'orgasme. À ceci près que le temps de copulation naturelle est de 3 à 4 secondes et que, pour atteindre la stimulation réalisée en laboratoire, il aurait fallu un très grand nombre de copulations successives avec effets cumulatifs...

Poursuivons la chasse aux contractions. Chez les macaques à queue tronquée cités plus haut, qui font des bouches en O lorsqu'elles se montent l'une l'autre, on a placé des sondes de pression dans l'utérus d'une femelle très active pour voir si les mimiques orgasmiques étaient liées ou non à des contractions. Effectivement, pendant les 9 secondes que durait la mimique, lorsqu'elle montait une autre femelle, un pic de contractions très marqué apparaissait sur le graphique, ainsi qu'une brusque accélération du rythme cardiaque... signes assez convaincants d'un véritable orgasme – au sens physiologique s'entend.

Il faut enfin rendre hommage à un chercheur encore plus dévoué qui s'est appliqué à stimuler lui-même manuellement le vagin de femelles chimpanzés. Après 10 à 15 secondes de va-et-vient, il obtenait des contractions vaginales rythmiques. Cette réaction semble rapide, et pourtant elle ne l'est pas assez pour se déclencher lors d'une copulation naturelle, puisque le mâle éjacule au bout de 5 à 7 secondes. De plus, la réalité vécue de l'orgasme ainsi produit reste sujette à caution. Une collègue féminine qui observait l'expérimentation s'est avouée très peu convaincue par le faciès imperturbable de la femelle, tandis que l'expérimentateur palpait d'« intenses contractions vaginales ». Il n'empêche que lorsqu'une femelle chimpanzé a appris à recevoir un tel massage, elle vient en redemander en présentant ses parties génitales au gentil expérimentateur. On peut donc tenir pour avéré qu'il existe une capacité physiologique à l'orgasme chez certaines espèces de guenons, mais qu'elle est rarement mise en jeu dans les conditions naturelles, et qu'on n'en connaît pas la répercussion dans le vécu subjectif. En revanche, il ne fait aucun doute que ces mêmes guenons tirent du plaisir de leurs organes génitaux car elles sont d'aussi grandes adeptes de la masturbation que les mâles. Les femelles orangs-outans se frottent le clitoris avec les doigts de la main ou du pied ou au moyen d'objets. Elles insèrent aussi le doigt ou des objets dans leur vagin. On en a vu qui sucent et mouillent le doigt dont elles se servent pour se masturber. Les femelles chimpanzés manipulent directement leurs organes génitaux avec la main et frottent contre eux des objets comme des pierres ou des feuilles.

Ceci dit, il n'a pas fallu attendre le laboratoire pour palper des contractions vaginales chez les animaux. Les éleveurs de porcs ont l'habitude de pratiquer l'insémination artificielle sur les truies. Pour leur introduire le contenu de la poche de sperme, il faut les mettre en condition et, pour les mettre en condition, il faut les stimuler. Lorsque des contractions vaginales se produisent, le sperme est mieux aspiré et le taux de fertilité s'améliore de 6 % par rapport à une insémination sans stimulation, ainsi que l'a montré une étude du Comité national danois de production porcine en 2001. On a donc rédigé au Danemark un programme de stimulation destiné aux éleveurs, avec DVD et affiches. Depuis lors, les agriculteurs soucieux de rendements s'obligent à masturber leurs truies afin de provoquer ces contractions. Les étapes du plan de stimulation imitent les actions naturelles perpétrées par le cochon en action. 1) On commence par faire circuler un cochon excité à point dans l'enclos des truies pour leur signifier de quoi il va être question. 2) Placer le groin (le poing) sous l'aine de la truie et soulever son arrière-train de quelques centimètres plusieurs fois de suite (c'est ainsi que le cochon se signale à l'aimable attention de la belle). 3) Pousser avec le groin (le poing) sur le renflement de chair rose qui se trouve juste sous la vulve. 4) Utiliser le vibromasseur « spécial truie » (un engin fabriqué par une entreprise belge de matériel agricole) pour stimuler l'intérieur du vagin de l'animal (on peut aussi imprimer la vibration au tube d'insémination, pour ceux que répugne l'idée de pénétrer une truie, même par instrument interposé). 5) Une dernière mesure favorable consiste à frotter et pincer les tétons de la truie – le moyen le plus simple étant de l'enfourcher, de se coucher sur elle et de l'entourer de ses bras. Le système est efficace (que ne ferait-on pas pour 6 % de rendement ?), mais, malgré tous ces efforts déployés, la truie ne donne aucun signe de montée au septième ciel. Pas plus que la vache lorsque son utérus papillonne. Dès 1952, une étude réalisée en Illinois a mis en évidence les contractions utérines des vaches pendant le coït. En insérant une sonde dans leur utérus, on a mesuré des contractions puissantes au moment de la saillie. Mais, à la surprise générale, il s'en produisait même déjà à partir du moment où le taureau était en vue. Faut-il conclure que les vaches ont des orgasmes rien qu'en admirant le mâle qui va les entreprendre ? Ce serait absurde, et il faut bien reconnaître que cet indice n'est pas non plus une signature suffisante. Il peut s'agir d'une simple mise en condition réflexe.

Il faudrait pouvoir caractériser l'orgasme par une signature plus spécifique. L'imagerie cérébrale apporte des éléments neufs en la matière. Nous verrons que la recherche sur la sexualité humaine est en train d'explorer les états du cerveau pendant l'orgasme. Mais les animaux n'ont pas fait l'objet de recherches *via* ces équipements coûteux et très sollicités.

Toutefois, même si on pouvait mettre en évidence une équivalence entre l'état cérébral d'une femme en train de jouir et celui d'une femelle bonobo qu'on stimule sexuellement, cela n'apporterait pas encore une certitude absolue quant à l'existence d'un orgasme animal. Autant on peut montrer qu'un ressenti ou une activité donnés s'accompagnent d'un certain état cérébral, autant il est impossible d'affirmer que l'état cérébral en question est la preuve du ressenti subjectif donné. Le subjectif, en dernière analyse, restera toujours subjectif, et d'ailleurs, d'un être humain à l'autre, nous ne pouvons pas jurer que ce que nous appelons orgasme, douleur, ou goût de la mandarine correspond à la même expérience ressentie. Seul l'échange au moyen du langage permet de supposer que ce que nous vivons ressemble à ce que les autres vivent. Et toutes les mesures objectives possibles ne permettent pas de savoir « ce que ça fait » de manger une mandarine ou d'avoir un orgasme. Le langage montre des ressentis assez différents d'ailleurs, tant dans l'intensité que dans la nature des sensations, comme nous le verrons dans le chapitre 6.

C'est donc l'absence de langage articulé pour communiquer clairement à autrui ce que l'on ressent qui rend l'évaluation du plaisir chez les animaux très problématique. Pour être honnête, il faut reconnaître que nous ne savons presque rien sur l'existence ou non d'un orgasme dans le monde animal. Du plaisir, oui, puisqu'il y a chez les primates et le dauphin une recherche de l'interaction sexuelle et des manifestations de contentement, surtout chez les mâles. Mais l'apparition d'un épisode qualitativement différent du reste, que nous nommons orgasme, reste de l'ordre de l'hypothétique. La similitude de certains comportements porte parfois à considérer que les mâles qui éjaculent éprouvent quelque chose de paroxystique que l'on peut qualifier d'orgasme. Une simple observation de certains coïts animaux donne immédiatement le sentiment, par analogie, que les mâles « prennent leur pied » parfois de la façon la plus enviable, comme chez le lion ou l'ours qui rugissent royalement. Mais si le lapin pouvait rugir, qui sait s'il n'emporterait pas la palme ? Nous n'avons aucune idée de ce que ressentent les uns et les autres. Pour l'édification personnelle, nous vous recommandons d'explorer les vidéos de coïts animaux disponibles sur Internet comme celle montrant l'« orgasme » étonnant de la tortue mâle (http://www.koreus.com/video/tortue-orgasme.html) – la femelle restant de marbre pour sa part –, ou celle montrant l'accouplement de l'escargot de bourgogne (http://

www.youtube.com/watch?v=wBz DlzdhfdM) à la sensualité lyrique – peut-être est-ce dû au caractère hermaphrodite qui leur permet de jouir de deux plaisirs à la fois, pénétrer et être pénétré.

Pour ce qui concerne les femelles, et toujours en se basant sur l'ensemble des signes extérieurs, il est plutôt admis que celles-ci ne connaissent pas de moment paroxystique, et souvent même pas de plaisir marqué, à part quelques espèces de primates, bonobo, chimpanzé, macaque, orang-outan. Pour ce qui est de l'orgasme proprement dit, les spécialistes restent partagés à peu près à parts égales entre ceux qui pensent que l'orgasme est réservé à l'espèce humaine (Desmond Morris, David Barash, George Pugh, Frank Beach, Richard Alexander, Katharine Noonman, Donald Symons), et ceux qui pensent que les primates en ont aussi (Frances Burton, Helaine Morgan, Suzanne Chevalier-Skolnikoff, Jane Lancaster, Doris Zumpe, Richard Michael, Donald Goldfoot, Sarah Hrdy).

Une expérience troublante doit toutefois être mentionnée, même si elle n'éclaire qu'indirectement la question de l'orgasme. Cette expérience classique date des années 1950. Deux chercheurs canadiens, James Olds et Peter Milner, travaillaient sur la stimulation électrique du cerveau du rat au moyen d'électrodes. Les décharges provoquaient des réactions de peur et d'évitement, comme dans les cas classiques de punition. Jusqu'au jour où un rat réagit à l'inverse et rechercha activement les situations où il serait électrochoqué. Vérifications faites, on s'aperçut que l'électrode était placée dans une zone différente de celle des autres rats. Lorsque d'autres rats furent câblés à l'identique, ils se mirent eux aussi à rechercher activement la stimulation. Au point que si celle-ci était laissée à leur propre décision, au moyen d'un levier, les rats ne faisaient plus rien d'autre que de s'envoyer des décharges dans le cerveau. La nourriture, le sexe et même l'instinct maternel s'effaçaient devant la propension absolue à s'envoyer en l'air par l'électricité, les rats allant jusqu'à s'administrer 100 décharges à la minute. Lorsqu'on augmentait l'intensité des chocs, les rats en redemandaient de plus belle, pas découragés par le fait de se retrouver propulsés contre les parois de la cage. Sitôt sur pattes, ils accouraient chercher la décharge suivante. L'aire cérébrale que l'on venait de découvrir s'appelle aujourd'hui l'aire septale et fait partie des centres cérébraux du plaisir. Elle intervient dans le plaisir sexuel (nous le verrons lorsque nous étudierons le cerveau humain pendant l'orgasme), mais pas seulement dans le plaisir sexuel, et elle est à l'évidence présente chez les mammifères – au point que son excitation peut les rendre fous. Mais, bien sûr, le genre de stimulation fournie par une électrode plantée dans le cerveau n'a rien à voir avec une excitation naturelle, qu'elle soit sexuelle ou autre, et ce n'est pas parce qu'un rat peut connaître le plaisir absolu dans ces circonstances exceptionnelles qu'il faut en conclure quoi que ce soit sur sa pratique de l'orgasme au quotidien. Par ailleurs, cette histoire apporte un éclairage inédit sur la question du plaisir comme expérience neuronale. Le cerveau permet des expériences de l'extase qui ne sont pas nécessairement liées à une activité sexuelle et qui sont peut-être plus larges que l'orgasme proprement dit. L'électrode peut s'envisager comme un raccourci, et elle apporte la preuve que le centre du plaisir orgasmique peut être déclenché sans passer par les nerfs provenant des zones génitales ou d'ailleurs. La sexualité est la façon classique de mettre le cerveau dans un état particulier appelé orgasme, mais il existe d'autres façons d'y accéder (et pas seulement au moyen d'électrodes).

En dehors de cette réponse particulière aux électrochocs, il est donc admis, en l'absence de données plus probantes, que chez certaines espèces animales les mâles ont accès à l'expérience de l'orgasme alors que les femelles ne la connaissent pas, ou exceptionnellement.

Mais pourquoi cette différence ? Pourquoi les mâles bénéficieraient-ils d'un « gadget » que les femelles n'ont pas ? Et pourquoi chez les humains cela serait-il différent ? Il va falloir nous intéresser à l'histoire de la sexualité humaine pour essayer de comprendre d'où pourrait venir la capacité à l'orgasme chez les femmes.

CHAPITRE 2

L'orgasme féminin dans l'évolution humaine

L'ORGASME EXISTE-T-IL CHEZ LES FEMMES PRÉHISTORIQUES ?

Inutile d'ouvrir une longue discussion. Nous n'avons aucun moyen de le savoir. Les émois de nos aïeules n'ont laissé de traces ni dans les restes fossiles ni dans les strates archéologiques. Tout au plus peut-on noter que l'art paléolithique offre de nombreuses images de sexes féminins. Dans la période de – 30 000 ans à – 20 000 ans, on trouve des statuettes sculptées de femmes aux gros seins, au ventre rond, aux lèvres marquées, et les peintures rupestres représentent des vulves, parfois pourvues de clitoris, alors qu'il n'existe pas d'équivalent masculin pour cette époque. À l'ère des chasseurs-cueilleurs, la vulve était à l'honneur. Ce n'est qu'après la révolution du Néolithique (sédentarisation à la suite du développement de l'agriculture) que la représentation phallique devient dominante. Ce fait et d'autres pourraient s'interpréter comme les signes d'une dégradation du statut de la femme. La sédentarisation l'aurait confinée au foyer et exclue de la vie sociale décisionnaire alors qu'elle avait un rôle prépondérant, à tout le moins sur le plan symbolique, dans les époques nomades. Mais ces indices ne renseignent en aucune façon sur l'expérience du plaisir par les femmes, ni même sur les pratiques sexuelles en général. Comment s'envoyait-on en l'air pendant l'Acheuléen ? Pendant le Micoquien, le Moustérien, le Solutréen, le Magdalénien ? Mystère.

Une seule certitude : la bipédie a transformé l'appareil génital des femmes. Le clitoris a diminué de taille (celui des femelles singes peut mesurer jusqu'à cinq centimètres), et il a migré vers le haut de la vulve. Le vagin, lui, s'est allongé et s'est incliné vers l'arrière, tout en se tapissant de reliefs et rides en forme de V, qui « accrochent » mieux le sperme, là où le vagin des grands singes n'a que des plis longitudinaux. Cette évolution anatomique a deux conséquences majeures. D'abord, le clitoris humain est devenu si discret qu'on peut facilement passer à côté. Les fillettes, les adolescentes et même les femmes adultes peuvent ignorer la présence de ce tout petit organe dans les replis de leur vulve. Ensuite, le clitoris se trouve le plus souvent déconnecté de la copulation car trop éloigné de l'entrée du vagin. Il n'est généralement pas stimulé par les mouvements de pénétration. Or le clitoris est l'organe essentiel à la source de l'orgasme féminin. Si l'orgasme existait chez les femelles de nos ancêtres hominidés, il a donc dû avoir tendance à se faire plus rare au fur et à mesure que la bipédie s'installait et que le clitoris reculait. Mais on peut penser au contraire, si l'on tient l'orgasme féminin pour un phénomène spécifiquement humain, qu'il est précisément apparu au moment de cette transformation, dans la mesure où elle s'accompagnait d'une évolution de l'environnement émotionnel et psychique ainsi que d'un développement de la fonction érotique et fantasmatique. Certains anthropologues soutiennent que l'orgasme féminin est le fruit de cette nouvelle sexualité, totalement affranchie de la fonction reproductive et investie d'une charge symbolique et psychique importante. Chez l'humain moderne, la libido est un étrange mélange de pulsions physiologiques hormonales, de représentations symboliques et d'émotions affectives – vaste théâtre qui va du romantisme à la pornographie et du mécanique au mystique. Il est possible que l'orgasme féminin s'enracine à la fois dans un terrain anatomique ET dans une évolution psychologique qui elle-même repose sur un développement du cerveau et sur une diversification des pratiques sexuelles, notamment un allongement du temps consacré à faire l'amour. L'achèvement de l'hominisation coïnciderait avec l'avènement de la pleine possibilité de l'orgasme chez la femme. C'est-à-dire que l'orgasme féminin serait une nouvelle fonction de l'évolution, à peine sortie d'usine, encore balbutiante, pas terriblement au point chez tout le monde, mais appelée à se généraliser. Nous aimons croire ces optimistes.

La question de l'origine, comme il se doit, restera nébuleuse à tout jamais. Quelle est la première femelle qui a joui ? Il faut bien qu'il y en ait une. Était-ce une femme ? Une guenon ? Une dauphine ? Une truie ? L'information s'est engloutie. Et la deuxième qui a joui l'a sûrement fait sans lien avec la première. Au fond, chaque femelle, chaque femme qui a joui a inventé l'orgasme toute seule, découvert sa propre Amérique, jusqu'au jour récent où le langage et une culture favorable ont pu prévenir les filles qu'il existait quelque chose d'énorme, parfois, dans l'activité sexuelle, et ont pu les aider à partir à sa rencontre. Et même depuis ce jour, le langage ne relie qu'à peine les expériences des unes et des autres, en oublie certaines, dont même les mères se taisent, et dont le plaisir, par chance, s'allume tout seul dans la nuit, ou bien ne s'allume jamais... L'expérience de l'orgasme reste l'un des pans les plus « sauvages » de l'expérience humaine, non codifié, non formaté par le langage et la culture. Autant les comportements sexuels le sont abondamment, autant le contenu de l'orgasme reste un trou noir, une tache aveugle, une zone limite où l'intime devient plus qu'intime et où chacun s'abandonne à l'existence pure... Jouir, c'est un impensé du tissu social, un absolu et un absurde, un vécu hors cadre, imprévisible, incommunicable, un éprouvé éternellement vierge.

Mais si les racines historiques de l'orgasme nous échappent, il y a des données physiologiques qui sont au contraire devenues très claires grâce aux recherches sur le développement de l'embryon. La sexuation d'un embryon humain est un processus qui se déroule en plusieurs étapes et qui ne commence pas dès la première cellule. Il faut d'abord huit semaines de divisions cellulaires et de structuration générale du corps avant qu'une divergence apparaisse entre les embryons masculins et féminins. Avant cette divergence, tous les organes communs ont déjà été mis en place, ce qui semble de bon sens mais, beaucoup plus étonnant, les organes génitaux eux aussi sont déjà formés. Et ce sont les mêmes pour tout le monde. En bonne gestionnaire, la nature travaille à l'économie : d'abord une base commune, ensuite on fignolera les détails. Au départ, donc, tout l'appareil génital est bipotentiel, bon pour les deux sexes. Quand arrive la douche d'hormones qui va propulser les embryons vers deux destins différents, certains éléments de base vont se développer chez les uns et s'atrophier chez les autres, et *vice versa*. Les canaux de Wolff se développent en conduits génitaux chez l'homme et dégénèrent chez la femme, mais on en trouve parfois des résidus encore présents à l'âge adulte. Les canaux de Müller donnent l'oviducte, l'utérus et le haut du vagin chez la femme tandis qu'ils s'atrophient chez l'homme, mais on trouve deux résidus, l'un dans les testicules, l'autre près de la prostate. Pour le reste, toutes les structures communes vont se développer différemment. Le tubercule génital devient le pénis d'un côté et le clitoris de l'autre. La fente génitale se soude d'un côté et reste ouverte de l'autre. Les bourrelets génitaux deviennent soit les bourses, soit les grandes lèvres. Les plis génitaux donnent la face intérieure de la verge ou les petites lèvres. Ainsi, chaque sexe est l'homologue de l'autre, mais déployé différemment. L'homologue du pénis n'est donc pas le vagin mais le clitoris, qui contient le même nombre de terminaisons nerveuses, environ huit mille, alors que le vagin en est quasiment dépourvu.

À QUOI PEUT-IL SERVIR ?

Forts de cette connaissance, nous pouvons ouvrir l'épineuse question de la fonction de l'orgasme féminin. Comme à l'évidence une femme peut se retrouver enceinte sans avoir ressenti d'orgasme, celui-ci n'est pas nécessaire à la procréation. Mais alors, à quoi sert-il ?

Chez l'homme, nulle prise de tête là-dessus. Puisque l'orgasme est lié à l'éjaculation de façon quasi systématique, un homme qui n'a pas d'orgasme est un homme qui n'éjacule pas, et donc qui n'a pas de descendance. Tous les hommes sans exception ont été « triés » de façon immédiate sur leur capacité à éjaculer efficacement, sans quoi ils sont génétiquement éliminés.

Les femmes, elles, ne sont pas soumises au même système de récompense. Elles ne reçoivent pas d'orgasme pour avoir ovulé (un par mois, ce serait déjà ça...). Puisque l'ovulation est automatique et involontaire, nul besoin de l'encourager. Elles n'en ont pas non plus très souvent lors des rapports sexuels. Dans l'histoire de l'humanité, les rapports sexuels ont eu lieu avec ou sans consentement ou désir de la partenaire, et cela a largement suffi à assurer la fécondité de l'espèce. Une femme peut avoir quinze enfants sans jamais connaître l'orgasme. Alors pourquoi certaines en ont-elles ?

Plusieurs hypothèses ont été avancées, dont nous allons faire le tour rapidement. Toutes sont fondées sur une perspective évolutionniste. Les biologistes vivent dans l'idée que toute caractéristique actuelle d'une espèce a une raison d'être et, en bonne logique, ils cherchent à trouver celle de l'orgasme féminin. En parallèle avec l'orgasme masculin, qui est étroitement lié à la reproduction, ils se demandent de quelle façon l'orgasme féminin pourrait augmenter les chances de procréation.

L'orgasme féminin incite aux rapports sexuels

L'hypothèse la plus simple est de dire que l'orgasme féminin encourage les femmes à avoir des rapports sexuels, ce qui multiplie automatiquement les chances de descendance.

Mais on sait que pour les femmes ce n'est pas tellement la fréquence des rapports qui compte pour garantir une descendance que le fait de pouvoir assurer la survie des nouveau-nés. La fécondation n'est pas tant le problème que la protection des enfants produits.

Par ailleurs, des études statistiques récentes n'ont pas trouvé de lien entre la capacité d'une femme à avoir des orgasmes et sa propension à engager des rapports sexuels. Une femme qui jouit facilement ne s'allonge pas plus rapidement qu'une autre, ce sont d'autres facteurs qui règlent l'appétit.

L'orgasme féminin intensifie la compétition spermatique

Certains ont postulé que l'orgasme féminin intensifiait la compétition spermatique. Étant donné que l'homme jouit plus rapidement que la femme et qu'il ne prend pas toujours la peine de conduire sa partenaire jusqu'au terminus, la femme éprouverait régulièrement un sentiment de frustration qui la pousserait à rechercher un autre rapport sexuel et ainsi les deux spermes présents devraient « se battre » pour emporter le morceau. Mais cela supposerait que les femmes puissent passer librement et rapidement d'un partenaire à l'autre, ce qui n'est quasiment jamais le cas dans les civilisations historiques connues. En revanche, c'est le cas chez plusieurs espèces de singes où les copulations sont fréquentes et où c'est la femelle qui choisit ses partenaires et décide du nombre de rapports. Ainsi les femelles chimpanzés peuvent-elles s'offrir jusqu'à cinquante *lovers* par jour. Question compétition spermatique, c'est très réel ! Mais, dans les sociétés humaines, rien ne ressemble à cela.

L'orgasme féminin opère une sélection sur les hommes

Une autre hypothèse part elle aussi de la constatation que l'orgasme féminin n'est pas aussi rapide ni aussi automatique que celui des hommes. Certains chercheurs voient précisément là une « astuce » de l'évolution. Cette difficulté serait le moyen d'opérer une sélection parmi les hommes. Si les femmes atteignaient facilement l'orgasme avec tout le monde, elles s'accoupleraient au premier venu et en seraient satisfaites. Mais si certains partenaires sont capables de le produire et d'autres pas, les femmes vont privilégier les bons amants. Or les qualités requises pour être un bon partenaire sexuel, patience, sensibilité, intelligence, empathie, sont précisément celles qui en feront aussi un bon père, capable de s'occuper de sa progéniture. Ce sont des qualités sociales plus importantes pour le succès parental que la force brute. Grâce à leur orgasme capricieux, les femmes font donc d'une pierre deux coups : d'une pierre d'achoppement un bon coup et un papa modèle.

Ce scénario serait séduisant si les femmes avaient réellement le choix de leur partenaire. Peut-être l'ont-elles eu pendant les millions d'années qui ont séparé les premiers hominidés des hommes du Néolithique et durant lesquels la fonction orgasmique s'est créée ou consolidée. Nous ne pouvons pas le savoir. En revanche, pour la période historique, il y a peu de sociétés dans lesquelles les femmes ont pu librement choisir leur partenaire, et encore moins où elles ont pu le faire sur des critères sexuels, qui plus est comparatifs. Pour l'immense majorité des femmes de cette planète, quand on découvre le comportement sexuel de son partenaire, les jeux sont faits et il est trop tard pour aller tester un autre candidat. Et donc si sélection il y a, elle marche plutôt dans l'autre sens. On repère les hommes sensibles et attentionnés dans la vie sociale en espérant qu'ils le seront aussi au lit.

L'orgasme féminin stabilise le couple

Même si les femmes n'ont pas la latitude de multiplier les rapports sexuels et de comparer les partenaires, l'orgasme pourrait leur être utile à une chose : retenir le partenaire qu'elles ont. Un couple avec de forts liens sexuels entretenus par des orgasmes partagés a sans doute plus de chances de perdurer qu'un couple où seul l'homme prend son pied. Du moins c'est ce qu'une vision humaniste tendrait à faire penser. L'ennui, c'est que la grande majorité des sociétés se sont attachées à limiter le potentiel érotique des femmes. Les femmes n'avaient rien à retenir dans la mesure où c'était plutôt elles qui étaient retenues. À nouveau, il est possible que les australopithèques et l'homme de Java aient fonctionné autrement mais, pour ce que nous en savons, l'orgasme féminin n'a rien pu stabiliser dans des groupes où la stabilisation était assurée par des règles sociales normatives. Comment aurait-il pu être sélectionné ?

L'orgasme féminin aspire le sperme

Une observation du vagin pendant l'orgasme a pu laisser penser que ses contractions ainsi que celles de l'utérus ont un effet d'aspiration sur le sperme qui vient d'y être déposé. Malheureusement, les résultats de différentes études s'avèrent contradictoires. Certaines mesures indiquent un effet d'expulsion en lieu et place d'un effet d'aspiration – les contractions de l'utérus refoulent le sperme. Celles qui détectent un effet aspirant concluent à une augmentation du taux de fécondation de l'ordre de 5 %. Mais on ne peut pas considérer la chose comme prouvée. Chez les cochons, on a vu que la fécondation artificielle est plus efficace lorsqu'on provoque des contractions vaginales, mais cela ne présume pas nécessairement du même effet en cas de fécondation naturelle, et qui plus est le vagin d'une truie n'est pas celui d'une femme. L'objection la plus forte, dans le cas de l'orgasme féminin, c'est qu'il n'a pas très souvent lieu en même temps que l'éjaculation, et donc si aspiration il y a, elle ne se produit pas au bon moment. Plus troublant encore, une étude menée par Jon et Tiffany Gottschall en 2001 a montré que sur 405 cas de viol, les chances de fécondation montaient à 8 % (contre moins de 4 % pour un rapport consenti), sans qu'on puisse invoquer ici les effets bénéfiques de l'orgasme. L'hypothèse de l'effet aspirant qui a fait l'objet de débats passionnés est quasiment tombée en désuétude.

L'orgasme féminin empêche la femme de se relever trop vite

Ne riez pas, c'est une hypothèse sérieuse. Lorsqu'une femelle animale sort d'une copulation, elle se remet aussitôt en activité, ce qui ne compromet pas la fécondation puisqu'elle se déplace à quatre pattes et que son vagin est incliné vers le bas, retenant le sperme et même le conduisant vers l'utérus. Lorsqu'une femme se relève tout de suite après l'amour, le sperme redescend vers la sortie, contrariant les spermatozoïdes dans leur course au trésor. D'aucuns ont émis l'idée que l'orgasme, par sa nature de tornade, impose à la femme de rester couchée pour se remettre de ses émotions. Pendant ce temps, les spermatozoïdes ont tout loisir de progresser dans leur brasse papillon. On peut appeler ça la théorie antigravité. À nouveau, cette idée serait convaincante si l'orgasme de la femme était simultané ou très proche de l'éjaculation de l'homme, ce qui n'est pas souvent le cas. Et puis, si on veut vraiment parler de l'orgasme féminin pendant la pénétration, le moment où il a statistiquement le plus de chances de se produire, c'est lorsque la femme est assise sur l'homme, dans une configuration de gravité maximale, donc.

Décidément, l'orgasme résiste à toutes les utilités possibles. Il faut reconnaître que si les femelles macaques qui se montent l'une l'autre éprouvent réellement des orgasmes, on ne voit pas en quoi ceux-ci pourraient favoriser leur reproduction. Le fait que la majorité des orgasmes féminins se déroulent en dehors du moment de la pénétration ou surviennent en dehors de périodes fécondes ne milite pas non plus en faveur d'un effet sur la fécondation. Au final, il n'y a aucune preuve que l'orgasme féminin augmente la fertilité, ni aucune démonstration prouvée de la façon dont il pourrait le faire.

Toutes les hypothèses nous laissent sur notre faim. Elles peuvent souligner des retombées éventuelles du phénomène de l'orgasme, mais pas ses causes premières. Nous restons sans réponse à la question : comment l'orgasme féminin a-t-il pu être sélectionné par la nature ? À quoi sert-il ? Mais, au fond, les choses sont louches dès le départ. Si l'orgasme féminin avait la moindre incidence positive sur la fécondité, il y a longtemps que les femmes orgasmiques auraient dû évincer les anorgasmiques. Un mécanisme physiologique qui a un rôle dans le succès reproductif devrait fonctionner beaucoup mieux que ce qu'on observe.

La voie de réponse la plus intéressante semble alors celle-ci : l'orgasme féminin n'a jamais été sélectionné et il ne sert à rien !

Stephen Jay Gould a été le défenseur marquant de cette thèse qui part du principe suivant : tous les phénomènes observés dans la nature n'ont pas forcément été sélectionnés en fonction de leur intérêt adaptatif. Certains sont des *by-products*, c'est-à-dire des produits annexes ou dérivés, qui existent parce qu'ils sont la conséquence d'un autre phénomène, activement sélectionné quant à lui. Dans le cas de l'orgasme, ce qui est manifestement sélectionné, c'est l'orgasme masculin. Et ce qui en « découle », c'est la capacité des femmes à éprouver des orgasmes, tout simplement parce qu'elles possèdent un équipement fabriqué sur le même modèle de base. Le clitoris est un *by-product* ou un « écho » du pénis, exactement de la même manière que les tétons masculins sont un produit dérivé ou un « écho » des seins de la femme. À partir d'une même structure de base, il y a eu deux développements différents. Personne ne dépenserait une seule minute à vouloir expliquer la valeur adaptative des tétons masculins. Ils ne servent à rien. En revanche, ils peuvent posséder ou développer une sensibilité proche de celle des seins féminins, simplement parce qu'ils ont une origine et une structure physiologique équivalentes. De même, le clitoris ne sert à rien, mais il peut posséder ou développer une capacité à l'orgasme simplement parce que le câblage nerveux installé dès le départ est le même chez les deux sexes. Les contractions orgasmiques ont d'ailleurs exactement la même fréquence de 0,8 seconde chez les hommes et chez les femmes, signe de cette équivalence fonctionnelle. Les hommes ont des tétons parce que les femmes *doivent* en avoir. Et les femmes peuvent avoir des orgasmes parce que les hommes *doivent* en avoir.

Cette thèse a été fort critiquée dans les milieux féministes parce qu'elle range le clitoris au rang de « produit dérivé » et fait de l'orgasme féminin un luxe inutile. Certaines féministes plus pragmatiques, comme Elisabeth Lloyd, ont au contraire considéré qu'il s'agissait d'une bonne nouvelle : on allait enfin pouvoir cultiver le plaisir en dehors de tout contexte utilitariste ou moral, l'orgasme féminin n'ayant d'autre but que lui-même. Pourquoi l'orgasme féminin serait-il discrédité ou insignifiant s'il n'a pas de fonction biologique ? C'est la culture qui choisit de valoriser ou non la jouissance féminine, la biologie ne donne que les ingrédients de base. La femme est l'avenir de l'homme, disait le poète. À tout le moins, l'orgasme féminin serait le rejeton de l'orgasme masculin, merci les gars !

À QUOI TIENT-IL ?

Quoi qu'il en soit, l'orgasme féminin existe, et s'il a été soumis à une pression de sélection, celle-ci est très faible en regard de celle qui s'est exercée sur l'orgasme masculin. On peut en voir une preuve précisément dans les différences énormes que l'on observe chez les femmes quant à leur accès à l'orgasme. Certaines jouissent quotidiennement depuis la plus tendre enfance, d'autres régulièrement, d'autres irrégulièrement, d'autres jamais. Cette diversité s'accompagne d'une grande variation de la conformation anatomique du haut de la vulve qui, n'étant pas soumise à une sélection fonctionnelle, a évolué sans filtre imposé. L'aspect du clitoris, du capuchon et des petites lèvres est éminemment variable d'une femme à l'autre, tandis que l'urètre et l'entrée du vagin, aux fonctions impératives, se ressemblent nettement plus. Il y a eu plus d'un photographe fasciné par cette diversité qui a planté son appareil devant une paire de jambes après l'autre pour dresser des catalogues de sexes féminins comme on réalise un herbier ou une collection de papillons.

Mais si l'orgasme féminin ne sert à rien et n'a pas fait l'objet d'une sélection naturelle, il n'en reste pas moins déterminé, au moins en partie, par des facteurs génétiques. En premier ressort, c'est un programme génétique qui installe les circuits nerveux responsables de l'orgasme, et ses composants anatomiques, ainsi que le terrain hormonal et dans une certaine mesure psychologique. Quand les gènes en question sont transmis par le père, ils sont sélectionnés (seuls les hommes orgasmiquement fonctionnels deviennent pères), s'ils sont transmis par la mère, ils ne le sont pas (toutes les mères ne sont pas orgasmiques). Bien sûr, il s'agit forcément d'un cocktail complexe. Pour cette même fonction, un homme peut transmettre certains gènes qui lui viennent de son père et d'autres de sa mère, tout comme une femme peut transmettre des gènes qui lui viennent de son père et d'autres de sa mère. Toujours est-il que des gènes non favorables à l'orgasme féminin peuvent se reproduire et se transmettre aux femmes – ils ne seront pas stoppés. La capacité à l'orgasme d'une femme pourrait donc être plus ou moins favorisée par ses gènes. Dans une étude publiée en 2009, une équipe anglaise menée par Tim Spector a testé cette hypothèse sur un échantillon de 4 000 femmes (2 000 couples de jumelles, dont la moitié génétiquement identiques, et l'autre moitié génétiquement différentes – mais toutes ayant été élevées ensemble). L'influence du milieu étant la plus homogène possible pour chaque couple de jumelles, quelle était la différence entre deux sœurs dans l'accès à l'orgasme ? Cette différence était nettement plus faible pour les vraies jumelles que pour les autres. On en conclut que les gènes déterminent en partie la capacité orgasmique d'une femme, et cette part s'évalue statistiquement à 34 %.

On pensera tout de suite que cette conclusion est à prendre avec prudence. On sait que l'expérience de vie peut modifier totalement le comportement orgasmique d'une femme. Une femme qui se déclare non orgasmique ne peut pas être considérée comme une femme qui ne le sera jamais. Il est possible que cinq ans plus tard elle réponde très différemment aux mêmes questions (la doyenne orgasmique de notre enquête, au chapitre 6, a découvert l'extase à l'âge de 63 ans, et depuis elle jouit régulièrement). Lorsque deux fausses jumelles n'ont pas les mêmes « scores » orgasmiques, cela peut être dû à leurs gènes différents ou cela peut être dû à des choix de vie ou à des rencontres qui favorisent l'épanouissement sexuel chez l'une et pas chez l'autre. C'est ce qui s'observe justement dans les réponses des vraies jumelles : pour ce qui les concerne, elles ont les mêmes gènes exactement, et pourtant elles n'ont pas toutes les mêmes scores. L'étude rend bien compte de cette composante « expérientielle » en établissant que 66 % de la variation *n'est pas* expliquée par les gènes. Ce qu'il faudrait pouvoir étudier en plus, c'est comment ce pourcentage évoluerait si on refaisait la même étude dix ans plus tard sur le même échantillon.

En fait, il y a un moyen de contourner une partie de la composante expérientielle, et cette étude l'a fait. C'est d'interroger les femmes sur leur accès à l'orgasme non pas pendant les rapports sexuels mais pendant la masturbation. Les différences dues à la qualité du partenaire ou de la relation sont ainsi éliminées, seule la technique compte (et, même là, elle peut être plus ou moins efficace d'une femme à l'autre selon qu'elle utilise telle ou telle méthode, s'aide de sex-toys ou de fantasmes...). Le résultat est parlant : pour la question de la masturbation, les réponses des vraies jumelles sont encore nettement plus proches entre elles que les réponses des fausses jumelles. L'accès à l'orgasme dans cette circonstance serait à 45 % déterminé par les gènes. C'est un résultat intéressant mais, comme il s'agit de la première étude statistique sur cette question, on attend d'autres chiffres pour confirmer une telle affirmation.

Si les gènes déterminent en partie la capacité orgasmique des femmes (ce qui ne fait aucun doute – la question étant seulement : dans quelle mesure), cela ne veut pas dire qu'il y a deux types d'hérédité, celle qui permet les orgasmes et celle qui n'en permet pas. La part des femmes qui seraient congénitalement inaptes à l'orgasme est considérée comme très faible par les sexologues, pas plus de 2 ou 3 %, et encore, on ne peut jamais exclure un changement ultérieur. Les gènes vont plutôt déterminer la facilité et le mode d'accès à l'orgasme, notamment en fonction de l'anatomie qu'ils impriment.

Mais il n'y a pas que l'anatomie. On peut considérer que l'orgasme féminin, bien que soclé sur des réactions physiologiques déjà présentes chez les animaux, et transmises génétiquement, s'accompagne d'un ressenti subjectif spécifiquement humain qui s'enracine, lui, dans les circuits émotionnels. L'orgasme est une potentialité du corps féminin, symétrique de l'orgasme masculin, mais non automatique, dont le développement va dépendre de facteurs psychologiques : émotionnels, affectifs, cognitifs, fantasmatiques – et ceux-ci évoluent constamment.

Un indice allant dans ce sens est fourni par le même Tim Spector qui a interrogé les liens entre intelligence émotionnelle et accès à l'orgasme. Il a soumis à 2 035 femmes un questionnaire-test d'intelligence émotionnelle en même temps qu'un questionnaire de comportement sexuel. Il a trouvé une corrélation positive entre le niveau d'intelligence émotionnelle et la fréquence de l'orgasme. Plus une femme est fine et impliquée sur le plan émotionnel, plus elle a de chances de connaître des orgasmes fréquents. Mais, comme toujours dans les études statistiques entre deux variables, il s'agit d'une corrélation, pas nécessairement d'une explication. Qui sait si ce n'est pas l'inverse : la fréquence orgasmique qui rend une femme plus sensible ?

La capacité orgasmique féminine dépend pour moins de la moitié de ses gènes, qui ne changeront pas, et pour plus de la moitié de son expérience et de son comportement, qui sont toujours susceptibles de changer autant qu'elle le décidera.

COMMENT S'INSTALLE-T-IL ?

Nous avons vu que, en raison de la bipédie de l'espèce humaine, le clitoris s'est réduit et éloigné de l'entrée du vagin. Cet état de fait suffit à expliquer une partie de l'ignorance ou du retard dans la découverte du plaisir par les femmes. Chez un garçon, l'organe sexuel est proéminent et son excitation particulièrement évidente. Chez une fille, tout peut passer inaperçu, l'organe comme son état d'excitation. De là découle une différence très marquée dans l'âge de l'accès à l'orgasme. La moitié des hommes connaissent l'orgasme avant l'âge de 5 ans, et les deux tiers avant 12 ans. Les filles ne sont que 20 % à connaître l'orgasme à l'âge de 15 ans – un monde de différence. Si l'on ajoute au poids de l'anatomie cachée celui de l'éducation souvent muette ou répressive sur la question sexuelle, la probabilité qu'ont les filles de découvrir leur potentiel orgasmique elles-mêmes est d'autant plus faible. Une fillette ou une adolescente peut parfaitement ignorer qu'elle possède un clitoris et ne pas comprendre ce qui se passe lorsque son corps se trouve dans une phase d'excitation sexuelle. Elle peut même expérimenter un orgasme spontané sans avoir la moindre idée de ce qui lui arrive et se croire malade. Nombre de préadolescentes mal informées ont ainsi paniqué en croyant à une anomalie grave, voire à une crise cardiaque. À 20 ans, les femmes ne sont toujours que 50 % à avoir découvert l'orgasme. À 35 ans, elles se montent à 85 %. La fréquence moyenne des orgasmes que connaissent les garçons de 15 ans n'est rattrapée par les femmes qu'à l'âge de 29 ans.

Le problème, dans ce décalage, est que l'enjeu ne se limite sans doute pas seulement à un retard. L'âge du premier orgasme a aussi un effet sur la fonctionnalité des circuits nerveux qui sont inaugurés. En moyenne, plus les connexions nerveuses sont établies précocement, plus elles seront robustes. La capacité orgasmique, chez les femmes, semble avoir un potentiel de développement permanent, mais il vaut mieux avoir commencé tôt que tard. Plutôt que d'empêcher les gamines de se masturber, ce serait un service à leur rendre que de les encourager, quitte à bien marquer où et quand on peut se permettre ce genre de comportement.

Par chance, il semblerait que la première mise en place de ces circuits orgasmiques a quasiment toujours lieu de façon instinctive dès la très petite enfance. Les bébés se masturbent de façon automatique – du moins jusqu'à ce qu'on les en dissuade – et on observe déjà des orgasmes à 5 mois. L'un des grands scoops de la photographie *in utero* provient de ces fœtus que l'on a surpris en train de se manuéliser tranquillement (et à l'abri de toute réprimande). Tandis que beaucoup de garçons continuent à se toucher à travers toute l'enfance, aidés par leurs érections spontanées, la plupart des filles « perdent le contact » dès l'âge de 1 ou 2 ans et doivent attendre entre 5 et... 60 ans pour le retrouver.

Si l'on tient compte à la fois de la grande variabilité anatomique et génétique, et de la grande variabilité dans l'initiation de chacune au plaisir caché dans ses organes, on comprendra que le fonctionnement sexuel des femmes, rien que sur le plan physiologique, est extrêmement diversifié. Bien plus que chez les hommes, les femmes développent chacune des modes d'excitation et d'accès au plaisir qui leur sont particuliers. C'est la plus grande et la plus surprenante leçon de toutes les recherches récentes sur la sexualité féminine, il n'y en a pas une qui ressemble à l'autre.

En aucun cas l'orgasme féminin ne peut être considéré comme « naturel », « instinctif » ou « automatique ». Il s'agit d'une potentialité qui doit être activée et développée. Si elle ne fait pas l'objet d'un apprentissage, fût-ce un autoapprentissage, elle reste latente et inexprimée.

CHAPITRE 3

Petite ethnologie de l'orgasme

L'ORGASME EST-IL MEILLEUR SOUS LE TOIT DU VOISIN ?

Comment les femmes vivent-elles le plaisir sexuel dans des cultures différentes de la nôtre ? Jouit-on mieux ailleurs ? L'orgasme féminin a-t-il une réalité différente en fonction des bases culturelles, religieuses, idéologiques, politiques de la société ?

Les chercheurs en sciences humaines pensent que les variables psychosociales ont plus d'importance que les variables physiques pour déterminer si et quand les femmes jouissent. Certains aspects de la culture, notamment les perceptions sociales du plaisir féminin, influencent l'accès à l'orgasme. Les recherches quantitatives sur la question sont malheureusement rarissimes (euphémisme pour dire qu'on n'en trouve aucune). À titre d'indice, une étude réalisée vers 1900 par Clelis Mosher sur 45 femmes de l'époque victorienne a montré que 34 d'entre elles connaissaient l'orgasme. L'échantillon est très petit, mais s'il est représentatif il montre un score moins élevé qu'aujourd'hui. Dans une société où la femme idéale était à peu près aussi lascive qu'un tabouret, l'anorgasmie était plus probable. Les femmes qui vivent dans des cultures favorables au plaisir féminin ont plus de chances de connaître l'orgasme que celles qui vivent dans des cultures qui entravent la sexualité, ou qui découragent l'expression du désir en valorisant la passivité, ou qui culpabilisent le plaisir. Selon l'anthropologue Margaret Mead, les femmes arapesh de Nouvelle-Guinée n'ont que très rarement des orgasmes – l'idée même qu'il puisse exister un orgasme féminin leur est étrangère – alors qu'à Mundugumor, également en Nouvelle-Guinée, l'orgasme féminin est un élément central de l'acte sexuel.

Mais comment se renseigner sur l'orgasme des autres ? L'orgasme vécu ne s'évalue que par des témoignages, et ceux-ci sont extrêmement rares et sélectifs, quasi exclusivement masculins. Les ethnologues, à force de patience, ont parfois touché à l'intime, mais presque jamais au plus qu'intime, ce qui ne se dit à personne. Ils ont mené des enquêtes et des observations qui touchent aux mœurs et aux comportements sexuels, mais sans aller jusqu'à se renseigner sur le degré d'extase atteint par les partenaires. En l'absence de données sur les fréquences et les intensités du plaisir sexuel, on en est réduit à interpréter des indices pour apprécier si la culture sexuelle est favorable au plaisir des femmes, ou uniquement orientée vers le plaisir des hommes.

On a vu que dans les sociétés paléolithiques les cultes voués aux organes génitaux féminins sont largement dominants, mais qu'entre – 20 000 ans et – 10 000 ans, selon les régions, l'invention de l'agriculture et la sédentarisation semblent aller de pair avec une dégradation du statut de la femme. Presque partout à la surface de la Terre le phallus devient la représentation dominante. On sait aussi, grâce à une vaste étude menée en 1957 par des ethnologues américains, que sur 557 sociétés étudiées à l'époque, 75 % étaient polygames, 24,3 % monogames et 0,7 % polyandres. Dans la majorité des sociétés, les hommes ont donc accès à plusieurs partenaires, alors que les femmes non, ce qui réduit *ipso facto* leur éventail d'épanouissement sexuel. Autre indice : dans la plupart des cultures, la durée de l'acte n'a pas une valeur particulière, et lorsqu'il existe des concours d'éjaculation, c'est le plus rapide qui est couronné vainqueur. Encouragement au plaisir des hommes. Par ailleurs, de nombreux rites de mutilation du sexe féminin existent de par le monde (un tiers des femmes d'Afrique subissent une mutilation sexuelle) qui rendent difficile, voire impossible, l'émergence de la jouissance féminine. Les motifs invoqués peuvent être d'ordre religieux, hygiénique, esthétique ou symbolique. Ainsi, certaines cultures excisent les filles pour les débarrasser d'un appendice qui rappelle le sexe masculin, et pour les rendre « plus féminines », d'autres le font parce que le clitoris est considéré comme sale, d'autres parce qu'il est maléfique et pourrait causer du tort aux enfants à naître. L'effondrement de la capacité orgasmique est manifeste. Une étude menée en 1967 sur 3 000 femmes soudanaises excisées a montré que 84 % d'entre elles n'avaient jamais connu d'orgasme.

Dans la plupart des sociétés qui ont fleuri à la surface de la Terre, la liberté sexuelle des femmes a été fortement restreinte et la découverte du plaisir sexuel encombrée de nombreux interdits. Le comportement sexuel des femmes a été presque universellement régenté de façon plus stricte que celui des hommes. Quasiment toutes les cultures se sont efforcées de mettre un frein aux aspirations sexuelles des femmes, que ce soit en les tenant à l'écart des hommes (dans la maison, le gynécée, le harem, derrière une ceinture de chasteté) ou en réduisant leurs pulsions (par l'excision ou par un système moral normatif qui autorise le sexe exclusivement dans certaines circonstances). Nous n'allons pas passer en revue toutes les coutumes, lois et conceptions morales qui encadrent, inhibent et culpabilisent la pulsion sexuelle féminine dans ces sociétés – le sujet a été abondamment documenté. Cherchons plutôt les cultures qui s'écartent de ce modèle et font une place explicite au plaisir sexuel féminin. Il existe quelques traditions qui valorisent le plaisir sexuel et connaissent une culture érotique raffinée. Même s'il s'agit souvent de traditions initiatiques réservées à une élite, les pratiques et les conceptions valables pour le plus grand nombre en sont teintées d'une manière positive.

En préambule, ce tout petit et lointain clin d'œil sauvegardé par les caprices de l'histoire : une tablette babylonienne de plus de cinq mille ans transmet toujours la prière d'une femme qui demande que son amant tienne bon jusqu'au bout et lui assure ainsi tout le plaisir physique qu'elle désire partager avec lui.

Dans la tradition hébraïque, la sexualité est conçue comme une métaphore de la création divine et de l'interaction entre Dieu et le monde. Le monde sensible a été créé comme une scène pour démontrer l'unité de Dieu, et aucun acte ne peut réaliser plus pleinement cette démonstration que l'union charnelle, qui accomplit l'unité céleste des énergies masculine et féminine. C'est pourquoi les rabbins ont toujours vu le plaisir sexuel comme une manifestation du divin et ont fait du plaisir de la femme un devoir incombant au mari. En satisfaisant sa femme, l'homme satisfait aussi la Divine Présence et devient un instrument de la paix dans le monde. Le Talmud précise en outre que la passion érotique de la femme est plus grande que celle de l'homme, et si la culture juive a conservé le plaisir féminin comme une valeur centrale, c'est au prix d'une certaine flexibilité pour les ajustements nécessaires. Une femme qui ne trouve pas satisfaction sexuelle auprès de son mari peut demander le divorce pour cette seule raison – et l'obtenir. Il y a ainsi un enjeu réel dans les relations sexuelles conjugales, enjeu qui est vraisemblablement de nature à porter les hommes vers la curiosité de l'autre.

Dans la tradition taoïste chinoise, qui remonte à quelque six mille ans avant notre ère, jamais la sexualité n'est associée à des sentiments de honte ou de culpabilité, bien au contraire : elle est nécessaire à l'épanouissement et il est bon de la cultiver pour elle-même, indépendamment des questions de procréation. La sexualité épanouie nécessite des connaissances et un apprentissage, et la maîtrise n'en vient que progressivement. À l'âge de 40 ans, un homme se doit de connaître l'art de la chambre à coucher. Celui-ci s'appuie sur une littérature et une iconographie érotiques où l'on voit que le plaisir doit être mutuel et le désir réciproque, sans quoi l'union n'est pas harmonieuse. On trouve dans les *Propos sur la façon d'atteindre le Tao dans ce monde* la description des cinq cris que pousse la femme pour exprimer sa jouissance : le cri guttural, le halètement, le soupir, le geignement et le grincement de dents. Confucius, cinq cents ans avant notre ère, affirme que les épouses et les concubines ont des droits sexuels et qu'il est du devoir de leur mari de les satisfaire. Une femme ne devrait pas rester plus de cinq jours sans être honorée. La chambre à coucher comprenait des meubles spécifiquement conçus pour les ébats sexuels, comme la « chaise de la belle » ou le « tabouret de printemps ». Mais les exhortations au plaisir partagé ne doivent pas faire oublier la réalité d'une société phallocratique. La femme était au service de l'homme et contribuait à son équilibre et à sa longévité. L'homme, en effet, puise de l'énergie yin dans chaque rapport sexuel – il lui faut d'ailleurs multiplier les partenaires pour s'assurer une quantité d'énergie suffisante. S'il se montre aussi attentif au désir et au plaisir de ses partenaires, c'est pour que celles-ci lui délivrent une énergie pleine et de bonne qualité. Dans le *Propos sur la préservation de la vie*, on lit : « L'homme commencera par contrôler sa respiration afin de ne pas éjaculer durant le coït, et au moment où la femme sera sur le point de connaître l'orgasme et qu'une salive fraîche envahira sa bouche, il saura que l'essence yin commence à affluer aussi bien dans la partie supérieure de son corps, que dans la partie inférieure où les sécrétions vaginales deviendront abondantes. À ce moment précis, l'homme devra sucer la langue de la femme tout en lui enfonçant ses doigts dans le flanc droit. Surprise et quelque peu effrayée, la femme sécrétera un surplus d'essence vitale que l'homme avalera aussitôt. » Une telle instrumentalisation évoque les coccinelles qui élèvent des pucerons afin de leur faire produire du nectar dont elles se nourrissent. Les adeptes de la voie du Tao se devaient de provoquer l'orgasme de leur partenaire et le considéraient comme aussi important que le leur, mais seulement dans la mesure où cela leur était profitable sur le plan énergétique.

Ainsi, si la Chine ancienne n'était pas moins dominée par les hommes que bien d'autres civilisations de l'époque, les femmes ont paradoxalement pu profiter des égards induits par une vision de la sexualité pour le moins intéressée. Le cunnilingus était encouragé parce qu'il était agréable pour la femme et parce qu'il procurait un supplément d'essence yin à l'homme qui le pratiquait. Par surcroît, les femmes étaient considérées comme d'inépuisables réservoirs d'énergie yin, là où les hommes se vidaient en yang lors de chaque éjaculation et devaient par conséquent s'économiser. Il était donc parfaitement sain et souhaitable pour les femmes de cultiver leur belle énergie par des pratiques autocentrées : elles utilisaient des « clochettes chatouilleuses » pour se masturber, ainsi que des godemichés munis d'un appendice pour stimuler le clitoris. La Chine ancienne est la première civilisation à avoir produit des manuels sexuels détaillés incluant des dizaines de positions, et des instructions pour les préliminaires, le sexe oral et le sexe anal, manuels destinés aussi bien à l'usage des hommes que des femmes. Tous invitent à accorder la plus grande importance à l'orgasme féminin, car du plaisir des femmes dépend l'équilibre énergétique et la longévité des hommes ainsi que l'harmonie générale du monde. La femme joue en quelque sorte un rôle de régulateur thermique ou de vanne thermostatique dont il faut soigner l'entretien pour qu'elle fonctionne bien.

L'autre grande tradition érotique orientale est née dans le nord de l'Inde aux environs du IVe millénaire avant notre ère. Dans le tantrisme, la sexualité est encore plus étroitement liée à une vision religieuse, et la quête de l'orgasme s'inscrit dans une quête spirituelle. L'ethnie des Harrapans, qui semble à l'origine du tantra, vénérait la féminité à travers la déesse Shakti, représentée sous la forme d'une vulve. C'est l'un des rares cultes du sexe féminin qui s'est maintenu jusqu'aux époques historiques – en même temps que le culte du sexe masculin personnalisé par Shiva. Leurs énergies étant complémentaires, les deux divinités sont souvent représentées en plein accouplement, et fort heureuses d'y être. L'orgasme est tellement central dans la façon tantrique de mener sa vie que certaines écoles demandent à leurs moines et nonnes de pratiquer le sexe comme rituel religieux. Le culte du féminin, dans cette tradition, est central et revendiqué comme tel. Chaque femme incarne la déesse primordiale, chaque femme est la mère cosmique et le féminin absolu. En ce sens, les échanges sexuels n'ont rien à voir avec notre vision du rapprochement entre deux êtres qui s'aiment. Il s'agit bien plus pour chacun de se rapprocher de la divinité – et ce à travers l'une de ses incarnations. Mais l'activité sexuelle ne peut s'engager que lorsque la femme est désirante, et l'homme s'interdit de jouir avant que la femme ait eu un ou plusieurs orgasmes.

Le *Kamasutra*, traité de plaisir sexuel bien connu jusque dans nos contrées, a été écrit très tardivement, au IIIe siècle de notre ère. C'est une version populaire et très simplifiée de pratiques d'inspiration tantrique. Il n'a rien de pornographique dans la mesure où l'iconographie sexuelle faisait partie de la vie religieuse aussi bien que de la vie de tous les jours. Un riche hindou pouvait engager un peintre pour se faire représenter en pleine fornication avec sa femme aussi couramment qu'un riche Européen du XVIIIe siècle se faisait représenter sur son cheval. L'ouvrage est plutôt conservateur et basique que progressiste et sophistiqué. Au vu des raffinements possibles dans la tradition tantrique, il s'agit presque du brouet du pauvre, qui fixe des cadres relativement étroits pour la sexualité courante. La sexualité orale est déconseillée car contraire à la morale – mais l'ouvrage détaille tout de même quelques instructions pour ceux qui voudraient « sucer la mangue ». Le clitoris est curieusement absent des descriptions, et la masturbation déconseillée. Dans ce corpus populaire, l'orgasme des femmes n'est pas spécifiquement décrit, même si l'accent est mis sur l'importance d'éveiller leur désir et de partager le plaisir.

Mais les champions du plaisir sexuel féminin ne sont pas à chercher dans les grandes civilisations qui ont brillé comme des phares sur l'humanité. Ce sont des cultures beaucoup plus réduites, souvent insulaires, chez qui les ethnologues ont découvert de petits jardins des délices. Quelques exemples :

— Les Hawaïens vénéraient les organes sexuels et leur accordaient des soins particuliers dès le plus jeune âge. Du lait maternel était pressé dans le vagin des petites filles tandis que le clitoris était allongé et étiré au moyen de stimulations orales. Ces soins, et d'autres similaires accordés aux garçons, devaient stimuler et renforcer les organes sexuels, accroître leur beauté et les préparer au plaisir sexuel.

— La masturbation enfantine était acceptée, considérée comme normale ou même encouragée dans une série de cultures traditionnelles : les Hopis et les Sirionos au Mexique, les Kazaks, les Aloriens en Indonésie, Les Pukapukans en Polynésie, les Hottentots Namas en Afrique, les Trobriandais en Papouasie, les Ifuagos aux Philippines, les Chewas en Afrique, les Lepchas en Inde. Pour toutes ces peuplades, la sexualité sera d'autant plus robuste et épanouie que l'apprentissage sera précoce - et les parents voient d'un mauvais œil les enfants qui rechignent à avoir des jeux sexuels.

— À Ponape, dans le Pacifique Sud, l'art du cunnilingus atteint des sommets artistiques : les hommes y aiment à glisser un petit poisson vivant dans le vagin de leur amante, afin de l'aspirer doucement au dehors avec leur bouche.

— Chez les Bushmen Kung, l'activité sexuelle est considérée comme aussi importante que la nourriture tant du point de vue de la survie que du plaisir. Il est impératif que l'acte sexuel fournisse un orgasme à la femme. Si un homme a joui avant sa partenaire, il est tenu de continuer à s'occuper d'elle jusqu'à ce qu'elle soit satisfaite. On considère que si une fillette grandit sans sexualité régulière, elle va devenir folle, se mettre à brouter l'herbe et mourir. La masturbation est énormément pratiquée – bien que le sexe oral ne le soit pas.

— Dans l'ethnie des Muria, en Inde, le plaisir sexuel est la meilleure chose qu'on puisse attendre de l'existence. Le pénis et le vagin sont en relation espiègle l'un avec l'autre, le rapport sexuel est une danse qu'ils pratiquent ensemble. L'orgasme est un droit pour les femmes, qui compense les peines de l'accouchement.

— Chez les aborigènes de Western Arnhem Land en Australie, les femmes qui restent insatisfaites par les performances d'un homme peuvent rechercher le coït avec plusieurs autres partenaires sur la même période de douze heures.

— Dans les îles mélanésiennes du Pacifique Sud-Ouest, l'orgasme féminin s'obtient d'abord par la masturbation, avant que la pénétration ne soit ajoutée juste au bon moment pour produire un orgasme simultané.

— Sur les îles Cook, également dans le Pacifique, la société mangaïa semble remporter la palme absolue dans le culte de l'orgasme féminin. Les jeunes garçons adolescents, dès l'âge de 13 ans, sont initiés aux pratiques sexuelles par des femmes plus âgées. Ils apprennent différentes techniques de coït, les mille et une nuances à apporter à l'art du cunnilingus, les caresses et baisers sur les seins, et surtout à ne pas éjaculer tant que leur partenaire n'a pas joui une ou plusieurs fois. Les filles sont encouragées à essayer différents partenaires tant qu'elles ne sont pas mariées, de sorte qu'elles ont souvent eu trois ou quatre amants avant l'âge de 20 ans. Ceux-ci ayant été si bien formés, il est normal pour les femmes de connaître plusieurs orgasmes lors de chaque rapport sexuel, et il est courant pour les couples jeunes de faire l'amour deux ou trois fois par nuit. Les filles reçoivent également les conseils et enseignements de femmes expérimentées, car il est admis que l'orgasme est une chose qui s'apprend, et de préférence avec un conseil avisé – car il y faut une collaboration active et non un simple laisser-faire. Ce paradis sexuel d'à peine 1 000 habitants est aujourd'hui largement christianisé, mais il a d'autant plus fasciné les ethnologues qu'il semble s'être construit en dehors de toute tradition religieuse. La culture érotique raffinée des habitants de Mangaïa ne visait rien d'autre que le plaisir du sexe pour lui-même.

Les anthropologues comme Margaret Mead et Donald Symons ont noté que dans les cultures qui encouragent les préliminaires, comme celles qui viennent d'être décrites ou encore celle des îles Samoa, toutes les femmes connaissent l'orgasme.

L'ORGASME À LA MODE DE CHEZ NOUS

Trêve d'exotisme, revenons vers nos contrées. Qu'en est-il dans le monde occidental ? Depuis l'avènement du christianisme, l'acte sexuel est entaché d'une lourde réputation de péché. Dans l'Antiquité, pourtant, il était de bon ton de s'envoyer en l'air, et plutôt deux fois qu'une. Mais l'orgasme féminin, dans un cas comme dans l'autre, reste mystérieusement discret.

L'Antiquité grecque est une civilisation totalement masculine, où la sexualité est valorisée comme une activité saine, profitable, que l'on peut pratiquer pour le seul plaisir. Jouir de son corps aussi bien que de son esprit est une évidence pour les citoyens grecs qui développent entre eux des liens homosexuels et fréquentent ouvertement les prostituées. Les jeunes garçons, voire les enfants, sont couramment initiés par les amis de leur père – dans le cadre d'une moralité parfaitement exemplaire. Le plaisir sexuel est nécessaire à l'équilibre et c'est plutôt l'absence d'activité sexuelle qui est réprouvée. D'innombrables représentations sculptées et peintes montrent le sexe masculin en action dans les circonstances les plus diverses. Les femmes restent à l'écart de la vie publique, mais elles participent de cet appétit du plaisir. Les auteurs grecs sont même enclins à souligner la violence du désir des femmes, leur insatiable énergie sexuelle, qui effraie les hommes et les conforte dans l'idée qu'elles doivent rester colloquées dans leurs appartements. Les épouses sont préposées à la descendance et à la garde du foyer. On considère que les plaisirs de la chair n'ont pas leur place au gynécée. Ils sont affaire de professionnelles. Pour autant, les hommes grecs ne semblent guère conscients de la nature du plaisir féminin. L'opinion courante des médecins hippocratiques était que la femme éprouve du plaisir de façon continue depuis le moment de la pénétration jusqu'au moment de l'éjaculation. L'existence d'un pic de plaisir leur aura échappé. Les femmes grecques, semble-t-il, parvenaient à se consoler toutes seules – certains historiens les tiennent pour de sacrées masturbatrices. La confection de godemichés en cuir est devenue une industrie dans la ville de Milet en – 500 ; on en exportait dans tout le monde grec. On en voyait en métal, en pierre, en bois, en cuir, en ivoire, plus ou moins enveloppés de tissus divers, simples ou doubles, manuels ou attachables. L'usage en était courant au point que certains auteurs de théâtre mettent en scène des amies qui comparent tranquillement les vertus de leur instrument, exactement comme les quatre filles du feuilleton *Sex and the City*.

Le monde romain est moins excluant des femmes que le monde grec, mais il reste extrêmement stratifié. Les femmes se voient imposer le mariage très tôt. Tout homme a le droit de coucher avec les femmes de ses inférieurs comme s'il s'agissait de leur emprunter un outil. Rien n'est plus vulgaire que de se laisser aller aux raffinements du plaisir avec sa femme. « Les hommes devraient se conduire en époux avec leur femme et non en amants » (Sénèque). Cependant, si les patriciennes comptent pour rien aux yeux des hommes de leur rang, elles ont tout pouvoir sur leurs esclaves, mâles ou femelles. On en voit qui font castrer les plus beaux spécimens qu'elles choisissent afin de pouvoir en user selon leur bon plaisir sans prendre le risque d'une grossesse. L'homme-objet faisait son apparition. « Cælia veut être besognée, mais elle ne veut pas d'enfant. Elle n'a pour la servir que des eunuques » (Martial). Ce sont aussi de grandes acheteuses de godemichés. On est toujours dans l'époque bénie où l'activité sexuelle ne fait l'objet d'aucune réprobation sociale ou morale en soi – il est bon, sain et normal de vouloir faire l'amour. Les fresques de Pompéi témoignent de l'appétit et de la diversité des pratiques sexuelles d'un monde dont les dieux eux-mêmes forniquaient de toutes les façons possibles et imaginables.

Arrive le christianisme, et avec lui le Dieu unique et austère, désincarné au point de copuler par ange interposé. Au fur et à mesure des sermons de saint Paul, Tertullien, Arnobe, saint Jérôme, saint Ambroise, saint Méthode, l'acte sexuel devient honteux, dégoûtant, dégradant, sale, souillant, rabaissant. Les choses prennent rapidement des proportions catastrophiques. En 342, l'État romain promulgue une loi qui interdit aux couples mariés tout autre type d'activité sexuelle que celle qui consiste à introduire le pénis dans le vagin. Saint Augustin fut le grand fer de lance de cette croisade contre l'impur. Après avoir considérablement péché lui-même, il jugea de son devoir d'empêcher les autres de se tromper de chemin. La sexualité n'était qu'une méprisable caractéristique animale à combattre toutes affaires cessantes. Le bel appétit de jouissance du monde occidental se transforma en de sinistres appels à la repentance, à l'ascétisme, à la flagellation. Les lois s'accumulèrent. L'activité sexuelle fut prohibée les dimanches, mercredis et vendredis, pendant tout l'avent (quarante jours avant Noël), durant toute pénitence, pendant les quarante jours avant Pâques, pendant les trois jours précédant toute communion, pendant les jours des saints patrons, et pendant toute grossesse jusqu'à quarante jours après la naissance, ou la fin de l'allaitement. Que dire du plaisir féminin ? L'idée même qu'une femme puisse éprouver de l'appétit pour l'activité sexuelle était tout simplement épouvantable.

Une seule chose put sauvegarder un petit coin de ciel bleu pendant quelques siècles : la croyance totalement erronée que l'orgasme féminin était nécessaire ou utile à la procréation. Par simple symétrie, Hippocrate avait affirmé que la femme aussi bien que l'homme émettait de la semence lors du climax sexuel. Il fallait donc jouir pour ovuler, ce qui fut bientôt infirmé par les faits, mais on continua à penser que l'orgasme féminin jouait un rôle d'une manière ou d'une autre dans le succès de la fécondation. Déjà, certaines femmes grecques ne craignaient pas de revendiquer leur jouissance parce que c'était la condition « scientifique » de la fécondité. Il y eut ainsi, du moins dans l'un des courants de la culture occidentale, une forme de reconnaissance du plaisir féminin. Dans le *Dialogue des courtisanes* de Lucien, au IIe siècle de notre ère, une femme grecque se plaint que son amant veut seulement coucher avec elle sans se préoccuper des mille délicatesses qui aux yeux de la jeune fille sont à la base des rapports amoureux. Chez Ovide, dans *L'Art d'aimer*, on trouve ce conseil aux amants : « Ne va pas, déployant plus de voiles que ton amie, la laisser en arrière... Je veux entendre des paroles traduisant la joie qu'elle éprouve, et me demandant d'aller moins vite et de me retenir. »

Au Moyen Âge, la masturbation des adolescentes était admise et considérée comme bénéfique pour leur future vie sexuelle. Avicenne recommande : « Que les hommes prolongent le jeu avec les femmes. Qu'ils soient attentifs au moment où se manifeste une plus forte adhésion de la femme, où ses yeux commencent à rougir, sa respiration à s'intensifier, et où elle se met à balbutier. » Et si l'homme n'est pas parvenu à provoquer le plaisir de la femme, ce sera à elle à faire les gestes nécessaires. Certains médecins, comme Gilles de Rome, s'en tirent adroitement en postulant que le plaisir féminin est provoqué par l'émission de la semence masculine dans le vagin. Ainsi, plus besoin de s'en faire ; ce qui est bon pour l'homme est bon pour la femme. À la Renaissance, les mœurs de certaines classes sociales s'affranchissent du carcan biblique et retournent vers des modèles antiques. Les références païennes envahissent peinture et littérature : nymphes, satyres, Bacchus, bergères, Apollons et Grâces se livrent à des ébats érotiques pour le plus grand plaisir de tous. Au XVIIIe siècle, lorsque l'impératrice Marie-Thérèse consulta son médecin pour accélérer une descendance qui tardait à venir, celui-ci répondit : « Je suis de l'avis que la vulve de Votre très Sainte Majesté devrait être titillée pendant un certain temps avant l'acte. » La patiente dut être conquise par la technique et son empereur de mari ravi de la conversion inattendue, car le couple impérial acquit une réputation d'amants passionnés, faisant l'amour par plaisir et non plus par obligation, ce qui eut pour effet de leur fournir seize enfants (parmi lesquels Marie-Antoinette qui eut elle-même le plus grand mal à procréer avec Louis XVI, celui-ci étant pourvu d'un « bracquemart assez considérable » alors qu'elle souffrait d'une étroitesse du vagin, selon l'historienne Simone Bertière).

Les Lumières consacrent le retour à l'Antiquité et au culte des plaisirs. La Fontaine lui-même affirmait déjà : « La jouissance et les désirs sont ce que l'âme a de plus rare. » L'érotisme devient une affaire centrale pour les libertins dans leur croisade contre l'emprise religieuse. Ils revendiquent l'alliance de l'esprit et des plaisirs. Dans leur mouvement, ils enrôlent les femmes qu'ils exhortent à s'émanciper et à partager les jeux de l'amour. Peu après, la Révolution française plonge à pieds joints dans un nouveau polythéisme. Aux côtés de l'Être suprême, de la Nature et de la Raison, on vénère Priape, le dieu au sexe démesuré, et Protée le dieu des métamorphoses, qui inspirent aux amants une nouvelle inventivité joyeuse.

Pendant tous ces siècles, l'Église réprouvait toutes les formes d'activité sexuelle, sauf une, celle à visée procréatrice au sein du mariage. Mais les médecins, de l'autre côté, affirmaient que, si l'on voulait concevoir des enfants, il fallait faire jouir sa femme. Voilà les théologiens pris au piège des connaissances scientifiques – d'une science balbutiante, peut-être, mais sûre d'elle –, obligés d'encourager les épouses au plaisir et d'admettre même que l'absence d'orgasme serait un péché. Si l'homme ne parvient pas à les satisfaire, c'est à elles de faire les gestes nécessaires... oui, il y a des théologiens qui ont conseillé la masturbation féminine. Du début de l'ère chrétienne jusqu'au XVIIIe siècle, on évolue dans ce moyen terme malaisé d'un plaisir qui est interdit sauf quand il est obligatoire... jusqu'au jour où la science finit par devenir moins balbutiante.

Le progrès n'étant pas toujours facteur de progrès, c'est bien la vérité sur la procréation, établie pour de bon au XIXe siècle, qui renvoya l'orgasme féminin aux oubliettes. Finie l'idée que les femmes émettent, au même titre que les hommes, leur semence en plein coït. L'ovulation est tout à fait automatique et déconnectée de l'activité sexuelle. Ne leur restait donc que le rôle ennuyeux et limité de recevoir le produit des émois masculins, ainsi qu'une terre fertile et toujours prête. Le doute qui avait toujours couru sur la nécessité du plaisir féminin l'emportait pour de bon avec la complicité involontaire des médecins. Le puritanisme allait pouvoir se déployer sans frein. Et les femmes jouir de moins en moins. D'où une multiplication sans précédent des cas d'hystérie – une maladie que l'on reconnaît aujourd'hui comme une mystification sans équivalent dans l'histoire médicale occidentale.

CHAPITRE 4

L'orgasme et les médecins

UNE MALADIE QUI NE TOUCHE QUE LES FEMMES

L'hystérie a toujours fait partie des diagnostics promptement posés en Occident. Le terme apparaît au IVe siècle avant notre ère et désigne divers désordres physiologiques féminins qui seraient dus à des mouvements de la matrice à l'intérieur du corps, ou à sa suffocation. En effet, pendant des siècles, l'utérus (origine du mot hystérie) a été considéré moins comme un organe que comme une créature indépendante capable de bouger dans le corps de la femme à la manière d'un ver dans une pomme (un animal dans un animal, disait Platon). De plus, depuis les anciens Grecs, on pensait que les femmes produisent leur propre semence qui est relâchée au moment de l'acte sexuel. Les femmes privées d'activité sexuelle, les jeunes veuves en particulier, pouvaient donc souffrir d'une sorte d'engorgement de la semence dans la matrice (ce dont les hommes étaient protégés par leurs épanchements nocturnes). Quand la semence était retenue, elle s'accumulait, se corrompait et envoyait des vapeurs délétères jusqu'au cerveau ; c'était la suffocation de la matrice. En pratique, ce sont toute une série de comportements féminins jugés déviants qui sont classés comme troubles relevant du domaine médical (masturbation, pulsions homosexuelles, « excès » de désir ou désir tout court, demandes de préliminaires, fantasmes, lubrification, tension dans l'abdomen, mais aussi mélancolie, évanouissements, anxiété, insomnies, nervosité et comportement irritable – autant de symptômes de désir frustré). En clair : les manifestations et l'inassouvissement du désir sexuel féminin posent problème et le soulagement des symptômes est délégué aux médecins. Pour « calmer » la matrice et la ramener en place, divers traitements sont prodigués au cours des siècles, le pire étant l'excision. Au XIXe siècle, en France, le docteur Jules Guérin de l'Académie de médecine se félicitait d'avoir guéri plusieurs jeunes filles affectées d'onanisme en leur brûlant le clitoris au fer rouge. À Londres, au milieu du XIXe siècle, le docteur Isaac Baker Brown, président de la British Medical Society, traitait « l'hystérie, l'épilepsie, l'homosexualité et d'autres formes de folies féminines » en coupant à tout jamais l'organe responsable. Un médecin américain nommé Battey, plus radical encore, résolvait le problème des femmes hystériques en leur retirant les ovaires. Dans l'Antiquité, on préconisait plutôt les fumigations bénéfiques sous les parties génitales, accompagnées d'odeurs nauséabondes sous le nez (un pot d'urine rancie faisait l'affaire) afin de convaincre la matrice de redescendre à sa place. La nausée consécutive détournait au moins la patiente de ses pensées libidineuses. L'autre grand traitement préconisé à travers tous les siècles, depuis Hippocrate au IVe siècle avant notre ère jusqu'au début du XXe siècle, est le massage des parties génitales. Oui, vous avez bien lu. Une masturbation. Rien de tel, pour résoudre une frustration sexuelle, évidemment. Sauf que la chose n'était pas présentée ainsi, mais bien comme un traitement médical pour soigner une maladie problématique et inquiétante, sournoisement chronique. Le massage manuel de la vulve par les médecins, ou par leurs aides-soignants, ou par les sages-femmes, a ainsi été monnaie courante dans la médecine occidentale depuis l'Antiquité, à travers tout le Moyen Âge, la Renaissance et jusqu'à l'époque moderne. Un médecin qui s'engagerait aujourd'hui dans une telle séance serait aussitôt passible de poursuites légales, mais ce fut une pratique centrale pour les médecins de famille jusqu'en 1920. L'orgasme provoqué n'était pas qualifié comme tel, et il n'était probablement pas perçu comme tel par la plupart des médecins eux-mêmes. Puisqu'il n'y avait pas de pénétration, il n'y avait pas d'acte sexuel, conformément à la vision masculine de la sexualité. Il s'agissait bien d'un traitement médical destiné à provoquer une « crise hystérique » qui purgeait la matrice de ses humeurs nocives et de ses tensions néfastes. Après le massage prolongé, nous dit Aetius d'Amide au VIe siècle, « une quantité de semence épaisse est expulsée, et la femme est libérée sans délai de son affection ». En 1653, le médecin hollandais renommé Pieter Van Foreest rédige un traité médical dans lequel il préconise pour les cas d'hystérie un massage avec un doigt inséré dans le vagin lubrifié à l'huile de lys, afin de mener la patiente à un « paroxysme ». Ainsi, l'orgasme provoqué cliniquement est le point culminant de la maladie. Comme quoi la jouissance féminine peut appartenir aussi bien à la pathologie qu'à l'érotisme, et il arrive que la pornographie et la médecine poursuivent les mêmes objectifs. La production d'orgasmes cliniques servait de soupape de sécurité dans une société où rien n'était fait pour donner une place au plaisir féminin. L'orgasme féminin et les moyens nécessaires à sa survenue constituaient une réalité extrêmement dérangeante avec laquelle il fallait louvoyer, au point d'en faire des anomalies, tant du point de vue biologique que du point de vue culturel et philosophique. En « soulageant » les femmes de leurs symptômes, on évitait de remettre en cause le modèle de la sexualité dominante, qui était un modèle androcentrique, tourné vers le plaisir des hommes. Le vécu féminin, lorsqu'il devenait trop encombrant, était orienté vers le cabinet médical. Durant toute l'époque victorienne pour les pays anglo-saxons et dans la France catholique moraliste du XIXe siècle en particulier, les femmes avaient grand intérêt à réprimer tout désir et toute manifestation érotique, car elles se trouvaient stigmatisées si elles laissaient filtrer la moindre excitation sexuelle. Une dame respectable n'était pas censée bouger le plus petit orteil pendant l'acte sexuel et ne consentait à cet épisode que pour faire plaisir à son mari et concevoir des enfants. La passion, si elle en avait, devait s'exprimer dans la vie domestique et la maternité. La masturbation, qui avait fait l'objet des plus virulentes campagnes de diabolisation, ne constituait évidemment pas une option, et les maris étaient convaincus qu'une épouse digne de ce nom ne connaissait pas les désirs de la chair. L'ignorance de l'anatomie féminine chez les hommes atteignait parfois des sommets burlesques. John Ruskin, grand critique d'art ayant sa statue à Paris et Venise, fut frappé d'apoplexie lorsqu'il déshabilla sa jeune épouse pour la première fois, car elle avait des poils *là* ! Il confia à la reine elle-même – car il fréquentait du beau monde – que sa femme avait un « problème » et il ne parvint jamais à surmonter son dégoût pour consommer le mariage. Dans le couple bourgeois standard au XIXe siècle, il était de coutume de ne jamais se dévêtir devant son conjoint, sans doute pour éviter l'apoplexie généralisée. Dans ces conditions, les maris allaient assouvir leurs pulsions sexuelles ailleurs, et les malheureuses femmes qui avaient du tempérament se retrouvaient souffrantes sans même comprendre ce qui leur arrivait jusqu'à ce qu'on leur apprenne la vérité : elles souffraient d'hystérie. Soigner les symptômes de cette présumée maladie était un dur labeur pour les médecins, qui n'étaient pas nécessairement enclins à trouver cette occupation excitante, du moins pas avec toutes les patientes. La délégation du « massage » à des sages-femmes était courante, ou bien l'utilisation d'instruments augmentant le rendement de la manœuvre. Des douches pelviennes, tout d'abord. Depuis l'époque romaine, les établissements de bains ont eu la cote pour soigner les problèmes typiquement féminins, infertilité et hystérie en tête. Le principe agissant de la cure consistait en des douches thérapeutiques dirigées vers les parties génitales (le modèle du jet ascendant au-dessus duquel on se positionnait debout en réglant le contact au centimètre près était très populaire). L'équitation fut une autre prescription traditionnelle pour les femmes affligées d'hystérie, car le galop stimulait la circulation sanguine dans la région pelvienne. Viennent ensuite les vibromasseurs mécaniques qui fonctionnaient au moyen de manivelles, de ressorts, à l'essence ou même à la vapeur (engin conçu en 1869 par le médecin américain George Taylor que les massages manuels enquiquinaient). Dans son livre intitulé *Technologies de l'orgasme* (1999), Rachel Maines fait l'inventaire des dispositifs mis au point pour assister les médecins dans leur difficile mission d'induire la crise hystérique. Il y en a de toutes les tailles, de toutes les formes, de tous les prix. Certains ressemblent à un phonographe, d'autres à un sèche-cheveux, d'autres à une foreuse, d'autres à un établi ; certains sont des machines montées sur roulettes, d'autres sont portables, d'autres suspendus au plafond. À l'Exposition universelle de Paris, en 1900, on pouvait trouver plus d'une douzaine d'instruments médicaux vibrants différents. Le grand progrès en la matière fut apporté par l'électrification. Le premier modèle de vibromasseur électrique fut commercialisé par la firme anglaise de matériel médical Weiss en 1890. Pour votre culture, sachez que le tout premier appareil domestique à être électrifié fut la machine à coudre, en 1889, suivie par le ventilateur, la bouilloire, le toaster et le vibromasseur l'année suivante – bien avant l'aspirateur et le fer à repasser. Quinze ans plus tard, on comptait douze fabricants de vibromasseurs électriques de par le monde, et pas moins de dix marques rien que sur le marché américain en 1920. Le vibromasseur électrique était d'une efficacité incomparable, ramenant en moyenne de 1 heure à 10 minutes le temps nécessaire pour obtenir un orgasme. Progrès inespéré, pour le traitement d'une maladie elle-même providentielle : les femmes souffrant d'hystérie constituaient un grand marché permanent pour les médecins, car elles ne risquaient pas de mourir de leur maladie, et elles ne risquaient pas d'en guérir non plus, mais continuaient à nécessiter des soins réguliers. Deux médecins américains de la fin du XIXe siècle ont estimé que les trois quarts de la population féminine étaient concernés et que cela constituait le plus grand marché connu pour des soins médicaux. On peut supposer que toutes les patientes de la vibrothérapie n'étaient pas dupes de la supercherie médicale et que certaines savaient exactement ce qu'elles venaient chercher sous le nom de *massage*.

La réduction de l'encombrement et la baisse des coûts grâce à la production en série permirent bientôt, dès 1899, de proposer le vibromasseur électrique comme un appareil d'équipement domestique, en vente dans les catalogues par correspondance. Dans les deux premières décennies du XXe siècle, le vibromasseur domestique fit son apparition dans les magazines familiaux sous couvert de publicité pour la santé et la relaxation. Le camouflage des vrais bienfaits de l'appareil était facile, sous des formulations ambiguës du type : *Le plaisir vous envahira*, *Un compagnon incomparable*, *Un massage que toutes les femmes apprécieront*, *Faites-vous du bien sans limite*, *Inventé par une femme qui connaît les besoins des femmes*, *La vibration c'est la vie*, etc. Dans les années 1920, le vibromasseur fut récupéré dans la pornographie, et il devint tellement connu pour ses performances sexuelles que la médecine ne put plus tenir son discours sur l'hystérie. Comment prétendre que le massage vulvaire correspondait à un traitement médical alors que le même « massage » était exécuté au moyen des mêmes instruments dans des films pornographiques, faisant apparaître un émoi on ne peut moins médical ? Le camouflage social était devenu impossible et l'appareil disparut des cabinets médicaux. Il allait bientôt être remplacé par un traitement des troubles féminins infiniment plus sophistiqué : la cure psychanalytique.

LA CATASTROPHE FREUDIENNE

Freud a révolutionné certains concepts dans le domaine de la psychologie et de la philosophie, mais, pour ce qui est de la sexualité féminine, son intervention a eu des effets désastreux et totalement conservateurs. Partant des théories existantes sur l'hystérie en tant que dérèglement organique, il les a transformées, profondément si l'on veut, en théorie sur des traumatismes issus de l'enfance et qui provoquent des « lésions dans la conscience ». Recyclée en psychopathologie, l'hystérie conduisait à des troubles du comportement comme la masturbation et l'anorgasmie pendant les rapports sexuels. Ces deux symptômes témoignaient d'un arrêt du développement sexuel à un stade juvénile, arrêt occasionné donc par les expériences vécues dans l'enfance. Ces expériences traumatisantes furent d'abord considérées par Freud comme des événements réellement vécus pendant l'enfance. Plus tard, il allait affirmer que des expériences de pensée ou des fantasmes sexuels précoces suffisaient pour provoquer ces « lésions ». Les troubles consécutifs aboutissaient à l'impossibilité de connaître la jouissance sexuelle « normale ». Les femmes « normales » devaient connaître le plaisir sexuel maximal au cours de la pénétration vaginale par le pénis – et c'est ainsi que Freud reconduisit des millénaires de conception masculine de la sexualité. Toute autre façon que le coït de parvenir à l'extase pour une femme était pathologique et nécessitait une thérapie. L'orgasme clitoridien, en particulier, témoignait d'un blocage à un stade infantile. « La transformation de la petite fille en femme est caractérisée principalement par le fait que cette sensibilité [dont le clitoris est le siège] se déplace en temps voulu et totalement du clitoris à l'entrée du vagin. Dans les cas d'anesthésie dite sexuelle des femmes, le clitoris conserve intacte sa sensibilité », écrit Freud dans son *Introduction à la psychanalyse*. Le fait que la majorité des femmes ne répondaient pas à cette évolution n'a pas empêché la théorie de s'imposer, et ce même à travers des femmes prosélytes. Hélène Deutsch, psychanalyste contemporaine de Freud, écrit en 1924 : « Le mécanisme psychologique du déplacement de la zone sensible du clitoris au vagin est un mécanisme compliqué, et le fait que bien des femmes ne renoncent jamais à l'excitation clitoridienne au profit du vagin atteste la difficulté de la transition » (*Psychanalyse des fonctions sexuelles de la femme*). Cela atteste beaucoup plus probablement le fait que la théorie est fumeuse et procède d'une vision masculine normative qui met en place une nouvelle façon d'exciser les femmes, par des moyens psychologiques. Autre femme embrigadée, la psychanalyste Marie Bonaparte écrit en 1933, dans *Les Deux Frigidités de la femme* : « Je crois que la plupart des hommes ne se doutent pas de la fréquence du clitoridisme chez la femme. Les femmes, en effet, n'avouent pas volontiers cette infirmité et simulent volontiers dans l'étreinte le plaisir. [...] Innombrables sont en effet les femmes qui, tout en étant parfaitement capables de volupté et d'orgasme par le clitoris, restent absolument frigides dans le coït. » Elle-même faisait partie de ces « infirmes » et chercha l'orgasme vaginal toute sa vie – sans succès.

Il avait pourtant des idées ouvertes, Freud, lorsqu'il avance par exemple, dans ses *Trois essais sur la théorie sexuelle*, court texte publié en 1905 – en même temps que la relativité restreinte d'Einstein – que la pulsion de savoir correspond à une sublimation de la libido. Connaissance et sexualité font pour lui partie d'un système communiquant. « L'enfant s'attache aux problèmes sexuels avec une intensité imprévue et l'on peut même dire que ce sont là des problèmes qui éveillent son intelligence. » Il fait ainsi d'une pierre deux coups : mettant en lumière la précocité de la pulsion sexuelle, et montrant son rôle structurant dans le psychisme. Quel dommage qu'il n'ait pas pu voir la fonction sexuelle chez la femme pour ce qu'elle est, et se soit senti obligé, pour la faire correspondre au modèle masculin, de rendre la majorité des femmes dysfonctionnelles, affirmant sans ambages dans le même texte : « Le seul critère de la frigidité est l'absence d'orgasme vaginal. »

Puisque l'hystérie et les troubles sexuels provenaient d'une exposition juvénile à des événements sexuels, qu'ils soient réels ou imaginaires, les maris et les hommes adultes ayant des relations sexuelles avec les femmes concernées n'avaient aucune responsabilité dans leurs difficultés, ni ne pouvaient les résoudre par aucun effort de leur part. Seul un thérapeute professionnel, psychanalyste en l'occurrence, avait les compétences nécessaires pour guérir la maladie. La parole seule permettait de drainer les traumatismes comme un poison hors du psychisme infecté depuis l'enfance. En trois décennies cette conception s'imposa comme la vérité sur l'hystérie, et plus largement sur la sexualité féminine, envers et contre l'expérience récurrente des femmes. Celles-ci, si elles avaient le courage de parler à quelqu'un – démarche fort improbable – ne pouvaient se tourner que vers leur médecin, qui allait immanquablement invoquer Freud. Elles ne pouvaient pas encore mesurer l'ampleur de la manipulation, ni le fait que la plupart des femmes ne jouissent jamais pendant la pénétration (et parmi celles qui le peuvent, la plupart ajoutent une stimulation clitoridienne). Elles ne pouvaient que croire « ceux qui savent », et se soumettre au modèle de pensée androcentrique sur la sexualité, qui est d'une simplicité absolue, et qui veut que ce qui est bon pour l'homme doit être bon pour la femme. En 1954 encore, Bergler et Kroger affirment que 80 à 90 % des femmes sont frigides puisque incapables d'atteindre l'orgasme par la pénétration seule. Il ne leur semble pas problématique de considérer que 80 à 90 % des femmes sont anormales ni de réaffirmer le scénario coïtal comme modèle normatif.

À la même époque que Freud, il y a eu des esprits plus lucides que lui sur la question du plaisir féminin. Les années 1920-1930 ont constitué, surtout aux États-Unis, une oasis d'ouverture entre le désert de la répression victorienne et celui, conservateur, qui allait caractériser les années 1950. On y vit notamment s'activer la première grande militante du contrôle des naissances. Margaret Sanger, engagée socialiste et féministe, ouvrit la première clinique de contrôle des naissances américaine en 1916 à Brooklyn. Les consultations dans cette clinique permirent de mesurer l'ampleur de l'insatisfaction et de l'ignorance sexuelles des patientes. Le droit à l'épanouissement sexuel fut l'un des chevaux de bataille de Sanger, qui se répandit en conférences, articles et pédagogie. À Londres, le docteur Marie Stopes se lança dans le même combat. Dans son livre *Married Love*, paru en 1918, elle défend l'idée qu'un mariage réussi passe par l'épanouissement des deux partenaires : « Bien trop souvent, le mariage met un terme à la vie intellectuelle d'une femme. Or un mariage ne peut pas atteindre son plein potentiel tant que la femme ne possède pas la même liberté intellectuelle et la même liberté d'action que son partenaire. » La liberté en question passe notamment par la reconnaissance de la libido féminine. Stopes est intrépide en la matière et affirme que les femmes ont des pulsions sexuelles spontanées tout comme les hommes. « Non pas un mouvement sentimental, mais un état physique et physiologique de stimulation qui surgit spontanément et sans lien avec aucun homme en particulier. Dans notre pays, la conviction est très forte que seules les femmes dépravées éprouvent ce genre de choses, et la plupart des femmes préféreraient mourir plutôt que de reconnaître qu'elles éprouvent parfois un désir physique indescriptible, aussi intense que la faim de nourriture. » Le livre s'est vendu par millions dans les années 1920. Stopes serait sans doute restée plus présente dans l'histoire si d'autres conceptions, bien moins progressistes, n'avaient terni son image. Car elle croyait à l'orgasme féminin, mais aussi aux échelles raciales – et son combat pour le contrôle des naissances n'allait pas sans considérations brutalement eugénistes.

Toujours à la même époque, on trouve un manuel de mariage qui présente de nombreuses positions coïtales imaginatives et insiste sur la stimulation clitoridienne et la satisfaction féminine. Premier livre à faire l'éloge du cunnilingus et de la fellation, *Le Mariage idéal : sa phy-*

siologie et sa technique, de Théodore Van de Velde, publié en Hollande en 1926, a connu plus de quarante éditions rien que dans sa version anglaise. Le gynécologue hollandais y passe en revue des dizaines de positions, avec leurs avantages et leurs inconvénients du point de vue de l'orgasme aussi bien que de la fécondation. Il défend l'idée que la meilleure façon pour un mari de ne pas être cocu, c'est d'apprendre à satisfaire son épouse au lit. Il s'agit, sous couvert d'un manuel de mariage, du premier livre de l'histoire consacré à l'orgasme. Dans les années 1950, de tels ouvrages seront condamnés par l'Église et le clitoris disparaîtra purement et simplement des manuels sexuels et médicaux. Seules les conceptions de Freud survivent au repli conservateur.

Historiquement, on peut dire que la médecine a connu cinq types d'attitudes face aux manifestations de la pulsion sexuelle féminine. L'une, dont on vient de parler, consiste à y voir les symptômes d'une maladie appelée hystérie, et de prendre l'orgasme pour le paroxysme de cette maladie. Une autre attitude, qui peut être associée à la première, est de considérer par ailleurs que la femme est incapable d'intérêt et de réaction sexuels, soit congénitalement, soit de façon acquise – et heureusement. L'anesthésie sexuelle est présentée à la fois comme une norme et comme un idéal. Une troisième attitude, très fréquente, a été d'ignorer tout simplement la question du plaisir, même dans les ouvrages consacrés à la sexualité féminine. Ce dont on ne parle pas n'existe pas et la question en reste là. Une quatrième attitude consiste à reconnaître qu'il existe quelque chose comme un plaisir sexuel chez les femmes, et à confondre les signes de l'excitation avec l'orgasme lui-même. On dira qu'une femme jouit lorsqu'elle gémit, soupire, s'agite, rougit, respire plus vite, mais sans isoler un moment précis. Une dernière attitude, moins répandue dans l'histoire, consiste à bien identifier l'orgasme féminin et à constater qu'il se produit rarement lors de l'acte sexuel tel qu'il est pratiqué pour atteindre l'orgasme masculin. On trouvera alors des recommandations spécifiques pour favoriser l'excitation et l'orgasme de la femme indépendamment de celui de l'homme. Ce courant minoritaire mais bien réel a existé de tout temps. Une littérature érotique, paillarde ou pornographique, ainsi que des traités de pratiques sexuelles contenant une reconnaissance plus ou moins étendue du plaisir féminin témoignent de cette attitude, depuis le *Kamasutra* jusqu'à *La Philosophie dans le boudoir*, en passant par *Le Sublime Discours de la fille candide*, *Le Moine mèche-de-lampe*, *Le Bréviaire arabe de l'amour*, *Le Jardin parfumé*, *Le Miroir du foutre*, *La Putain errante*, *L'École des filles*, *L'Académie des dames*, *Vénus dans le cloître*, *Les Bijoux indiscrets*, *Thérèse philosophe*, *Les Quarante Manières de foutre* et *Les Travaux d'Hercule*, pour n'en citer qu'un petit florilège.

Même pendant l'époque victorienne, il y a eu des catégories de la société convaincues de plaisirs partagés. Dans une célèbre autobiographie parue en 1890, *My Secret Life*, un victorien anonyme se répand en onze volumes sur ses expériences sexuelles avec 1 200 femmes de tous pays, sauf de Laponie. Il soutient que certaines femmes éjaculent au moment suprême et décrit une égalité des désirs et de la jouissance entre hommes et femmes. En France, dès le début du XIXe siècle, les utopistes voulaient la liberté totale dans les relations sexuelles. Et il y eut même des gens respectables pour soutenir que les hommes et les femmes devraient s'amuser davantage dans la vie conjugale. Dans un best-seller publié en 1866, Gustave Droz conseille aux hommes de se comporter sexuellement avec leurs épouses comme ils le font avec leurs maîtresses. Un autre manuel traitant de sexe et de mariage qui a connu cent soixante-treize éditions entre 1848 et 1888 se montre très explicite quant à la faculté de jouissance des femmes, expliquant qu'elles ont besoin de caresses fréquemment répétées pour atteindre l'orgasme. Un autre médecin, dans *La Petite Bible des jeunes époux*, en 1885, incite les maris à donner du plaisir à leurs femmes et à rechercher l'orgasme simultané. En 1887, un ouvrage sociologique affirme que l'adultère provient du fait que les hommes ne satisfont pas leurs femmes et que celles-ci ont droit à l'orgasme.

Les sociétés n'évoluent pas en bloc. Au XVIIIe siècle, les libertins et les puritains coexistent, tout comme aujourd'hui les clubs échangistes et les fondamentalismes religieux. Mais il est remarquable que, rien que sur le plan médical, des visions diamétralement opposées du plaisir féminin aient pu se côtoyer de tout temps. Qu'il existe ou qu'il n'existe pas. Qu'il est nécessaire à la procréation ou qu'il ne l'est pas. Qu'il est pathologique ou qu'il est normal. Qu'il est dû au plaisir masculin ou qu'il est indépendant. Qu'il est vaginal ou qu'il est clitoridien. Qu'il est mécanique ou qu'il est psychique.

Le terme d'hystérie a finalement été retiré de la nomenclature médicale en 1952 par l'Association américaine de psychiatrie, reconnaissance explicite du fait qu'il ne correspond à rien, après avoir compté parmi les pathologies les plus fréquemment diagnostiquées pendant deux mille cinq cents ans. Mais l'inertie imprègne les mentalités. Dans les années 1970, les médecins parlaient encore de déficience physique ou psychologique lorsqu'une femme n'atteignait pas l'orgasme pendant le coït. Aujourd'hui encore, le modèle d'une sexualité vaginale avec orgasme simultané continue à faire des ravages. Les femmes curieuses, désirantes, intéressées par le sexe sont toujours stigmatisées. L'ignorance sexuelle est toujours énorme. La sexualité féminine est loin d'être épanouie – et par conséquent celle des hommes aussi, même s'ils ignorent souvent ce qu'ils pourraient avoir à gagner à cultiver le plaisir des femmes.

À noter qu'en raison de ses recherches sur l'histoire des vibromasseurs électriques, Rachel Maines a perdu son poste de professeur à l'Université de Clarkson, en 1986. Son activité risquait de provoquer des retraits de dons financiers de la part des anciens de l'université. Et lorsqu'elle a publié son premier article dans une revue scientifique (*Technology and Society*) en 1989, le numéro a failli être retiré parce que les premiers « responsables » qui l'ont lu ont cru à un canular. Une enquête a été menée pour vérifier que Rachel Maines existait bel et bien et que ses recherches étaient réelles également.

Après avoir provoqué la peur et la répression violente, le plaisir féminin se retrouve parfois en butte aujourd'hui à une réaction presque plus dangereuse encore : l'incrédulité.

CHAPITRE 5

Que dit la science ?

On vous a parlé des bêtes, on vous a parlé des cavernes, on vous a parlé des antipodes, on vous a parlé de vos aïeules, mais qu'en est-il de l'orgasme féminin ici et aujourd'hui, à la fin ? Est-ce qu'on en sait quelque chose, est-ce qu'on le maîtrise, est-ce qu'on le développe, est-il un seul ingénieur au monde qui peut le provoquer à coup sûr ? Peut-on seulement le définir ? Après quoi court-on, exactement ?

Repérons-nous à quelque chose de grand et de splendide, la langue. Selon le *Robert historique*, le terme « orgasme » apparaît en 1611 par emprunt au grec *orgasmos* qui ne voulait pas dire grimper aux murs, mais « être plein de suc, de sève », en parlant d'une terre fertile, de plantes, de fruits qui mûrissent, et dans un sens figuré « déborder d'ardeur, de désir, de passion, de colère ». Un orgasme, en Grèce ancienne, c'est un truc gonflé ou une humeur explosive. Au XVIIe siècle, le nouvel hellénisme désigne d'abord un vif accès de colère, puis le plus haut degré d'une excitation physiologique, jusqu'à l'inflammation ou la blessure, ou tout aussi bien une effervescence psychique avec manifestations physiques, comme dans le délire hystérique. C'est donc un moment de crise, d'ébullition, un pétage de plombs – nouvelle preuve que la chose est associée, quelque part et pas plus loin que dans le langage, avec l'idée de maladie. En 1777, le mot acquiert aussi son sens moderne de « point le plus haut de l'excitation sexuelle », désignant d'abord l'érection, puis l'émission de sperme, et ensuite le sommet de l'excitation de la femme.

Point le plus haut de l'excitation sexuelle. Ô ! le beau flou. Si ce n'est que ça, il y a toujours un sommet, même en Hollande, et chacun peut arborer le sien. Mais en quoi le sommet serait-il distinguable du reste s'il peut s'arrêter à n'importe quelle hauteur ? Par le seul fait qu'il n'ira pas plus haut ? C'est un peu court, jeune homme. La langue ne nous est d'aucun secours. Il va nous falloir évoquer les pionniers de la science sexuelle pour fabriquer avec eux une description un peu moins pauvre du phénomène. Mais, avant d'évoquer ces bienfaiteurs de l'humanité, soyons conscients de quelques réalités :

— S'il est une constante dans les cultures humaines à propos de la sexualité – et il y en a très peu –, c'est que celle-ci se déroule à l'abri des regards. Aucun ethnologue, aucun anthropologue ne peut simplement décider de décrire les comportements sexuels en allant les observer « sur le terrain ». Au contraire des tortues et des bonobos, les êtres humains ne se laissent pas épier au cours de leurs ébats. En conséquence de quoi nous en savons infiniment moins sur les accouplements de l'Occidental moyen ou du Japonais des campagnes que sur ceux du babouin des savanes, pour lequel des milliers d'emboîtements naturels et nullement forcés ont été enregistrés, filmés, comptés, mesurés, décrits et comparés. Lacune collatérale parmi d'autres, les vocalisations féminines pendant l'orgasme ont été beaucoup moins étudiées que le chant des baleines alors qu'elles constituent un mode de communication au moins aussi vaste et aussi complexe à décrypter. Entre le soupir, « oui, c'est bon », et le soupir « j'ai eu mon compte », entre le gémissement « j'y suis presque » et le gémissement « tu appuies trop », quelques micronuances seulement, que la science aurait tout intérêt à écouter. Mais voilà, point de micro dans les chambres à coucher.

— Pire que la sexualité, la question du plaisir est tellement entachée de honte ou de gêne dans notre civilisation qu'elle est demeurée taboue jusque dans la sphère privée, et même dans le métier des spécialistes du corps. Il y a seulement une génération, beaucoup de médecins pensaient qu'une grande proportion des femmes ne pouvait pas avoir d'orgasme. Et une génération avant eux, certains considéraient l'orgasme féminin comme un mythe faute d'en avoir aucune expérience ni témoignage. Le clitoris était absent des manuels d'anatomie - un peu comme si aux garagistes on enseignait à entretenir un moteur, oui, mais sans piper mot de l'accélérateur. L'étude des organes génitaux féminins a pris un tel retard qu'aujourd'hui encore ils sont mal connus sur le plan des connexions nerveuses, de l'irrigation sanguine, des tissus érectiles et des glandes para-urétrales - sans parler de l'énigmatique point G. Aux États-Unis, la Bibliothèque nationale de médecine compte quatorze mille publications sur les troubles sexuels masculins et cinq mille sur les troubles sexuels féminins - qui pourtant affectent 43 % des femmes selon une vaste enquête de l'American Medical Association menée en 1999. La science, en la matière, en est à ses balbutiements.

— À la suite de l'OPA de Freud sur la sexualité féminine, on considère toujours aujourd'hui que celle-ci relève du champ de la psychologie. Si vous ne jouissez pas, c'est parce que papa, maman, l'Église, la société ou un grand-père vous ont traumatisée d'une façon irrémédiable. Il ne saurait être question de formation, d'information ou de réglages techniques. Et cela alors même que les pannes sexuelles de ces messieurs ont commencé à trouver des parades techniques efficaces, là où on parlait précédemment de facteurs psychologiques avec la même assurance. L'érection capricieuse a trouvé ses pilules miracles, mais l'orgasme féminin requiert toujours quinze ans de psychanalyse consciencieuse.

LES PRÉCURSEURS

Pour s'intéresser au plaisir sexuel féminin au XIXe siècle, il fallait être obsédé, intrépide ou brillant, de préférence médecin diplômé. Robert Latou Dickinson fut tout cela à la fois. Gynécologue à Brooklyn Heigths, quartier excentré de New York, il était persuadé que l'indigence sexuelle ravageait les couples aussi sûrement qu'une maladie vénérienne. Constatant que le mariage demeurait néanmoins une manie constante et irrépressible de l'humanité, il désirait proposer quelques remèdes. Frappé par la liberté de parole qui régnait chez certaines patientes d'origine populaire de sa clientèle à propos de leur sexualité, et il en conclut qu'il suffisait d'écouter les femmes pour savoir ce qu'elles désiraient – attitude on ne peut plus révolutionnaire. Il commença à poser des questions et à prendre des notes détaillées sur l'histoire sexuelle de ses patientes. Ainsi, la patiente 177 interrogée en 1897 a-t-elle eu « des rapports avec une autre fille à l'âge de 16 ans, incluant masturbation réciproque et succion des seins. Son premier coït fut à 17 ans. Elle se masturbe au niveau de la vulve, du vagin, du col, des seins. La friction du clitoris lui procure un plaisir intense – le meilleur étant la friction du clitoris pour commencer, puis le frottement contre le col en utilisant l'index de l'autre main. Son clitoris n'est pas très grand mais érectile. Elle a déjà utilisé une pince à linge et une saucisse pour se masturber ».

Non content de ces confidences extrêmement intimes (et intimement extrêmes) – dont il recueillit sur quarante ans plus de cinq mille récits –, Dickinson s'avisa qu'il ferait avancer d'autant mieux la science s'il pouvait observer en personne les manœuvres gratifiantes qu'on lui vantait. Il obtint de certaines patientes les faveurs d'une démonstration – mais toujours en présence d'une infirmière (ce qui n'enlève guère au scandale, quand on y pense...). Ainsi cette note au sujet de la patiente 315, non plus interrogée mais contemplée dans ses œuvres en 1929 : « En visite une semaine après ses règles, elle obtient un orgasme. Jambes croisées, ses deux doigts font des mouvements de 2-3 centimètres, environ 1 à 2 par seconde, la pression n'est pas forte mais le bassin oscille avec contraction du levator et de l'adducteur des cuisses – environ toutes les 2 secondes. Au deuxième orgasme, pas de pulsation du levator – le désir et la sensation sont surtout externes, mais elle "aime à l'intérieur aussi". »

Avons-nous affaire ici à un vulgaire pervers qui aurait trouvé le bon moyen de mater ? Plutôt à un véritable héros qui, le tout premier, a reconnu et étudié le plaisir féminin. Il a compris le rôle du clitoris. Il a prôné les pratiques qui permettent de le stimuler – notamment la position « femme au-dessus ». Il a montré que la sensibilité du clitoris n'est pas liée à sa taille. Il a fait des études anatomiques comparatives au moyen d'innombrables dessins et de moulages réalisés directement sur ses patientes, vulves et vagins en tous genres qui illustrent son *Atlas de l'anatomie sexuelle humaine*. On découvre grâce à lui que la forme et la taille d'un vagin sont exactement aussi variables que celles d'un nez ou d'un nombril (retenons la figure 57 de son *Atlas*, qui superpose trois schémas grandeur nature : le vagin d'une femme ménopausée depuis longtemps, celui d'une vierge, et celui d'une femme ayant des rapports « vigoureux et variés », les trois vagins étant emboîtés comme des poupées russes – le troisième « aussi grand qu'une moufle »). Dickinson a encore montré au moyen d'un tube transparent inséré juste après le pénis (de qui ? on ne sait pas trop...) que le coït réalise rarement le contact entre la verge et le col, encore moins leur emboîtement, déboulonnant par là un mythe établi par Léonard de Vinci au travers d'un dessin totalement fantaisiste – et qui parasitait jusque-là les théories de la fécondation. Léonard, qui n'a, dit-on, jamais touché une femme, et qui n'avait pas encore réalisé une seule dissection à l'époque de ce dessin, s'est inspiré de textes médicaux arabes et grecs. C'est ainsi qu'il manque les ovaires, que l'utérus est directement connecté aux seins, et que le gland pénètre dans le col de l'utérus comme un doigt dans la confiture. Dickinson, avec son tube transparent et un bon éclairage, a montré qu'en suivant l'angle et la longueur du pénis précédemment à l'œuvre, il n'obtenait presque jamais le contact avec le col. Démonstration qui avait son importance, puisque les tenants du doigt dans la confiture prétendaient que le sperme entrait directement dans l'utérus et qu'un spermicide dans le vagin ne servirait à rien. Alors que si.

Dickinson n'est pas seulement un aventurier téméraire ne reculant devant aucune question, il est à la sexologie ce que Galilée est à la physique : le premier homme de science à faire des mesures et à découvrir des lois. Soutenu par sa réputation scientifique et sa vie de famille irréprochable, il n'eut que peu de démêlés avec la brigade des mœurs ou la censure, à peine une interdiction sur certaines publications jusqu'à la fin de sa carrière.

Autre aventurier tout aussi téméraire, le psychologue John Watson eut le grand tort de s'impliquer personnellement dans ses recherches sur la réponse sexuelle humaine. Fondateur du béhaviorisme en 1913, il était célèbre pour avoir induit des réflexes conditionnés chez de très jeunes enfants. Les comportements étaient, grâce à lui, entrés dans l'ère de l'expérimentation au laboratoire. Et il ne voyait pas pourquoi la sexualité aurait été laissée pour compte, bien au contraire : « C'est la chose la plus importante dans la vie. C'est aussi celle qui cause le plus de ravages dans le bonheur des hommes et des femmes. Et pourtant nos connaissances scientifiques sont dérisoires. Nous devrions recevoir des réponses non pas de nos mères et grands-mères, non pas des prêtres et du clergé protégeant la moralité de la classe moyenne, non pas des médecins généralistes, ni même des freudiens, non, nous voulons des réponses fournies par des chercheurs scientifiquement formés. »

Joignant le geste à la parole, il étudia scientifiquement la sexualité d'une jeune fille nommée Rosalie Rayner qui suivait son cours à l'Université Johns Hopkins. Poussant le dévouement à la science jusqu'aux limites, il fournit lui-même à la jeune fille les diverses stimulations nécessaires pour pouvoir observer ses réponses physiques, en prendre des notes, en faire des enregistrements. Bref, les deux amants furent les premiers sujets expérimentaux, en même temps qu'observateurs scientifiques, de la réponse sexuelle et de l'orgasme humain. Lorsque l'épouse officielle et l'université découvrirent la nature desdites *expériences*, la vie de John Watson prit un tour franchement désagréable. Divorce et démission s'imposèrent. Il épousa ensuite Rosalie et vécut heureux, mais exclu pour toujours de la recherche scientifique à laquelle il avait pourtant ouvert un monde meilleur. Il fit carrière dans le marketing, repartant de zéro, c'est-à-dire comme vendeur de chaussures, et devint en deux ans vice-président d'une grande agence publicitaire, multipliant plusieurs fois son revenu de professeur déchu. Hélas, ses travaux furent perdus pour la science. Lorsque quelqu'un retrouva dans les caves de l'Université Johns Hopkins une caisse archivée au nom de John Watson, ce fut pour découvrir un speculum et trois instruments non identifiables – parmi les premiers de l'histoire en expérimentation sexuelle – dont personne ne comprit jamais le mode d'emploi.

Après le scandale Watson, personne n'osa suivre ses traces avant une bonne décennie, et encore, ce ne fut pas frontalement qu'on y revint. Le premier travail de recherche expérimental sur la sexualité qui suivit celui de Watson date de 1932 et se trouve adroitement camouflé dans un ouvrage de cardiologie d'un grand ennui. Ernst Boas et Ernst Goldschmidt, deux honorables médecins ayant mis au point un appareil de mesure du rythme cardiaque, voulurent placer toute une série d'activités humaines sous ce nouvel éclairage. Parler, marcher, danser, manger, courir, dormir, être assis ou debout fournirent leur lot de mesures – grâce à des volontaires harnachés de sangles et reliés à un poste de contrôle digne de la Nasa. Au bout de quelques jours de mesures en tous genres, y compris durant la défécation et le jeu de poker, la question du rythme cardiaque pendant la copulation devint incontournable. Le sujet n° 69 et le sujet n° 72 se dévouèrent généreusement, et tout porte à croire qu'il s'agissait d'Ernst Goldschmidt lui-même avec sa partenaire, tant il aurait été délicat d'engager des cobayes pour une recherche aussi scabreuse. Ils gardèrent prudemment l'anonymat, mais ne craignant pas, comme Watson, les foudres d'un conjoint bafoué puisqu'ils étaient mari et femme, ils ne se cachèrent qu'à demi-mot derrière cette note de remerciements de Ernst à son épouse Dora pour « sa contribution à des expériences qui occupèrent une bonne partie du jour et de la nuit. » Le résultat valait son pesant d'or. Le rythme cardiaque de Dora, pardon, du sujet n° 69, passait d'environ 80 pulsations par minute au repos à un sommet de 148,5 lors de l'orgasme, ce qui dépassait toute autre activité enregistrée, y compris un exercice soutenu. Non seulement cela, mais ce maximum fut atteint lors de son troisième orgasme. Sur quatre. En trente minutes. La vraie surprise est là, en noir sur blanc dans le graphique caché parmi les pages soporifiques du livre de cardiologie. Quatre pics clairement identifiés en une demi-heure de temps. Et un seul pour monsieur, simultané au troisième de madame. Est-ce un tempérament de feu, est-ce la volonté de bien faire parce qu'on travaillait pour la science, est-ce l'excitation irrépressible causée par la situation et le curieux déguisement (les bandes de scotch noir sur le buste et les fils électriques, les assistants rivés à l'écran dans la pièce à côté, ce n'est tout de même pas tous les jours...) ? Quoi qu'il en soit, voici le premier document scientifique de l'histoire de l'humanité qui atteste non pas un orgasme féminin, non pas deux, non pas trois, mais quatre orgasmes d'un coup d'un seul. Étonnante capacité des femmes. Ou de certaines femmes. De Dora Goldschmidt en tout cas. Enfin, du sujet n° 69.

Après cette brève mais fulgurante approche, quoique discrète et détournée, de la chose sexuelle, il fallut attendre trente ans avant de voir à nouveau des gens forniquer dans un laboratoire (si l'on excepte les ébats clandestins entre chercheurs qui ne firent l'objet d'aucune mesure). En 1956, le docteur Roscoe Bartlett aborde courageusement le sujet dans une étude intitulée sans détour

Réponses physiologiques pendant le coït. Il considère que l'activité sexuelle, tout comme le sommeil ou la digestion, peut faire l'objet d'une observation scientifique au laboratoire. Et pour lever toute équivoque quant à la lascivité du propos, le dispositif expérimental transforme le commerce amoureux en une épreuve pour futur pilote de chasse. Les sujets ont des électrodes et des câbles fixés aux mains et aux jambes. Ils respirent à travers un tuba relié par tuyau souple à une machine qui se trouve dans la pièce voisine et qui mesure le débit pulmonaire. Leur nez est pincé pour éviter toute fuite dans les mesures. Ils doivent signaler par pression sur un buzzer les moments clés de la rencontre : pénétration, orgasme, retrait – du moins s'ils arrivent à remplir les différents stades de la mission ainsi câblés. Le caractère antiérotique du propos étant établi, on fignole également l'aspect impersonnel. Les trois couples de volontaires, bien évidemment mariés, recrutés pour l'expérience ne seront jamais en contact avec le docteur, qui ne connaît même pas leur identité et *vice versa* – tout étant traité par des intermédiaires. Et le lieu des faits ne sera jamais divulgué, pour ne pas ternir la réputation de l'université. On ne rigolait pas avec le sexe dans les années 1950.

Résultats de l'expérience, répétée trois fois pour chaque couple : Barnett observe des rythmes cardiaques jusqu'à 170 pulsations par minute (l'activité physique seule ne pouvant expliquer un tel emballement, c'est l'émotion qui fait le reste). Le rythme respiratoire, quant à lui, est multiplié par trois, ce qui entraîne une perte de CO_2 excessive et peut expliquer la rigidité ou les douleurs musculaires ressenties par d'aucuns après les faits. L'électrocardiogramme montre un grand nombre d'irrégularités dans le rythme cardiaque au moment de l'orgasme, que l'on ne retrouve pas dans les autres activités soutenues, d'où la pertinence de l'expression chère aux amoureux : *mon cœur bat la chamade*.

LES BÂTISSEURS

Ces quelques incursions dans la science du sexe sont héroïques, mais elles ne représentent qu'aimables divertissements à côté des bourreaux de travail qui, dès les années 1940, allaient s'engouffrer dans la brèche : Alfred Kinsey d'abord, William Masters et Virginia Johnson ensuite. Grâce à eux, deux chocs vont marquer les années 1950. Le premier grand travail d'enquête, et le premier grand travail d'observation sur la sexualité.

Le premier est dû à un zoologiste, spécialisé dans le comportement des insectes, plus particulièrement de la guêpe charpentière, dont il avait récolté des milliers de spécimens pour s'apercevoir, ébloui, qu'à l'instar des flocons de neige, il n'y en a pas deux pareils, ni dans l'aspect ni dans le comportement. Il aurait pu consacrer toute sa carrière à ces charmantes bestioles sans jamais s'ennuyer, mais les hasards des rencontres et des attributions universitaires l'amenèrent un jour à donner un cours sur le mariage. Que dire à des jeunes gens qui vont aborder leurs premières relations sexuelles ? Il cherche à se documenter sur le sujet, et se retrouve éberlué par le manque d'information sérieuse. Il ne lui reste plus qu'à créer la documentation lui-même. Et c'est ainsi que les talents d'observation et le caractère obsessionnel du docteur Alfred Kinsey vont se réorienter vers la sexualité humaine. Plutôt que de récolter les guêpes, il se met à récolter les témoignages sur la sexualité au moyen de longs entretiens détaillés – et il trouvera là aussi, avec un éblouissement renouvelé, qu'il n'y en a pas deux pareils. Il obtient des financements de la Fondation Rockefeller qui lui permettent d'engager un staff et il engrange au fil des ans des milliers de témoignages (dix-huit mille en tout) qui donneront lieu à deux énormes rapports, l'un sur la sexualité masculine, l'autre sur la sexualité féminine. Ces deux études mettent en évidence la fréquence et la variété insoupçonnées des activités sexuelles, tant chez les femmes que chez les hommes, ainsi que l'écart très important par rapport à la morale officielle. Pour la première fois, devenue objet d'étude à grande échelle, la réalité du sexe émerge à travers l'écran de fumée de la norme sociale.

Parallèlement, Kinsey voulut créer un laboratoire de recherche sur le sexe mais il comprit que l'Université d'Indiana ne pousserait pas la soif de connaissances jusqu'à cautionner des expérimentations sexuelles en ses murs, et il opta pour une sorte de laboratoire officieux, dont le déroulement des travaux pratiques avait lieu dans son propre grenier aménagé, ou dans l'appartement d'un ami. Pas de tubes et de câbles dans ces expériences-ci, mais rien que du sexe, du sexe tout cru, et en grandes quantités, avec une caméra qui tourne. On ne cherchait pas à mesurer des grandeurs physiologiques mais à documenter le plus grand nombre possible de pratiques et de « savoir-faire ». Le preneur d'images émargeait au budget de l'université sous la rubrique « Étude du comportement des mammifères », ce qui était rigoureusement exact. Kinsey filma ainsi des centaines d'accouplements et de masturbations, en y ajoutant de nombreuses notes prises sur le vif avec une précision d'entomologiste, et pour cause. Les sujets étaient recrutés de proche en proche, sans publicité. Il reçut pas moins de trois cents hommes prêts à éjaculer devant la caméra et dont il mesura la distance moyenne parcourue par le sperme (pas pour la simple joie du concours, mais pour interroger la croyance médicale de l'époque qui voulait que la force d'émission du sperme joue un rôle dans la fertilité – hypothèse infirmée par le fait que chez les trois quarts des hommes il n'y a pas de force du tout, le sperme s'écoule simplement comme une bave de bébé – les autres vont de 2 à 50 centimètres, et le champion à 2,40 mètres). Il filme aussi des amputés, des bègues, des paraplégiques, des cérébro-lésés, tant il est vrai que le handicap permet souvent de mieux cerner le fonctionnement « normal ». Ainsi, un bègue peut arrêter de bégayer pendant l'excitation, une douleur dans un membre fantôme peut disparaître, les spasmes musculaires d'un cérébro-lésé peuvent se calmer – révélant par là que les limites du corps se modifient notablement. De même, chez l'homme normal, certains individus deviennent capables d'autofellation à l'approche de l'orgasme – exploit impossible à tout autre moment.

Le tollé soulevé par la publication des deux rapports Kinsey lui fera perdre ses financements officiels ainsi que sa crédibilité scientifique. Aujourd'hui encore, si vous vous adressez à la bibliothèque de l'Institut Kinsey pour visionner les films tournés en 1950, on vous répondra qu'ils « ne sont pas disponibles ». Kinsey sombra dans la dépression, alors qu'il venait de donner à l'Amérique le coup de pied qui allait la projeter dans la révolution sexuelle des années 1960.

Le deuxième choc vint d'un duo de chercheurs qui engagea une étude officielle et à grande échelle à l'Université Washington à Saint-Louis, en 1954. Bien que Kinsey vînt tout juste de prendre la raclée, le gynécologue William Masters n'eut pas peur de se lancer dans l'étude et l'observation, tout à fait officielles cette fois, de l'excitation sexuelle et de l'orgasme chez sept cents participants publiquement recrutés, essentiellement des couples mariés. Il engagea une assistante, déjà mère de famille, pour interviewer les volontaires, ce qui ne fut sans doute pas inutile pour rendre le projet moralement acceptable. Avec Virginia Johnson, rapidement promue chercheuse, il observa dix mille rapports sexuels en laboratoire, en vue de décrire précisément les réponses physiologiques qu'il divisa en quatre stades : excitation, plateau, orgasme, résolution. Masters et Johnson publièrent leurs résultats en 1966, déchaînant à nouveau scandale et invectives. Le livre devint néanmoins un classique de la sexologie, à vrai dire une bible encore consultée couramment par les praticiens d'aujourd'hui (il n'y a pas eu d'autre travail d'observation à grande échelle à ce jour).

Les premiers, ils ont observé que les orgasmes dits vaginaux et les orgasmes dits clitoridiens présentent exactement les mêmes étapes de réponses physiologiques. Ils ont tiré de l'observation la conclusion que la stimulation clitoridienne est la source première des deux types d'orgasmes. Exactement les arguments qui manquaient aux féministes pour revendiquer l'orgasme clitoridien comme « normal » et dénoncer le mythe de l'orgasme vaginal imposé par Freud.

À ces travaux fondateurs, il faut ajouter l'enquête à grande échelle réalisée par la sexologue américaine Shere Hite, à partir de questionnaires diffusés dans tous les États-Unis au début des années 1970. Trois mille réponses lui permirent de brosser le tableau du fonctionnement sexuel de la femme américaine en pleine révolution sexuelle. L'on n'était plus ici au temps des pionniers, mais au plus fort du mouvement féministe, et les femmes s'emparèrent de l'occasion pour montrer combien leur sexualité s'éloigne du modèle imposé par Freud et par la domination masculine ancestrale.

L'ORGASME PAR DÉFINITION

Après Masters et Johnson, la sexologie s'est lentement développée, oscillant toujours entre médecine et psychologie, et bien souvent encore tournée davantage vers le sujet masculin que vers le sujet féminin. Les neurosciences lui ont récemment ouvert un nouvel angle d'analyse, dont nous allons parler plus loin.

Mais que peut-on dire de l'orgasme après les études déjà mentionnées ? Y a-t-il enfin une définition et une compréhension de ce dont il s'agit ? Le croirez-vous, la confusion est toujours de mise, et il y a autant de définitions que de sexologues, mais on a des chances de ne pas passer tout à fait à côté du phénomène si l'on accepte la définition suivante. L'orgasme est un réflexe du système nerveux autonome en réponse à des stimulations généralement physiques et particulièrement génitales, réflexe qui peut être facilité ou inhibé par une activité mentale (pensées, imagination, sentiments), qui est caractérisé par une sensation de plaisir intense, et qui se traduit par des effets marqués et brefs qui affectent à la fois les parties génitales, le reste du corps et le cerveau.

En résumé : stimulations + état mental = réflexe hautement jouissif aux effets multiples.

Quels effets ? Rien de plus ennuyeux, hélas, qu'une liste de toutes les modifications physiologiques que l'on peut enregistrer lors d'un orgasme. Les signes du plaisir n'ont rien de plaisant à lire. Mais, dans un livre sur l'orgasme, la description s'impose quand même un peu, donc prenons notre courage à deux mains (mais, au moins, limitons-nous au côté féminin) :

Au niveau des parties génitales

- les grandes lèvres s'amincissent et s'aplatissent (laissant la voie libre à qui veut s'introduire) ;
- les petites lèvres gonflent de deux à trois fois leur diamètre et changent de couleur juste avant l'orgasme, devenant nettement plus foncées – c'est l'un des signes infaillibles, pour ceux qui cherchent des preuves, mais il faut avoir l'œil (et la lumière) ;
- le clitoris se rétracte juste avant l'orgasme, jusqu'à disparaître sous son capuchon (ce qui ne veut pas dire qu'il ne sent plus rien et qu'il n'y a plus rien à faire, au contraire, c'est là que ça se passe et il faut continuer) ;
- le tiers extérieur du vagin se raccourcit et se rétrécit (il serre et retient ce qui se trouve éventuellement inséré) ;
- le reste du vagin s'allonge et se dilate (au point qu'il peut perdre le contact avec la chose insérée) ;
- au moment de l'orgasme, il y a des contractions musculaires rythmiques rapides dans la région pelvienne, tant des muscles volontaires (plancher pelvien comprenant le périnée, l'entrée du vagin, l'anus) que des muscles involontaires du vagin, de l'utérus et du rectum.

Dans le reste du corps

- doublement du rythme cardiaque et de la pression sanguine ;
- doublement du diamètre de la pupille ;

- doublement du seuil de la douleur ;
- triplement du rythme respiratoire ;
- hypersensibilité cutanée ;
- et beaucoup d'autres choses plus variables d'une femme à l'autre.

Dans le cerveau

Les stimuli sensoriels provenant de la moelle épinière sont transmis au cortex sensoriel puis traités par le système limbique (cerveau émotionnel). Ils excitent l'hypothalamus et d'autres structures qui contrôlent le système nerveux autonome (responsable des contractions musculaires involontaires et des sécrétions). L'accumulation du flux des signaux aboutit à une décharge brusque tant électrique que chimique. Nous aborderons le cerveau orgasmique plus en détail d'ici quelques pages.

Ce ne sont là que les grandes lignes du phénomène. Les variations individuelles sont infinies, et les variations d'intensité aussi, du spasme à peine distinguable à un ensemble de modifications parfois aussi spectaculaires qu'une crise d'épilepsie.

La durée de l'orgasme fait l'objet des évaluations les plus variées, même dans les études qui opèrent des mesures objectives. C'est qu'on ne sait pas exactement fixer les bornes d'un orgasme. Faut-il suivre le rythme cardiaque ? Faut-il se fier aux contractions ? Si oui, lesquelles ? Les contractions de l'utérus, par exemple, ne semblent pas un bon indicateur, puisqu'elles surviennent par ailleurs tout au long du cycle menstruel, parfois plusieurs fois par minute, sans être ressenties. De même, il n'est pas clair que les contractions vaginales soient exactement concomitantes à l'orgasme, ni même qu'elles soient absolument nécessaires. Faut-il alors faire confiance au témoignage subjectif, qui ne correspond pas nécessairement aux manifestations physiologiques ? Une femme peut déclarer que son orgasme est achevé, alors que les contractions musculaires internes sont toujours en cours – mais enfin, c'est quand même elle qui sait ce qu'elle ressent, non ?

D'où une fourchette de durées qui vont de quelques secondes à 1 minute, ce qui n'est plus vraiment une fourchette mais plutôt un peigne. Au moins, la plupart des études s'accordent-elles à dire que l'orgasme féminin est plus long que l'orgasme masculin, et encore, une étude au moins affirme le contraire, juste pour mettre la pagaille. Enfin, par extraordinaire, il y a bien une mesure qui est la même pour tout le monde : l'intervalle entre les contractions musculaires et de 0,8 seconde, hommes et femmes confondus d'ailleurs – ce qui plaide en faveur du fait qu'il s'agit bien d'un mouvement réflexe, le même pour les deux sexes, en raison de la similitude des structures nerveuses. On observe des séquences de 5 à 8 contractions pour un orgasme usuel, 8 à 12 contractions pour un orgasme intense du samedi soir, et 3 à 5 contractions pour un orgasme vite fait avant de partir au boulot. Les hommes n'en ont généralement que trois ou quatre, mais voilà c'est comme ça.

Le temps nécessaire pour obtenir un orgasme est, on l'aurait parié, la variable la plus variable de toutes les variables, chaque femme le sait pour elle-même (sauf celles qui ne le savent pas encore), sans même imaginer ce qu'il en est pour les autres, et tous les hommes qui ont manié plusieurs femmes en ont un vague aperçu. Les études réalisées en laboratoire permettent néanmoins d'affirmer que le temps moyen nécessaire pour obtenir un orgasme par masturbation (dans ces circonstances très particulières s'entend) est de 20 minutes. Et le record absolu de 15 secondes (elle s'était sûrement chauffée dans le couloir). Selon les témoignages recueillis par Kinsey, 45 % des femmes qui se masturbent atteignent l'orgasme en 3 minutes ou moins, et 25 % en 4 ou 5 minutes. Son commentaire : « Si les femmes réagissent plus lentement que les hommes au cours du coït, c'est dû à l'inefficacité des techniques coïtales habituelles. »

Pour ceux qui se demandent comment savoir à coup sûr si la femme a eu un orgasme, Masters et Johnson affirment que la fréquence cardiaque et la tension sont les indicateurs les plus fiables. Il s'agit en fait des mêmes variables que celles mesurées dans le dispositif appelé *détecteur de mensonge*, mais elles sont beaucoup plus sûrement associées à l'orgasme qu'elles ne le sont au mensonge, si bien qu'il faudrait plutôt appeler cet appareil un *détecteur d'orgasme*. De là à équiper sa partenaire avant les ébats, ce n'est pas gagné, surtout si l'on voulait se renseigner discrètement.

Repérer les taux élevés d'ocytocine et de prolactine dans le sang est encore moins à la portée de l'amant lambda. On pourra s'en remettre aux petites lèvres, qui foncent de couleur, si on a le nez et une lampe dessus. Les contractions vaginales sont un assez bon indicateur sauf qu'il est possible de les produire volontairement, avec un peu d'entraînement et beaucoup de mauvaise foi.

Heureusement, une équipe de chercheurs hollandais conduite par Rudie Kortekaas a fait un scoop en 2006 en isolant un marqueur infaillible. Il s'agit de contractions musculaires à haute fréquence (8 à 13 hertz, ou rythme alpha) qui agitent les muscles du pelvis, en plus des traditionnelles contractions d'environ 1 hertz, et qui sont mesurables notamment dans l'anus. Il suffira donc d'enfoncer une sonde dans le fondement de sa dulcinée, et les vibrations alpha de son rectum seront sans malice.

Ajoutons que, dans l'absolu, les capacités orgasmiques de la femme seraient huit fois plus grandes que celles de l'homme, selon Masters et Johnson. Si l'on admet que l'homme moyen pourrait soutenir un rythme de croisière d'un orgasme par jour, pour la femme ce serait allègrement huit (un toutes les deux heures, OK, c'est jouable, mais quand est-ce qu'on fait *autre chose* ?). Cependant, les statistiques montrent que dans les faits les femmes jouissent beaucoup moins souvent que les hommes.

Ajoutons aussi qu'un orgasme est capable de stopper un hoquet persistant de quatre jours, c'est toujours bon à savoir.

LE CLITORIS, NOUVEAUX DÉVELOPPEMENTS

Le clitoris est sans doute le plus sporadique des acteurs impliqués dans le grand théâtre de l'anatomie humaine. Il n'a pas cessé d'apparaître et disparaître de la scène, permettant à des dizaines de personnes d'en être le découvreur au fil des siècles – plus exactement des milliers, si l'on compte toutes les découvertes empiriques qui n'ont laissé nulle trace dans les bibliothèques.

La première revendication bruyante date du XVIe siècle, lorsque le médecin italien Realdo Matteo Colombo affirme avoir identifié le siège de l'extase féminine. Découverte contestée par son successeur Gabriele Fallopio qui dit être le premier à avoir mis le doigt dessus en 1562. Au XVIIe siècle, un anatomiste danois les disqualifie tous les deux, montrant que le clitoris existe dans la science médicale depuis l'Antiquité. Il est mentionné, en effet, chez Hippocrate et dans les textes latins, puis chez Avicenne et Albucasis et dans la littérature médicale du Moyen Âge. Là-dessus, un biologiste suisse, Albrecht von Halter, n'est pas peu fier d'annoncer, en 1740, qu'il vient de découvrir… le clitoris.

Les enquêtes d'Alfred Kinsey puis de Shere Hite, à vingt-cinq ans d'écart, ont établi pour de bon que la plupart des femmes jouissent par la stimulation clitoridienne. Ce fut une grande surprise, et pourtant, rien de plus normal. Le clitoris est l'équivalent anatomique du gland masculin et contient le même nombre de terminaisons nerveuses, environ huit mille, pour une surface beaucoup plus petite. C'est un peu comme si la nature s'était retrouvée avec huit mille fibres nerveuses dont elle ne savait que faire et les avait regroupées en boule. Une grande partie de la sensibilité génitale des femmes est concentrée dans cet organe tellement petit qu'il passe facilement inaperçu.

Lorsque des orgasmes sont provoqués en laboratoire pour en étudier les manifestations, en imagerie cérébrale par exemple, on utilise la stimulation clitoridienne par vibromasseur parce que c'est la stimulation la plus efficace. La plupart des femmes peuvent atteindre l'orgasme en quelques minutes par cette technique. À ce propos, il faut savoir que les femmes n'ont pas attendu les sex-toys pour se faire vibrer. La brosse à dents électrique faisait très bien l'affaire. C'est d'ailleurs en prenant conscience de ce détournement courant que l'inventeur de la brosse à dents électrique, l'ingénieur suisse Philippe Woog, eut l'idée de se reconvertir dans la conception de vibromasseurs sexuels. L'idée, au fond, est la même, il s'agit de stimuler des tissus et d'y induire un afflux sanguin, sans les irriter ou les endommager. Les gencives et le clitoris, même combat. Il existe d'ailleurs un cas documenté d'une femme qui connaissait un orgasme chaque fois qu'elle se brossait les dents. Créature exceptionnelle, qui au lieu de profiter de l'aubaine s'est tournée vers les bains de bouche car elle se croyait possédée du diable. Pour les autres, qui ne jouissent que par en bas, Philippe Woog a mis au point l'Eroscillator, un vibromasseur qui ressemble curieusement à une brosse à dents, et qui est commercialisé en cinq versions avec un an de garantie complète (sur l'appareil, pas sur l'orgasme) – à un prix tel que la brosse à dents classique reste la meilleure option.

En poursuivant la comparaison avec le gland, il faut noter que le clitoris est un organe érectile (dont les érections se voient à peine, mais sont sensibles sous le doigt ou sous la langue). La question se posait donc naturellement de savoir si les femmes ont des érections automatiques comme les hommes. Pour vouloir tester une telle hypothèse, il faut être animé d'une curiosité sans faille et, pour la tester effectivement dans les années 1970, il fallait trouver le moyen de recruter des femmes au clitoris particulièrement proéminent (car les sondes bracelets de l'époque ne pouvaient pas enserrer le clitoris de madame tout le monde). Comme chez les hommes, certaines en ont un plus long que d'autres (ce qui ne veut rien dire sur leur sensibilité), et pour les extrêmes on trouve des appendices d'un bon centimètre. Trois chercheurs de l'Université de Floride menés par Ismet Karacan se sont lancés dans la chasse au papillon rare, puis ils ont fait dormir leurs papillons dûment câblés dans un laboratoire, ce qui a permis de savoir que les femmes ont, exactement comme les hommes, 3 à 5 érections nocturnes de 10 à 15 minutes qui ont lieu généralement pendant la phase de sommeil paradoxal.

Avec cela, on croyait tout savoir sur le clitoris, lorsqu'une voix s'est levée pour dire qu'on n'en savait rien du tout. C'était en 1998, trois ans après la découverte de la première exoplanète autour de l'étoile 51 Peg, à 48 années-lumière d'ici. Nous sommes à Melbourne. Helen O'Connell termine ses études de chirurgien urologue, ce sera la première femme australienne dans la profession. Elle assiste à des opérations sur des hommes auxquels on enlève la prostate en prenant mille précautions pour ne pas endommager les nerfs et les vaisseaux impliqués dans la fonction sexuelle. Et lorsqu'on opère des femmes dans la région pelvienne, Helen O'Connell constate que l'on n'y va pas du tout avec le même souci d'épargner les connexions sexuelles. Cruauté sexiste ? Non. Ignorance pure et simple. Aucun manuel médical ne décrit l'insertion du clitoris. Certains ne mentionnent même pas le clitoris du tout.

O'Connell décide de se lancer dans l'exploration du no man's land. Elle affronte la difficile mais nécessaire étape de la dissection de cadavres et inspecte tous les tissus qui partent du minuscule organe pour s'apercevoir qu'il a des racines énormes. C'est comme de tirer sur un fil et dévider toute une pelote. Quand elle publie ses recherches en 1998, c'est un chapitre entier qu'elle ajoute à l'anatomie humaine. Le clitoris visible n'est qu'une petite partie émergée d'un grand organe dont tout le reste est interne – mais d'un volume équivalent au pénis au total. Le gland du clitoris est la tête externe d'un corps qui fait 4 centimètres de long puis qui se divise en deux branches symétriques de neuf centimètres chacune longeant l'urètre et le vagin des deux côtés. La tête et le haut du corps forment un angle par rapport aux deux branches, comme un compas qui baisserait la tête. Le corps et les branches sont composés d'un tissu spongieux très proche de celui du pénis, innervé et irrigué de façon similaire, et extensible de la même manière. Lorsque l'excitation sexuelle se développe, l'afflux sanguin provoque le gonflement de la structure interne du clitoris et le redressement de la tête, raison pour laquelle, au moment de l'orgasme, le clitoris semble disparaître sous son capuchon. En fait, loin de rétrécir, il atteint son extension maximale.

Depuis, quelques autres études ont eu lieu, par scanner ou par sonographie, toujours avec une certaine difficulté de faire accepter le sujet dans le milieu académique. Entre 2007 et 2010, Odile Buisson et Pierre Foldès ont travaillé en sonographie sur le clitoris au repos et en activité sans obtenir le moindre financement. Ils ont néanmoins publié leurs résultats dans *The Journal of Medicine*, d'étonnantes images qui attribuent au clitoris une extension encore plus grande que ce qui était admis : le gland bien connu, puis le cou de 2 à 3 centimètres, lui aussi très innervé et capillarisé, puis 4 longues jambes de 10 à 12 centimètres enserrant le vagin : une paire fine, formée de deux corps caverneux très capillarisés comme le pénis, et deux bulbes épais en forme d'amande, les corps spongieux, qui s'étirent près des grandes lèvres. Ces quatre fuseaux sont érectiles et se gorgent de sang au moment de l'excitation sexuelle. Toute cette structure est déconnectée à la fois de la fonction reproductrice et de la fonction urinaire, et constitue l'unique organe humain sans autre usage connu que le plaisir.

LES PARADOXES DE L'EXCITATION

Aussi homologues que semblent aujourd'hui les anatomies sexuelles féminine et masculine, elles n'en ont pas moins de grandes disparités de fonctionnement. Un clitoris peut être gorgé de sang et gonflé en érection sans que sa propriétaire en soit le moins du monde au courant.

Situation impossible pour un pénis dont l'aspect crie son état sur tous les toits. Raison, sans doute, pour laquelle excitation mentale et excitation physiologique sont plus étroitement liées chez l'homme que chez la femme. Raison aussi pour laquelle la probabilité de masturbation spontanée est plus grande chez les garçons que chez les filles. Une érection visible, d'un côté, va induire un comportement de curiosité et de renforcement de l'excitation, alors qu'une érection invisible, de l'autre côté, va laisser le champ ouvert à une multitude de ressentis différents : excitation, ou gêne, ou malaise, ou incompréhension, ou saute d'humeur, ou inconscience pure et simple. Est-ce pour cela que 54 % des hommes disent penser au sexe au moins une fois par jour, contre seulement 19 % des femmes ?

On peut donc être excitée sans le savoir, et ce même lorsqu'on baigne dans une ambiance sexuelle. Lorsqu'on soumet des hommes et des femmes à des stimuli pornographiques, les réponses physiologiques sont équivalentes en rapidité et en intensité (mesurée par l'augmentation du débit sanguin dans les organes génitaux qui lui-même induit la lubrification chez la femme). À cette différence près que les femmes déclarent souvent ne ressentir aucune excitation (là où les hommes sont parfaitement conscients de ce qui se passe).

Plus fort, lorsqu'on teste les stimuli en différentes catégories (hétérosexuel, homosexuel, multiple, hard, soft), on constate que les hommes présentent une réponse sélective (ils bandent à la vision de leur activité de prédilection et pas pour le reste), alors que les femmes sont excitées de façon égale pour tous les stimuli (toujours en disant ne rien ressentir). Elles déclarent être davantage excitées par des images de porno soft, centrées sur la femme, mais au niveau du vagin, les mesures sont identiques dans tous les cas, comme le montrent les études menées par Meredith Chivers en 2004 à Toronto. Les femmes répondent même aux images de sexualité animale, alors que les hommes restent de marbre. Pourquoi les femmes mouillent-elles devant des bonobos qui forniquent ? Cette vasocongestion réflexe pourrait être le résultat d'une adaptation évolutive qui rend la femelle apte au coït plus rapidement, c'est-à-dire indistinctement à la moindre alerte, et la protège des blessures en cas de sollicitation brutale. On a déjà constaté des vagins lubrifiés lors de viols, ce qui ne veut pas dire pour autant qu'il y avait consentement ou plaisir. La paroi vaginale répond du tac au tac lorsqu'on a besoin d'elle, quel que soit le scénario.

En revanche, le mental suit un tout autre chemin. En fait, la mesure objective de l'état d'excitation physiologique, et l'impression subjective d'excitation sont tellement différentes que l'on peut se demander si elles ont quoi que ce soit à voir l'une avec l'autre. Dans la quête de traitements qui stimulent le désir, l'une des voies de recherche a longtemps été la même que celle des médicaments érectogènes, à savoir des substances qui appellent et retiennent l'afflux sanguin dans les parties génitales. Le Viagra lui-même a été testé, mais déclaré inefficace. Bien qu'il accroisse le débit sanguin, il est sans effet sur l'état psychologique car les femmes ne se rendent pas compte de cette vasocongestion et ne sentent aucune différence. Actuellement, la recherche a abandonné la piste du débit sanguin pour se tourner vers une action directe sur le cerveau qui modifierait l'état émotionnel. La flibansérine est une molécule qui, comme celle du Viagra, a d'abord été développée pour autre chose que l'action sexuelle. Il s'agissait d'une molécule testée comme antidépresseur et dont l'effet inattendu a été d'accroître l'appétit sexuel des femmes cobayes. Le cap a été aussitôt modifié, et la molécule a été mise en test auprès de cinq mille femmes en manque de libido. Les résultats furent jugés positifs, et en 2009 la flibansérine est entrée en phase III, la dernière étape avant la mise sur le marché. Elle agit au niveau du système nerveux central, sur les récepteurs de la sérotonine et de la dopamine qui sont deux neurotransmetteurs actifs dans l'excitation sexuelle, et elle devra être utilisée comme traitement de fond, à prendre sur plusieurs mois (pas avant chaque rapport sexuel comme le

Viagra). Aux hommes on booste la mécanique, aux femmes on caresse le cerveau.

À l'inverse de ce manque de désir, en consultation, des femmes se plaignent régulièrement d'avoir envie de faire l'amour et de se sentir prêtes, alors que le corps ne suit pas et rechigne à prendre les dispositions utiles. Cette fois, l'excitation est mentale et pas physiologique. Les lubrifiants peuvent dépanner. Et de meilleurs préliminaires. Sinon, un bon documentaire sur les bonobos qui défile en toile de fond pourrait peut-être aider...

Exception notable à la sélectivité des hommes, la plupart d'entre eux sont excités par des scènes de *gang bang* (une femme pour plusieurs hommes), alors qu'ils ne souhaitent pour rien au monde se trouver dans cette situation. On n'avait pas d'explication pour cette bizarrerie jusqu'à ce que deux chercheurs australiens, Sarah Kilgallon et Leigh Simmons, publient en 2006 un article intitulé « Le contenu des images influe sur la qualité du sperme ». D'après cette étude, lorsqu'un homme a vu, de ses yeux vu, plusieurs mâles entrer en compétition pour une seule femelle, son sperme se trouve brusquement enrichi en spermatozoïdes. Encore une adaptation évolutive pour augmenter les chances de succès reproductif ? On peut supposer que dans des temps reculés où le mariage à l'église n'était pas encore à la mode, les femelles étaient entreprises par des mâles divers et variés. Parmi ceux-ci, ceux qui se reproduisirent le plus furent ceux 1) que la situation ne décourageait pas, 2) dont les spermatozoïdes cartonnaient mieux que les autres. Augmenter la mise était une bonne solution.

LE VAGIN, SA VIE, SES ŒUVRES

Venons-en au sujet difficile. Contrairement au clitoris, le vagin a au moins trois destinations fonctionnelles claires et ne doit pas chercher sa vocation ailleurs. Il est le stimulant de l'éjaculation masculine, le réceptacle de la semence avant sa grande ascension vers l'utérus, et la voie de passage du fœtus, ainsi que des ovules périmés et du sang menstruel. C'est un grand travailleur.

Robert Latou Dickinson, le premier homme à avoir visité l'endroit à des fins scientifiques (et aussi artistiques, car enfin, des moulages de vagins, c'est un peu de l'art moderne), a montré que la taille et la forme du vagin sont très variables. Non pas tuyau rectiligne, mais manchon souple plus ou moins incurvé en banane et plus ou moins aplati en sa partie médiane. Le tampon que l'on retire après plusieurs heures d'imprégnation donne une indication de cette forme unique à chaque femme.

La première chose qui frappe, à propos du vagin, c'est sa curieuse insensibilité, comparé aux tissus de surface avoisinants qui sont les plus sensibles du corps. La paroi du vagin est dépourvue d'innervation de surface et ne présente pratiquement aucune sensibilité au contact, pas plus que le col de l'utérus. Kinsey a montré que 95 % des femmes ne ressentent pas le contact du col avec un instrument, et il n'est pas nécessaire de l'anesthésier pour en pratiquer une biopsie. En revanche, il existe une innervation en profondeur dans la paroi vaginale, ainsi que dans les tissus avoisinants, mais il s'agit d'une innervation analogue à celle des viscères et non à celle de la peau. La sensibilité qui en résulte est très peu précise. Quant à la répartition de cette sensibilité, elle fait l'objet d'avis divergents. Certaines mesures par biopsie montrent qu'il n'y a pas une zone plus innervée que les autres, d'autres concluent que la paroi antérieure (côté nombril) est plus innervée que la paroi postérieure (côté dos). Des études récentes réalisées par palpation et par stimuli électriques montrent que certaines femmes détectent mieux les stimuli dans la paroi antérieure que dans la paroi postérieure, dont une majorité dans la partie supérieure de la paroi antérieure, mais d'autres ressentent mieux les stimuli sur la paroi postérieure, et d'autres ne ressentent rien spécifiquement ici ou là.

Par ailleurs, l'entrée du vagin contient, elle, des nerfs de type cutané ainsi que des récepteurs sensibles à la variation de pression, et la sensibilité de cet anneau vaginal participe de la sensibilité de la vulve. C'est ce qui explique que le moment de la pénétration procure des sensations particulièrement intenses, les récepteurs étant brusquement écartés et compressés, alors que les mouvements de va-et-vient subséquents sont beaucoup moins ressentis.

Quant aux sécrétions qui assurent la lubrification, elles proviennent de deux sources. Les glandes de Bartholin, situées de part et d'autre de l'entrée du vagin, sécrètent un fluide clair appelé cyprine qui lubrifie la vulve et l'entrée du vagin. L'autre source de lubrification ne provient pas d'une glande mais des parois vaginales elles-mêmes. Le vagin est entouré d'un système d'irrigation très fin et dense. Lors de l'excitation sexuelle, ce réseau se congestionne et le sang atteint une pression importante. La partie liquide du sang peut alors traverser la paroi des vaisseaux et du vagin pour s'écouler à l'intérieur. Ainsi, toute la surface du vagin est rapidement tapissée d'un sérum protecteur. Et si l'hémoglobine passait aussi à travers les membranes, les femmes pleureraient du sang rouge à chaque fois qu'elles lubrifient.

Le mécanisme de la lubrification a pu être élucidé grâce à un dispositif de caméra montée dans un manche en plastique transparent et coulissant, mis au point pour la première fois par Masters et Johnson. On peut aussi l'appeler gode-caméra, ce sera plus court et plus clair. Le gode-caméra a également permis de mettre fin à l'hypothèse de la succion du col au moment de l'orgasme. L'utérus n'aspire rien, ses contractions seraient plutôt refoulantes qu'aspirantes. L'examen aux rayons X a confirmé qu'on ne peut pas mettre en évidence un effet aspirant. C'est aux spermatozoïdes de se hisser tout seuls jusqu'au saint des saints. Enfin, le gode-caméra a permis de découvrir un phénomène jusque-là insoupçonnable : en fin de phase d'excitation, le fond du vagin s'étire pour former une cavité en forme de tente, ou de ballon (compte tenu du rétrécissement du premier tiers du vagin, on peut dire qu'il tend globalement à prendre une forme de poire). L'on n'a pas encore d'explication pour cette transformation (à part l'effet dilatant de la joie...). Certains ont invoqué la formation d'un réservoir pour le sperme, mais pourquoi faire tant de place pour une petite cuillerée de sperme ? Le caractère artificiel de la stimulation par un gode-caméra pouvait laisser planer un doute sur la réalité du phénomène, jusqu'à ce que de nouvelles technologies permettent de voir l'intérieur... par l'extérieur.

Une équipe hollandaise menée par Willibrord Schultz a fait grand bruit en 1999 en publiant l'image du coït passé au scanner. L'étude a commencé en 1991, malgré « les réactions non scientifiques et non pertinentes que l'on pouvait prévoir et qui ont eu lieu ». Les chercheurs ont dû braver des résistances académiques et des quolibets journalistiques, mais ils ont finalement réussi à emmener des couples faire l'amour à l'hôpital de Gröningen. Huit couples et trois femmes, car la masturbation leur convenait aussi bien pour étudier l'anatomie féminine en cas de plaisir.

L'IRM (imagerie par résonance magnétique) leur a permis d'obtenir des images très précises (que la radiographie ou les ultrasons disponibles avant cela ne pouvaient pas produire). Les huit couples ont été conviés à faire l'amour dans la machine, c'est-à-dire dans un tube de 50 centimètres de diamètre, ce qui ne laissait que 3 centimètres au-dessus d'eux une fois qu'ils étaient superposés – encore avait-on pris la précaution de sélectionner des couples d'un gabarit modeste tous les deux, beaucoup de couples potentiellement étudiables étant tout simplement impossibles à enfourner dans le tunnel (qui n'a, il faut le dire, jamais été conçu pour une utilisation en binôme, les pathologies, contrairement à l'amour, n'affectant qu'un seul corps à la fois). Puis, il y avait cette difficulté supplémentaire qu'il fallait rester en place immobile suffisamment longtemps pour obtenir un cliché net. On était, comme aux premiers temps de la photographie, obligé de figer la pose pour obtenir une bonne image. En 1991, il fallait 52 secondes de pose – ce qui fournit, dans les deux premières expériences, des images brouillées pour cause de mouvements parasites et d'érection instable, sur quoi on décida d'attendre des époques plus favorables. En 1996, le temps de pose était ramené à 12 secondes, mais l'érection flageolait toujours et aucun des cinq couples ne parvint à réaliser une pénétration complète (les choses les plus simples deviennent parfois impossibles hors contexte). En revanche, les trois femmes sont parvenues à l'orgasme toutes seules dans le tube, ce qui fournissait au moins l'image de référence pour l'anatomie féminine excitée sans pénétration. Et c'est en 1998, avec des volontaires durcis par Viagra, que l'image parfaite a enfin pu être atteinte. Et, honnêtement, ça valait la peine de s'acharner. Le cliché est parmi les plus belles réussites de l'imagerie médicale, voire de l'histoire de la photographie tout court. On y découvre les deux corps reliés par une sorte d'agrafe géante : c'est le pénis qui, dans son extension totale lors de l'intromission, pénètre autant l'homme que la femme. En effet, plus d'un tiers de sa structure est interne au corps de l'homme – c'est ce qu'on appelle sa racine. On ne l'avait jamais vue comme ça. Quand les urologues opèrent ou dissèquent du génital, ils décortiquent un pénis flaccide avec une racine toute molle. Ici, saisi en pleine action, c'était un spectacle étonnant, une structure quasiment symétrique en forme de boomerang qui relie les deux pelvis comme une agrafe en U, la partie interne formant un angle de 120° avec la partie externe introduite dans le vagin, pour une longueur totale de 22 centimètres. En ce sens, on peut dire que plus aucun homme n'en a une petite. Et sur le vagin, qu'apprend-on ? Que sa paroi antérieure s'allonge nettement, tandis que l'utérus remonte de 2,5 centimètres environ. Cette remontée et cet allongement sont produits par l'excitation sexuelle et pas seulement par l'intromission elle-même. Les femmes qui sont passées seules dans le scanner pour exposer leur intérieur pendant qu'elles s'excitaient elles-mêmes clitoridiennement montraient elles aussi un allongement de la paroi antérieure vaginale et une remontée de l'utérus.

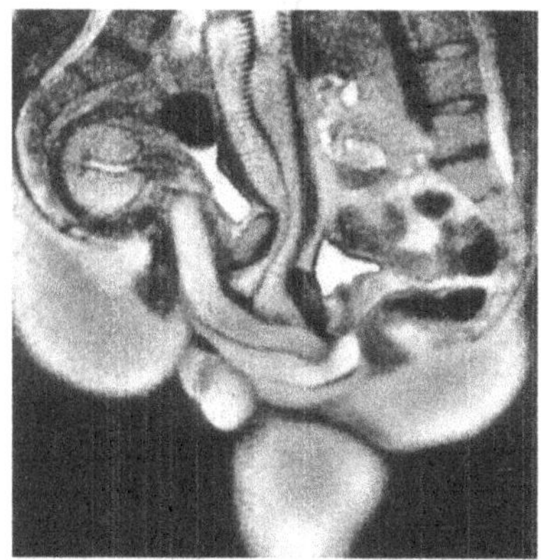

Coït humain en coupe transversale, vu par IRM
© Schultz Willibrord, Van Andel Pek, Sabelis Ida, Mooyaart Eduard, « Magnetic resonance imaging of male and fecale genitals during coitus and female sexual arousal », *British Medical Journal*, 1999, 319, p. 1596-1600.

Pour la petite histoire, cette représentation exacte du coït humain vient après seulement deux grandes tentatives historiques. La première est le dessin déjà évoqué de 1493 appelé *La Copulation,* par Léonard de Vinci, qui travailla d'imagination avec les préjugés de son époque (canaux lactifères allant du vagin aux seins, canaux séminifères cheminant du cerveau au pénis *via* la moelle épinière) et des erreurs de jugement (pénis rectiligne, contact frontal gland-col). La deuxième tentative est due à Robert Latou Dickinson en 1933 et est basée sur son travail d'observation au moyen du tube transparent. On y voit que Dickinson sous-estimait la partie interne du pénis - et n'importe qui l'aurait fait, sa taille était inimaginable avant le cliché au scanner. Il se trompait aussi sur l'angle de la pénétration, le voyant beaucoup trop horizontal (si le couple est debout), comme quoi, même en y mettant l'œil au plus près, on peut échouer à se faire une représentation correcte dans l'espace. En revanche, Dickinson avait raison sur un point important : la très faible probabilité de contact entre le gland et le col de l'utérus. Et, à la lumière des clichés par IRM, on comprend facilement pourquoi. Lorsque le pénis s'introduit dans le vagin, il *dépasse* généralement le col de l'utérus, surface convexe sur laquelle il glisse immédiatement pour aller se loger dans le cul-de-sac du vagin qui s'étire en formant une cavité au-delà du col, le fameux phénomène de tente vaginale repéré par Masters et Johnson. Ce « dépassement » peut se faire soit du côté ventral, et le gland est alors « happé » entre l'utérus et la vessie, soit du côté dorsal, et il est alors pris entre l'utérus et le rectum.

L'imagerie par résonance magnétique a été reprise par d'autres scientifiques, notamment une équipe de Montpellier menée par Antoine Faix en 2002, qui a étudié le coït d'un même couple par-devant et par-derrière. On y voit une racine de 11 centimètres pour une pénétration de 13 centimètres dans les deux cas. Dans la position dite du missionnaire, le gland est clairement avalé entre l'utérus et la vessie, avec une paroi du vagin qui s'étire de 75 %, passant de 7,5 à 13 centimètres et qui rend la forme du vagin plus concave qu'elle ne l'est naturellement. L'extrémité du gland dépasse de 4 centimètres le col de l'utérus. Dans la position par-derrière, il est au contraire dévié entre l'utérus et le rectum, rendant le vagin convexe, en tirant sur sa paroi postérieure cette fois, mais qui s'allonge peu car elle est déjà plus longue que la paroi antérieure au départ.

Le fait que le gland dépasse le col par l'avant ou par l'arrière peut dépendre de la position, mais aussi de la conformation des sportifs en chambre (ou en tunnel). Sur le cliché vedette pris par l'équipe hollandaise, on voit une pénétration par l'avant donnant lieu à une butée dans le cul-de-sac arrière du vagin (alors que pour les trois autres couples imagés, c'était dans le cul-de-sac avant). C'est dû sans doute au fait que l'utérus de la demoiselle se trouve en position rétrograde, c'est-à-dire incliné vers l'arrière et non vers l'avant comme il l'est chez la plupart des femmes. Dans une étude menée par ultrasons en 1992, technique d'imagerie de moins bonne définition mais moins contraignante et qui permet quand même de voir les grandes structures internes, Riley et Riley avaient conclu que pour 9 couples sur 10 la butée du gland a lieu dans le cul-de-sac antérieur, quelle que soit la position. Mais que la butée soit vers l'avant ou vers l'arrière, le fait est que le gland ne s'arrête pas sur le col, mais au-delà, et le fait est que le vagin s'étire pour former une petite « tente » d'accueil, comme Masters et Johnson l'avaient aperçu au gode-caméra.

Toutes ces considérations sur la géométrie dans l'espace sont bien jolies mais ne nous disent rien sur les liens entre vagin et orgasme. Est-il acteur principal, second rôle ou figurant dans l'accès au plaisir ? Tous les sexologues sont conscients aujourd'hui que Freud, en disant ce que les femmes devaient ressentir, sous peine d'être anormales, a fait un tort immense à la sexualité féminine. L'orgasme vaginal est devenu une obsession et une condition de bonheur, alors que dans les faits il est rare qu'une femme puisse avoir un orgasme par la seule friction due à la pénétration. Toutes les études et enquêtes, des années 1950 jusqu'à aujourd'hui, montrent que seules 20 à 30 % des femmes sont susceptibles de jouir pendant la pénétration, y compris les femmes qui se stimulent le clitoris pendant la pénétration. Le fait que l'immense majorité des femmes se masturbent par stimulation clitoridienne et non vaginale, et que 41 % des femmes estiment qu'une pénétration n'est pas nécessaire à un rapport sexuel satisfaisant ne font qu'abonder dans le même sens.

Masters et Johnson ont soutenu que tous les orgasmes sont physiologiquement identiques, qu'ils viennent d'une excitation clitoridienne ou vaginale. Tous prennent naissance dans le clitoris, qui est le déclencheur du réflexe nerveux orgasmique, mais chez certaines femmes il est possible de provoquer la stimulation indirecte du clitoris lors de la pénétration, soit par une position qui permet la friction du clitoris sur le pubis de l'homme, soit en raison d'une morphologie favorable, c'est-à-dire lorsque le clitoris est très proche de l'entrée du vagin et se trouve entraîné par la traction des lèvres. Il est alors stimulé par le mouvement de va-et-vient du pénis. La question de la morphologie avait déjà été étudiée en détail par Marie Bonaparte, petite-fille d'un neveu de Napoléon, mais surtout psychanalyste disciple de Freud et traductrice des œuvres du maître en français, qui se désolait fort de ne pas parvenir à la maturité sexuelle parce qu'elle ne jouissait pas vaginalement. Son clitoris était à 3 centimètres de l'entrée de son vagin. Pour savoir dans quelle mesure elle était seule de son espèce, elle mena son enquête parmi 243 femmes. Elle trouva 21 % de téléclitoridiennes (clitoris éloigné de plus de 2,5 centimètres de l'entrée du vagin), infortunées qui ne connaîtraient selon elle jamais la joie sublime de jouir pendant le coït ; 69 % étaient de bienheureuses paraclitoridiennes, avec une distance inférieure à 2,5 centimètres, leur assurant une possibilité d'accès à l'orgasme par stimulation indirecte du clitoris lors du coït ; et les 10 % restantes étaient mésoclitoridiennes, c'est-à-dire à la frontière des deux catégories. Ces chiffres ne correspondent pas aux enquêtes ultérieures qui montrent seulement 20 à 30 % de femmes pouvant jouir lors du coït. La théorie de Bonaparte n'était pas fausse, la distance vagin-clitoris est un bon prédicteur de l'accès à l'orgasme par coït, mais le seuil est sans doute plus bas, 1,5 à 2 centimètres, plutôt que 2,5. Une étude scientifique récente a mesuré cette distance sur 50 femmes et trouve une fourchette de 1,25 à 5 centimètres, avec une moyenne à 2,5 centimètres, tandis que, dans une enquête en ligne, les femmes ayant mesuré elles-mêmes la distance de leur vagin au clitoris sont 33 % à moins de 2,5 centimètres et 25 % à plus de 5 centimètres. Les paraclitoridiennes, quel que soit leur nombre, forment un groupe à part, ayant une réponse différente des autres femmes à cause de la contiguïté de leur clitoris avec le théâtre des opérations. À cet égard, l'anatomie serait un destin indépassable. Mais, mis à part la méthode de stimulation, l'orgasme est physiologiquement le même.

Il faut saluer ici l'intrépidité de Marie Bonaparte dans sa quête de l'orgasme coïtal. Elle voulut tester sur elle-même la théorie de la distance et trouva un chirurgien prêt à déplacer son clitoris de 1 ou 2 centimètres. Il « suffisait » pour cela de couper les ligaments de suspension de l'organe et de le descendre en incisant la vulve. L'opération eut lieu après un seul essai pratiqué sur un cadavre. La pauvre Marie n'y trouva pas le bonheur escompté. Quelques années plus tard, elle réitéra la même procédure. Toujours sans succès. Elle possédait, c'est sûr, un esprit fondamentalement scientifique : faire des expériences et conclure. Elle conclut que certaines femmes ont une orientation clitoridienne et d'autres une orientation vaginale, et qu'il n'y a rien à y faire. Tout ce qu'on peut chercher, éventuellement, ce sont des positions favorables, comme le face-à-face en position assise qui permet le contact entre le clitoris et le ventre du partenaire et procure à certaines téléclitoridiennes les joies de l'orgasme emboîté.

Mais ce que Bonaparte cherchait désespérément, ne l'avait-elle pas déjà ? Aujourd'hui, l'identité entre orgasme clitoridien et orgasme vaginal est encore plus grande que ce que Masters et Johnson en disaient, car on sait que la structure interne du clitoris entoure le tuyau vaginal. Elle peut donc entrer en excitation du fait même de la pénétration, le clitoris étant alors déclencheur par l'intérieur plutôt que par l'extérieur. Les liens intimes découverts entre clitoris et vagin renforcent l'idée que le clitoris est le siège de l'orgasme féminin, qu'il soit stimulé directement ou indirectement, extérieurement ou intérieurement.

POINT G : LE POINT

Pour en savoir plus, il nous faut maintenant aborder la polémique question du point G. « Découvert » en 1950 par le gynécologue Ernst Gräfenberg, ou plutôt nommé d'après lui à la suite de ses travaux, il désignerait une zone sensible du vagin capable de déclencher un orgasme par elle seule lorsqu'elle est adéquatement stimulée. Gräfenberg avait constaté que certaines femmes ont des orgasmes lorsque la paroi antérieure du vagin est stimulée de façon intense, et il avait émis l'hypothèse que l'urètre, qui longe le vagin sur sa face avant, joue un rôle dans la sensibilité particulière de cette région, et dans le déclenchement de l'orgasme. Des chercheurs ont repris cette hypothèse en 1981 et baptisé point G la zone en question, qui se trouverait à environ 5 centimètres de l'entrée du vagin. Le terme est devenu populaire et n'a plus cessé de faire des remous dans la presse, tant spécialisée que grand public. *Mon point G se trouve dans la garde-robe*, disait récemment une publicité, montrant combien sa localisation définitive laisse encore de marge de liberté.

Sur le plan pratique, il ne fait plus de doute qu'il est possible de déclencher l'orgasme par une stimulation de la paroi antérieure vaginale, en tout cas chez certaines femmes. Il ne fait plus de doute non plus qu'un certain type de stimulation est plus efficace que les autres. Puisque la surface de la paroi vaginale n'est pas innervée, il faut s'adresser à d'autres capteurs, plus profonds, qui ne réagissent pas au simple glissement mais à la pression et au déplacement. Appuyer tout en frottant vigoureusement sur la paroi vaginale semble le meilleur moyen de déclencher un orgasme, ce qui se fait le mieux avec un doigt ou un instrument courbé, et malheureusement pas avec la gloire des hommes.

En 1976, le sexologue Heli Alzate et la psychologue Maria Ladi Londono décident de s'attaquer expérimentalement au point G. Ils engagent un groupe de seize prostituées qu'ils paient 16 dollars chacune, six fois le prix d'une passe ordinaire, ainsi qu'un groupe de trente-deux féministes qu'ils ne rémunèrent pas – la bonne cause suffira –, et ils entreprennent de les travailler au corps : l'index et/ou le majeur est inséré dans le vagin, selon un angle oblique, et procède à une friction rythmique sur la paroi vaginale. Lorsque le point le plus sensible est identifié – pour beaucoup de femmes dans la paroi antérieure, mais pour certaines dans la paroi postérieure –, un mouvement plus marqué de pression et friction lui est appliqué (comme dans le geste qui dit « viens ici »). Résultat : plus de trois quarts des prostituées ont eu un orgasme lorsque

Alzate les a frictionnées de cette manière. Londono, elle, n'a rien déclenché, et les femmes ont déclaré que c'était parce qu'elle n'appuyait pas aussi fort qu'Alzate (le fait qu'il s'agissait d'une femme peut sembler également distinctif, sinon plus, mais cette question n'est pas explorée). Chez les féministes, seulement quatre ont atteint l'orgasme. Les hypothèses que l'on pourrait formuler pour expliquer cette asymétrie sont nombreuses, mais oublions les cas négatifs pour retenir que tout de même quatre d'entre elles ont eu un orgasme sans aucune autre stimulation que « ce » point sensible de leur vagin. Le fait marquant est que cela s'est produit au moyen d'un stimulus très particulier. Alzate et Londono ont fait une nouvelle série d'essais avec six femmes qui atteignaient facilement l'orgasme par un massage du point G, mais cette fois ils ont fourni une stimulation analogue à celle d'une pénétration « normale », à savoir un va-et-vient parallèle à l'axe du vagin, et aucune des femmes n'est parvenue à l'orgasme, qu'elle fût féministe ou prostituée (ou les deux). Masters et Johnson, avant qu'on parle du point G, avaient déjà constaté qu'une stimulation vaginale intense (et non coïtale) avait plus de chances de produire un orgasme qu'une stimulation coïtale.

Mais ce que Alzate et Londono voulaient vraiment tester, c'était moins le point G que l'hypothèse selon laquelle un orgasme qui survient pendant la pénétration est dû en réalité à la stimulation du clitoris par la traction des petites lèvres, elle-même occasionnée par le mouvement de va-et-vient. Or ils n'ont obtenu aucun orgasme par le va-et-vient. La traction des petites lèvres n'est pas le facteur déclenchant. Donc, les orgasmes obtenus par le massage interne sont bien dus au massage interne. Mais massage de quoi ? On peut l'appeler point G, zone exquise ou tout ce qu'on veut, mais de quoi s'agit-il ?

Sur le plan théorique, on peut faire quatre types d'hypothèses. 1) Le point G est une zone du vagin qui bénéficie d'une innervation particulière. 2) Le point G est la zone de contact entre le vagin et la partie interne du clitoris. 3) Le point G est la zone de contact entre le vagin et un système excitable distinct du clitoris qui comprend les glandes para-urétrales et les tissus qui entourent l'urètre. 4) Le point G est un mélange de tout cela.

1) Pour l'innervation du vagin, si elle est différenciée, le moins qu'on puisse dire, c'est que ce n'est pas très net puisque les anatomopathologistes ne sont pas parvenus à le mettre en évidence de façon claire. Ce qui est sûr : la paroi vaginale est épaisse (8 millimètres environ, bien plus que la peau, à peu près l'épaisseur d'une joue) et n'est pas innervée sur sa face interne. Il y a des terminaisons nerveuses qui entourent le vagin, qui peuvent réagir au déplacement et à la pression, mais il n'est pas établi qu'il y ait une concentration particulière dans une zone précise, quoique certaines études en montrent une soit à l'avant de la face antérieure (point G), soit au fond de la face antérieure.

2) Pour le clitoris, on a vu qu'il s'agit d'une structure interne avec un tronc et quatre branches qui enserrent le vagin. La paroi antérieure du vagin est donc en contact avec cette structure. Le tissu interne du clitoris étant innervé et érectile, il est possible qu'il soit excitable par une stimulation interne, éventuellement jusqu'à l'orgasme. L'imagerie médicale, une fois de plus, aide à y voir plus clair. Une étude aux ultrasons menée en Italie en 2007 par Emmanuele Jannini et son équipe a montré que chez neuf femmes qui ont des orgasmes par stimulation vaginale, le tissu entre le vagin et l'urètre est en moyenne plus épais que chez onze femmes qui n'en ont pas. Cette épaisseur pourrait appartenir à la structure interne du clitoris pour certains. Mais elle pourrait aussi faire partie de l'urètre pour d'autres. Entre 2007 et 2010, Odile Buisson et Pierre Foldès, en France, ont examiné par sonographie la structure interne du clitoris au repos et lors de la contraction du levator ani, l'un des muscles du plancher pelvien qui se contracte automatiquement lors de la pénétration. Ils ont travaillé avec cinq femmes volontaires déclarant avoir une sensibilité du point G et connaître des orgasmes vaginaux. Ils les ont examinées au repos, lors de contractions volontaires du périnée, et lors de la

pénétration non sexuelle (doigt ou tampon). Les images ont montré un rapprochement entre les racines du clitoris et la paroi antérieure du vagin. En raison de la contraction des muscles releveurs de l'anus, qu'elle soit volontaire ou réflexe comme c'est le cas lors de la pénétration, la structure interne du clitoris s'abaisse et vient s'adosser sur la partie basse de la face antérieure du vagin, tel un cavalier qui fait corps avec sa monture. La sensibilité de cette zone pourrait donc bien s'expliquer par sa proximité avec la structure interne du clitoris. Pour ces chercheurs, l'hypothèse clitoridienne est la meilleure.

3) L'urètre est entouré d'un réseau de canaux, le tissu spongieux para-urétral, ou éponge urétrale, qui contient des terminaisons nerveuses et des tissus érectiles. Cette zone pourrait donc avoir un caractère érogène propre, indépendant du vagin et du clitoris. Chez les femmes qui ont des orgasmes pendant la pénétration, cette structure pourrait avoir une sensibilité très forte, comparable à celle des hommes, y compris à son extrémité. Chez l'homme, la glande qui entoure l'extrémité de l'urètre, à la pointe du pénis, forme une petite zone délicieusement érogène. Le sexologue anglais Roy Levin a montré que, chez les femmes, cette zone a toutes les chances d'être excitée lors de la pénétration. Étant coincée entre l'ouverture du vagin et le clitoris, elle bénéficie de l'entraînement des tissus occasionnés par le coït – en tout cas davantage que le gland du clitoris lui-même. Levin a observé que, lors d'un coït, la sortie de l'urètre est entraînée à chaque mouvement vers l'intérieur du vagin jusqu'à y disparaître à moitié. Et cette étude n'a quasi rien coûté à l'université. Plutôt que d'engager des volontaires et de déployer des technologies sophistiquées pour prendre des mesures au milieu de leurs ébats, Levin s'est contenté d'acheter quelques vidéos pornos et d'en faire des arrêts sur image agrandis sur son écran de télévision. Pourquoi se casser la tête alors qu'il existe des professionnels maîtrisant parfaitement la prise de vue rapprochée ? Ils connaissent les bons éclairages, les bons angles de vue et les bonnes positions pour assurer une visibilité maximale. À la suite de ces observations, l'hypothèse

de Levin est que la sensibilité périurétrale (externe) peut déterminer la capacité à jouir pendant la pénétration. Pour d'autres, c'est la sensibilité para-urétrale (interne). Dans les deux cas, elle serait variable d'une femme à l'autre, par constitution, et à accepter telle quelle. Un argument peut appuyer cette hypothèse : il existe des femmes qui stimulent spécifiquement l'ouverture urétrale lorsqu'elles se masturbent. Cependant, elles sont très peu nombreuses, et ce n'est sûrement pas le cas de toutes les femmes qui sont capables de jouir à partir d'unc stimulation vaginale. L'hypothèse du point G comme sensibilité urétrale manque de preuves. En revanche, les glandes para-urétrales reviendront en vedette quand nous discuterons le phénomène de l'éjaculation féminine (voir plus loin).

4) Une possibilité tout à fait plausible serait que les éléments dont nous venons de parler (sensibilité vaginale, clitoridienne ou urétrale) participent tous les trois de l'excitabilité vaginale en une sorte d'association pour atteindre le niveau critique qui va déclencher l'orgasme. Cette modularité dans l'excitation expliquerait pourquoi le fameux point G n'est pas le même pour tout le monde. Selon que c'est le clitoris ou l'urètre qui répond le plus, ou le vagin lui-même, ou bien l'anus (car il y a là aussi une sensibilité dont nous n'avons pas parlé, la science étant muette là-dessus – vu les difficultés de faire financer des recherches sur le bon vieux coït, on n'ose même pas penser à étudier la sodomie – mais qui peut vraisemblablement être stimulée par la face postérieure du vagin), le point G, c'est-à-dire le point d'excitabilité la plus grande, pourra se trouver à l'avant vers l'entrée ou à l'avant vers le fond, ou encore à l'arrière. Le point G serait alors le secret de chacune, le centre de gravité propre à son cocktail de sensibilités accessibles par la simulation du vagin.

Quoi qu'il en soit, le point G n'a pas encore de réalité physiologique à ce jour, ce n'est pas une structure autonome ni vaginale identifiable. C'est un concept, issu de l'expérience d'une sensibilité maximale, clairement repérable pour certaines femmes, vaguement ou pas du tout pour d'autres.

Une étude menée par Andrea Burri en 2009 au King's College a fait grand bruit en affirmant que l'existence du point G est subjective. Sur 1 800 femmes interrogées (900 couples de vraies jumelles), 56 % affirmaient avoir un point G. La probabilité de déclarer un point G est plus grande pour les femmes plus jeunes et pour les femmes plus actives sexuellement. En revanche, la réponse de chaque femme est sans lien avec la réponse de sa jumelle. Les chercheurs qui ont mené cette enquête en concluent que le point G n'a aucun caractère physiologique car, si c'était le cas, il devrait être soit présent, soit absent chez les deux sœurs qui partagent exactement le même patrimoine génétique. Bien que la démonstration paraisse convaincante, il y a un contre-argument immédiat : ce n'est pas parce qu'une femme n'a pas trouvé son point G qu'elle n'en a pas. Le point G pourrait très bien être un caractère transmis génétiquement (même s'il n'est pas une structure spécifique mais un bouquet de sensibilités), mais la capacité à le trouver, elle, n'est pas génétique. Autrement dit : une sœur peut être plus dégourdie que l'autre. Ou bien elle peut avoir rencontré un homme qui lui a fait des choses que l'autre n'a jamais essayées. Si l'une des deux devient nonne, tandis que l'autre mène une vie de bâton de chaise, on comprend tout de suite qu'on aura affaire à deux vagins fort différents sur le plan de l'aménagement, même s'ils ont la même architecture de base. Deux sœurs qui n'ont pas la même histoire sexuelle n'ont fatalement pas la même expérience de leur corps. Il suffit parfois d'une rencontre ou d'une situation particulière pour accéder à des sensations qui jusque-là semblaient impossibles. Autant il est dangereux de déclarer une chose normale, comme Freud l'a fait pour l'orgasme vaginal, et d'autres aujourd'hui pour le point G, au risque de complexer les deux tiers des femmes, autant il est idiot de déclarer qu'une zone n'est pas érogène, alors qu'au fond toutes les zones du corps le sont potentiellement, et même l'imagination pure. Chaque corps féminin possède des points sensibles, les plus universellement partagés étant le clitoris externe, puis l'entrée du vagin, les seins, l'anus, le creux des coudes, des genoux, le cou, les oreilles, enfin chacune sa géographie – et de même à l'intérieur du vagin, on trouve des antérieures inférieures, des antérieures supérieures, des postérieures inférieures, des postérieures supérieures, des un peu de tout et des rien du tout. Car il faut bien le répéter : l'orgasme par stimulation vaginale ne concerne qu'une minorité de femmes. Et il n'y a aucune preuve qu'un tel orgasme est plus agréable qu'un orgasme clitoridien classique.

La polémique sur le point G a atteint des sommets après la publication du King's College. Rien n'a jamais causé autant de désaccords dans le petit monde de la sexologie féminine. Le *Journal of Sexual Medicine* a organisé un débat sur la question à Florence en février 2009 pour essayer d'y voir plus clair. Six scientifiques ont été chargés de faire la synthèse des connaissances sur le sujet. Ils ont ratissé toutes les données histologiques et anatomiques que nous venons de résumer, et retenu surtout le fait que, si zone sensible il y a, elle n'est pas constante mais extrêmement variable d'une femme à l'autre. Ils ont rassemblé toutes les expériences qui tentent de mettre en évidence la dynamique du point G pendant l'activité sexuelle, en soulignant aussi bien les résultats marquants que les contradictions entre études différentes. Leur conclusion est que, malgré toute l'information accumulée, il est impossible de se prononcer sur la réalité physiologique du point G, et qu'il faudra d'autres études pour commencer à comprendre cet élément parmi les plus nébuleux de la sexualité féminine.

En janvier 2010 encore, un colloque de gynécologie en France se penchait sur les « polémiques du vagin ». On est tombé d'accord que nul ne pouvait dire avec certitude ce qu'était le point G. On n'a que des hypothèses. Dans le dernier sondage réalisé aux États-Unis, 65 % des femmes se disent capables de situer leur point G. En France, elles sont moins nombreuses. S'il est sûr aujourd'hui que l'orgasme féminin n'est pas seulement dans la tête, savoir où est la mèche qui allume la bombe est une question à résoudre au cas par cas.

Sur le plan pratique, la question n'est pas vraiment de se prononcer sur l'existence du point G comme sur l'existence de Dieu, mais de savoir s'il est possible de développer sa sensibilité vaginale. Pour beaucoup de femmes qui ont découvert avec surprise et amertume que la pénétration vaginale ne leur procurait pas beaucoup de sensations, et qui ont essayé plusieurs partenaires sans parvenir à en sentir plus, le risque est de se résigner à une forme de scénario stéréotypé où l'homme prend son plaisir pendant le coït et la femme à un autre moment, ou bien pendant le coït mais *via* une stimulation manuelle du clitoris. Elles ont abandonné les recherches sur leur sensibilité intérieure. L'idée que la révélation aurait dû venir par l'action du partenaire est l'un des clichés à démolir en cette matière. Le plus grand problème avec la pénétration, ce n'est pas qu'elle ne donne pas de plaisir à la femme, c'est qu'elle en donne d'abord à l'homme. Classiquement, c'est l'homme qui dirige les opérations : vitesse, angle, profondeur, mouvement, et la femme est dans une position de réceptivité qui lui fait perdre la possibilité d'aller à la recherche des sensations. Même lorsque la femme est au-dessus, ou dans une autre position active, le scénario est souvent écrit dans la perspective masculine, c'est-à-dire pour aboutir à l'éjaculation – façon piston. Or le vagin n'est pas ou peu sensible au piston. En revanche, il l'est plus à d'autres mouvements, dont certains peuvent être réalisés au moyen du même outil. Mais il faut que la femme explore les mouvements, les angles, les rythmes, les profondeurs qui vont éveiller une sensibilité non exprimée. Un fait récurrent dans les témoignages de femmes qui ont des orgasmes pendant la pénétration est celui-ci : ce que fait l'homme n'est pas très important, du moment qu'il ne jouisse pas trop vite. Pour le reste, elles savent comment se mettre et comment bouger pour que leur vagin se mette à « chanter ». Cela n'empêche pas qu'il soit très important de faire la bonne rencontre. La bonne rencontre, ce n'est pas l'amant parfait qui connaît la formule magique. C'est celui qui est à l'écoute, qui parcourt et explore le corps de sa partenaire pour l'éveiller à tout ce dont il est capable, c'est surtout celui qui la laisse s'explorer et qui lui offre son corps, son sexe, comme un tremplin vers le plaisir qu'elle saura trouver elle-même. Depuis la révolution sexuelle, on dit que les femmes sont plus actives sexuellement, et c'est vrai, mais il y a plusieurs sens du terme. On peut multiplier les partenaires, on peut faire l'amour très souvent, tout en restant dans une attitude passive vis-à-vis de son plaisir. Être vraiment active, c'est partir à la découverte de l'inattendu en soi.

Pour certains sexologues, le point G permet de conceptualiser deux types d'orgasmes qui ne seraient pas calqués sur la traditionnelle distinction clitoridien-vaginal, mais plutôt sur le lieu des contractions. Ils décrivent d'abord un orgasme classique, qui met en jeu des contractions involontaires à 0,8 seconde dans la région pelvienne (muscle pubo-coccygien, périnée, entrée du vagin, anus) et un effet de tente dans le vagin (entrée rétrécie, fond dilaté). Cet orgasme est le plus courant et peut être provoqué par une stimulation clitoridienne ou vaginale ou n'importe quelle autre voie d'excitation. Ils distinguent ensuite un orgasme profond, produit spécifiquement par la stimulation d'une zone de la paroi antérieure du vagin (qu'on peut appeler point G) et qui s'accompagne de contractions de l'utérus, régulières et plus lentes que les précédentes (1 seconde). Dans ce cas, il peut ne pas y avoir de contractions dans les muscles superficiels, et pas d'effet de tente dans le fond du vagin, mais au contraire un pincement dans le fond de la cavité vaginale et une dilatation du côté de l'entrée. L'utérus a tendance à descendre et non à remonter comme dans l'orgasme habituel. La femme a l'impression de pousser et de refouler quelque chose vers l'extérieur du vagin. Cet orgasme s'accompagne parfois de ce qu'on appelle une éjaculation féminine (voir plus loin). Il s'agit d'un orgasme « décontracté », aux manifestations un peu différentes de l'orgasme habituel, sans doute parce qu'il met en jeu davantage de circuits nerveux. Il n'est pas nécessairement lié à une stimulation vaginale car celle-ci peut déboucher sur un orgasme « classique », surtout lorsqu'elle est couplée à une stimulation clitoridienne. Cette description a le mérite de rencontrer certains témoignages que nous citerons dans le chapitre 6 et qui sans cela paraissent contradictoires.

Il va sans dire, mais il vaut mieux le répéter mille fois, que le développement de la sensibilité vaginale doit toujours s'envisager avec une préparation *ad hoc*. Beaucoup d'hommes croient faire plaisir à leur partenaire en leur offrant une longue séance de pénétration, c'est-à-dire en entrant dès qu'ils sont prêts, pour profiter au maximum de leur érection. Mais en général le corps de la femme n'est pas encore en état d'excitation suffisante, le vagin n'est ni assez lubrifié ni assez sensible, et les perceptions sont très floues, voire désagréables – ils sont en train de faire l'amour à un vagin qui dort. Pour qu'une pénétration soit ressentie, il faut d'abord ouvrir l'appétit, ce qui demande une préparation pas nécessairement longue mais juste. Chaque femme a ses propres déclencheurs à cet égard, et il est très important de savoir quels gestes précis éveillent le vagin de la partenaire. Inutile d'enfoncer un doigt pour commencer, ou de lécher l'oreille si elle a horreur de ça. Des baisers subtils, des caresses sur les seins, puis sur le clitoris, sont souvent un chemin efficace, mais en aucun cas universel ni unique. Des caresses sur les fesses ou sur les omoplates peuvent faire merveille. Ou une conversation salace. Ou un strip-tease de monsieur. Ou de madame. Tous les apéritifs sont bons, du moment que l'appétit suit. Jamais il ne faudrait manger quand on n'a pas encore faim.

L'ÉVENTAIL DES PLAISIRS

Par ailleurs, il faut bien reconnaître que le plaisir féminin n'est pas précisément décrit, même dans ses grandes lignes. On sait qu'il y a des orgasmes d'une part, et d'autre part des sensations agréables que l'on regroupe sous le terme de plaisir. Mais dès qu'on cherche à définir clairement les deux expériences, les cartes se brouillent.

Lorsque certaines femmes décrivent leur orgasme comme quelque chose de fulgurant qui dure quelques secondes, et d'autres comme quelque chose de doux et profond qui dure plusieurs minutes, on peut se demander s'il s'agit vraiment du même phénomène. On pourrait penser que cela correspond à la distinction entre orgasme dit clitoridien et orgasme dit vaginal, qui seraient donc quand même deux choses distinctes (ou alors entre orgasme et orgasme profond tels que nous venons de les décrire). Mais ce n'est pas le cas. Ces deux descriptions opposées se retrouvent parmi les femmes qui parlent seulement de leurs orgasmes dits vaginaux, et aussi dans une moindre mesure chez celles qui parlent seulement de leurs orgasmes clitoridiens. Y a-t-il deux types d'orgasmes si divergents ? Ou y a-t-il d'une part l'orgasme et d'autre part quelque chose d'autre, qui n'est identifié nulle part en tant que tel mais que beaucoup de femmes connaissent peu ou prou, une forme de vol plané intermédiaire entre le pic orgasmique et la plaine du plaisir ?

Lorsque la sensibilité vaginale se développe, deux scénarios assez différents peuvent se présenter. D'une part, il y a une possibilité d'accès direct à l'orgasme, sans passer par le clitoris externe, avec des sensations un peu différentes dues aux capteurs sensoriels différents et au fait que le vagin est rempli et se contracte sur un corps plus ou moins gros (doigt, sexe ou gode). D'autre part, il y a un plaisir particulier qui peut se mettre à « décoller », et qui ondule par vagues au fur et à mesure que le vagin se branche sur la stimulation qui lui convient. Plus facilement atteinte lorsque la femme dirige le mouvement, cette forme de jouissance peut durer beaucoup plus longtemps qu'un orgasme, sans déboucher sur une détente brutale. Il y a des planés, des plafonds, des descentes, des reprises, des sensations d'ivresse et de perte des limites du corps. Une femme qui est à l'écoute de ses sensations, et qui « se sert » du sexe de son partenaire pour les amplifier, peut ainsi s'envoyer longuement en l'air, c'est-à-dire se maintenir dans un état de plaisir intense sans passer par des contractions spasmodiques ou un pic de plaisir explosif. Nous pensons que cette expérience devrait être distinguée à la fois de l'orgasme et du « simple » plaisir. La jouissance en question peut basculer vers un autre mode d'excitation (par exemple, lorsque le clitoris est sollicité en plus) et mener à l'orgasme rapidement. Mais elle n'en reste pas moins une expérience vaginale spécifique, indépendante de l'orgasme. C'est une jouissance souvent liée à la pénétration, c'est-à-dire à la stimulation d'une ou des zones sensibles du vagin, et qui se développe au fur et à mesure que cette ou ces zones sont sollicitées consciemment et avec précision. Elle est mobile, ondulante, planante, et difficilement assimilable aux spasmes de l'orgasme. Chez les femmes qui cherchent à la développer, le répertoire des positions et des mouvements ira vers toute combinaison qui permet un contact particulier entre le pénis ou l'objet pénétrant et cette ou ces zones sensibles. Non seulement des mouvements de piston, mais des mouvements de bascule rythmiques du bassin vers l'avant, soit à chaque mi-course soit dans la position à fond, des mouvements de rotation du bassin, des mouvements lents et réguliers évoquant un massage, ou au contraire de petits à-coups de faible amplitude, des angles d'attaque obliques avec frottements courts et légers, et ainsi de suite à l'infini, le tout initié par elle, ou par l'homme si celui-ci apprend à connaître les mouvements spécifiquement agréables au vagin de sa partenaire. Et puis, il y a cet autre moment favorable, le moment qui précède l'éjaculation masculine, pendant lequel le pénis se durcit et gonfle encore d'environ 10 %, surtout au niveau du gland, ce qui augmente la sensation de pression sur les parois du vagin et peut faire démarrer le « plané » propre à la jouissance vaginale, provoquant un moment magique qui fait parfois tout le charme d'une longue séance de va-et-vient jusque-là peu stimulante.

Comme la jouissance vaginale n'est pas nommée, pas reconnue, pas identifiée en tant que telle, il est impossible de se faire une idée de la fréquence de cette expérience chez les femmes. Il est probable que toutes les enquêtes statistiques sur le sujet mélangent les descriptions concernant l'orgasme et celles qui ont trait à cette autre forme de jouissance, par manque de précision dans les questions. Il semble en tout cas que certaines femmes estiment ce plaisir nettement plus intense que la petite secousse superficielle de l'orgasme, alors que d'autres trouvent dans l'orgasme un plaisir intense et aigu, sans commune mesure avec les vagues de plaisir de la pénétration. D'autres encore ne sont pleinement satisfaites qu'en combinant les deux. Quoi qu'il en soit pour chacune, la pénétration apporte des sensations différentes, qui peuvent enrichir et épanouir l'expérience du plaisir, pour autant qu'on puisse les cultiver pour elles-mêmes et pas seulement comme prélude à l'orgasme masculin ni même féminin.

L'EAU DE LA FONTAINE

Plus mystérieux encore que l'orgasme féminin, pourtant confus à souhait, et aussi polémique que le point G, voici le phénomène de l'éjaculation féminine, mythique pour certaines, banal pour d'autres. Certaines femmes émettent au moment de l'orgasme un liquide clair et abondant qui a suscité le joli nom de femmes-fontaines. Incontestable aujourd'hui, le phénomène a longtemps été expliqué au choix par l'affabulation ou l'incontinence. Il y a pourtant eu quelqu'un pour voir clair dès 1672. Le physiologiste néerlandais De Graaf avait repéré une structure autour de l'urètre, analogue à la prostate masculine par son rôle exocrine, c'est-à-dire sa capacité à sécréter du liquide. Mais cette belle découverte fut oubliée, et au XIXe siècle, alors que la répression de la sexualité vivait ses plus belles heures, le gynécologue américain Skene étudia ce qui allait s'appeler les glandes de Skene pour affirmer que celles-ci étaient « non fonctionnelles et sans importance », un simple reliquat sans rôle, un rebut de l'évolution. S'il y avait des émissions de liquide pendant l'acte sexuel, il ne pouvait s'agir que d'urine mal contenue. Et toutes les femmes-fontaines de rougir de honte en nettoyant leur matelas. On deviendrait anorgasmique pour moins que ça. Le matelas, pourtant, ne sentait pas l'urine. Mais, pendant des années, on conseilla à ces femmes qui souffraient d'« incontinence urinaire d'effort » au moment de l'orgasme... d'éviter d'avoir des orgasmes. Ou alors de se faire opérer. Des milliers de femmes sont passées sur le billard pour se faire arranger les voies urinaires, ce qui était inutile et dangereux. Il y eut bien quelques nouvelles études sur les glandes de Skene à partir des années 1950, avec les travaux de John Huffman et ceux de Ernst Gräfenberg, l'homme du point G, mais ce n'est qu'à partir des années 1980 que l'éjaculation féminine devient une réalité scientifique grâce aux travaux de Ladas et de Perry et Whipple. Dans les années 1990, le rôle fonctionnel des glandes de Skene est confirmé grâce aux travaux de Milan Zaviacic. Finalement, en 2001, trente-deux ans après la conquête de la Lune, la prostate féminine a été reconnue et inscrite dans la nomenclature anatomique internationale de la Ficat.

Les glandes de Skene procèdent de la même structure embryologique que la prostate masculine. C'est donc à bon droit qu'on peut parler de prostate féminine. Chez l'homme, la prostate atteint 20 à 25 grammes et produit le liquide séminal. Chez les femmes, la prostate se limite à environ 5 grammes, présente une forme très variable, et produit un liquide équivalent à celui de la prostate masculine. Expliquer la fonction d'un tel liquide relève de la mission impossible, d'autant qu'un certain nombre de femmes ne possèdent pas cette structure car elle ne s'est pas développée. La majorité des autres femmes ne présentent pas d'éjaculation ou ont des émissions réduites à quelques gouttes qui passent inaperçues dans l'ensemble des sécrétions sexuelles. Seule une minorité présente ce qu'on peut appeler des éjaculations, allant jusqu'à 100 millilitres de liquide, voire 200. La prostate féminine illustre à merveille cette caractéristique qui s'est déjà imposée au sujet de l'orgasme, à savoir son caractère accessoire. Et, à cause de son caractère accessoire, elle présente une énorme variabilité. D'après la plus grande étude pratiquée par dissection sur 150 sujets par Zaviacic, la prostate féminine est non développée chez 10 % des femmes et présente chez 90 %. Pour 66 %, elle se situe autour de la partie très antérieure de l'urètre (tout près du méat), parfois si basse qu'elle entoure l'urètre jusqu'au méat urinaire, formant alors un petit dôme proéminent. Chez 10 %, elle est nettement plus postérieure, à environ 5 centimètres du méat, là où beaucoup d'auteurs situent la sensibilité maximale du vagin sous le nom de point G. Pour 6 % elle est plus étalée sur toute la longueur. Pour 8 % elle est rudimentaire, ne présentant que quelques glandes et canaux isolés en lieu et place d'un réseau dense. Il ne s'agit en tout cas pas, comme chez l'homme, d'une glande bien délimitée, mais d'un tissu plus diffus qui forme un réseau buissonnant autour de l'urètre. Cependant, la prostate féminine présente les mêmes composants (glandes, canaux et muscles lisses) et produit le même liquide avec ses antigènes prostatiques spécifiques et ses phosphatases acides. La prostate se branche dans l'urètre par de très fins et multiples canaux (et elle n'aboutit pas dans la vulve aux côtés du méat urinaire par deux canaux distincts comme Skene l'avait cru), et le liquide est donc expulsé par l'urètre (d'où la confusion possible avec l'urine). Quelles que soient sa taille, sa forme et sa position, la prostate entoure l'urètre et sa partie basse se trouve en contact avec le vagin dans la zone qui est considérée comme son point le plus sensible. Elle a donc toutes les chances de jouer un rôle dans la jouissance vaginale, et aussi dans l'orgasme lorsqu'il est déclenché par stimulation vaginale. La quantité de liquide évacuée varie énormément, et elle passe souvent inaperçue dans l'ensemble des sécrétions qui accompagnent le rapport sexuel ou l'orgasme. Beaucoup de femmes sont des minifontaines qui s'ignorent. Des éjaculations volumineuses sont émises par certaines femmes chaque fois qu'elles ont un orgasme, pour d'autres c'est occasionnel et pour la majorité cela n'arrive jamais. D'autre part, l'éjaculation n'est pas toujours liée à l'orgasme, mais elle peut survenir seulement à cause de la façon dont la stimulation sexuelle a eu lieu.

Une friction vigoureuse de la paroi vaginale, et donc de la glande à travers la paroi vaginale, peut donner lieu à une éjaculation sans pour autant produire un orgasme. On connaît même des cas de femmes-fontaines qui n'ont jamais eu d'orgasme.

Statistiquement, l'éjaculation volumineuse concerne 5 à 10 % des femmes de façon régulière ; 20 à 30 % en ont occasionnellement, rarement ou exceptionnellement. Les autres ne connaissent pas ce phénomène – sans que l'on sache pourquoi. Anatomiquement, les femmes-fontaines n'ont rien qui les distingue des autres (si l'on excepte les 10 % qui n'ont pas développé de prostate). Il faut noter qu'une femme peut découvrir sa capacité à éjaculer à n'importe quel moment de sa vie sexuelle, y compris après la ménopause, et qu'il est donc impossible de tracer des catégories définitives. Tout dépend du type de stimulation, de l'expérience, du partenaire, des circonstances... On peut apprendre à se faire éjaculer toute seule en utilisant un vibromasseur spécialement conformé pour stimuler le point G (recourbé, donc). Il faut noter aussi que, lorsque l'éjaculation accompagne l'orgasme, certaines femmes y trouvent un surcroît de plaisir extraordinaire, alors que d'autres ne sentent pas de différence notable ailleurs que dans la quantité de lessive. Et lorsque l'éjaculation a lieu sans orgasme, elle ne procure généralement pas de plaisir particulier. Les connaissances en sont là, mais il n'y a pas encore eu à ce jour de recherche scientifique à grande échelle ciblée sur l'éjaculation féminine. Le sujet reste mystérieux et controversé. Mais il serait absurde que l'éjaculation devienne une norme et un sujet de frustration pour des femmes qui jouissent très bien par ailleurs. Ce serait reproduire exactement le tableau navrant qui a déprimé des générations de femmes à la recherche de l'orgasme vaginal.

TREIZE À LA DOUZAINE : LES ORGASMES MULTIPLES

Tout le monde sait que les hommes ont besoin de se reposer avant de recommencer. L'érection est physiologiquement impossible pendant un certain temps. Chez les femmes, une fois de plus, les choses sont moins claires. Certaines éprouvent une phase réfractaire analogue à celle des hommes et ne se sentiront de nouveau excitables qu'après être repassées par un état de repos. Certaines, au contraire, sont capables de repartir à l'assaut des sommets sans repasser par le niveau de la mer. Si elles sont l'objet d'une nouvelle stimulation sexuelle après quelques minutes, elles remontent en phase d'excitation et peuvent atteindre l'orgasme à nouveau. On peut appeler cela des orgasmes successifs, ou des orgasmes en série. D'autres femmes, enfin, connaissent des orgasmes multiples, c'est-à-dire très rapprochés, sans que la stimulation s'interrompe entre eux. Il s'agit de passer d'un sommet à l'autre en passant rapidement par un col à peine plus bas, et non par une vallée ou par le niveau de la mer. La recherche scientifique n'a malheureusement pas encore abordé le sujet sérieusement. Une équipe américaine menée par Joseph Bohlen a publié en 1982 des résultats d'expériences en laboratoire avec un seul sujet (on est loin d'une représentativité quelconque, mais quand l'information manque à ce point, un seul cas peut constituer une « étude scientifique », du moins en première approche). La volontaire de 36 ans a été entraînée à atteindre l'orgasme par autostimulation digitale au cours de sept sessions différentes. À partir de la troisième, elle a présenté des orgasmes multiples (3 en 7 minutes, et 7 en 16 minutes lors de la sixième session). Ceux-ci étaient décroissants en termes de contractions. Au moins, la preuve était faite de la réalité du phénomène (déjà signalé par l'électrocardiogramme de Dora Goldschmidt en 1932). En 1991 et en 1993, deux enquêtes universitaires menées par Darling et par Kratochvil auprès de deux populations d'infirmières ont donné des fréquences de 43 % et 39 % pour le nombre de femmes qui ont déjà connu au moins un orgasme multiple.

D'après les témoignages, ce phénomène n'est pas très fréquent, mais il semble qu'il augmente avec l'âge. Il est rare d'avoir des orgasmes multiples à 20 ans, mais cela peut survenir à 30, 40, 50 ou parfois 60 ans. Une telle assertion, répétée pour le point G aussi bien que pour l'éjaculation ou les orgasmes multiples peut ressembler à une forme de consolation : si vous ne ressentez pas tout ce que vous voudriez ressentir, prenez patience, ça va venir. D'une certaine façon, c'est vrai. La sexualité féminine est évolutive. Le plaisir que l'on peut ressentir est susceptible de changer énormément en fonction de la connaissance que l'on a de soi, de l'expérience et de la relation que l'on a avec son partenaire. Mais il ne faudrait pas croire que certaines choses vont advenir uniquement parce que le temps passe. Ce n'est pas l'âge en soi qui fait changer les choses, c'est l'histoire, l'expérience, l'apprentissage, bref l'esprit de découverte. Et, d'une certaine façon aussi, il est faux que tout puisse advenir à chacune. La sexualité féminine est variable, très variable, d'une femme à l'autre. L'anatomie et le fonctionnement psycho-physique sont propres à chacune. Et si l'on peut s'instruire en tant que pilote, on ne peut pas changer de véhicule en cours de route. Tout comme certains sont doués pour les maths, pour la musique ou pour goûter les vins (ce qui ne les dispense pas d'un long apprentissage), certaines femmes ont des dispositions pour jouir souvent ou facilement que d'autres n'ont pas. Il est inutile de fixer ses ambitions sur le modèle voiture de course quand l'on possède une honnête fourgonnette. Mieux vaut calibrer le voyage en fonction du véhicule que l'inverse – mais ne jamais croire qu'on a fait le tour de ce qui se trouve dans le moteur. Les surprises sont toujours possibles.

Et, une fois de plus aussi, la notion d'orgasme multiple reste confuse par manque de vocabulaire. S'agit-il d'orgasmes à proprement parler, avec contractions et relâchement brutal, ou s'agit-il de jouissance vaginale planante, qui peut reprendre avec la même intensité après un court moment d'interruption ou de modification dans la stimulation ? Les deux expériences existent mais sont mélangées lorsque l'on interroge les femmes sur l'orgasme multiple. Certaines femmes qui n'ont pas d'orgasmes multiples selon leurs propres critères, en auraient si elles utilisaient la définition de la femme d'à côté.

JOUIR SUR LES NERFS

Abandonnons maintenant les organes proprement dits pour nous intéresser à ce qui se passe entre ceux-ci, qui reçoivent des stimuli, et le cerveau, qui les interprète. La connexion sexe-cerveau est assurée par une batterie de nerfs :

— le nerf pudental, dévolu au seul clitoris, qu'on appelait autrefois le nerf honteux, ça ne s'invente pas ;

— le nerf pelvien qui se branche sur le vagin, le col de l'utérus, le rectum et la vessie (ce qui explique qu'une stimulation génitale ou une stimulation anale peut activer le même type de sensation) ;

— le nerf hypogastrique desservant l'utérus, le col et la prostate (par laquelle il est peut-être responsable de la sensibilité du point G) ;

— le nerf vague reliant les viscères au cerveau par une voie directe et non par la moelle épinière. Le nerf vague est ramifié jusqu'au col de l'utérus.

Tout ce câblage dont dépend l'orgasme appartient au système nerveux central autonome, c'est-à-dire celui qui gère la bonne marche des fonctions non volontaires. Le ressenti qui accompagne l'orgasme n'a d'ailleurs rien de commun avec les sensations superficielles cutanées comme la sensibilité à la température ou au contact. C'est une sensation spécialisée, comparable à aucune autre, comme le disent tous ceux et celles à qui on demande de la décrire. Cette sensation vient de l'intérieur plus que de l'extérieur, même si elle est initiée par un déclencheur en surface. Elle dépend de l'ensemble de nerfs que nous venons de citer et qui transitent par le centre de la moelle épinière, sauf pour le nerf vague qui est directement relié au cerveau. La sensibilité cutanée, elle, est médiatisée par des nerfs qui se trouvent en surface de la moelle épinière. C'est sans doute ce qui explique que des lésions de la moelle peuvent supprimer la sensibilité du bas du corps, alors que la capacité à l'orgasme reste présente. On peut être paraplégique et orgasmique. Cette réalité fut longtemps ignorée des médecins eux-mêmes qui n'étaient pas prompts à poser des questions sur la vie sexuelle de patients gravement handicapés. Il paraissait évident que, si la moelle épinière était endommagée ou sectionnée, les nerfs génitaux étaient désactivés tout autant que les nerfs moteurs. On s'est rendu compte récemment qu'environ la moitié des cérébro-lésés continuent à avoir des orgasmes. Même ceux qui sont paralysés des membres peuvent ressentir encore suffisamment de sensations dans la région génitale pour parvenir à l'orgasme, ce qui est possible parce que les nerfs génitaux transitent au centre de la moelle et non en surface et que les lésions ne sont pas toujours complètes (tout ceci vaut pour les hommes aussi bien que pour les femmes). Tout dépend aussi de la hauteur à laquelle a eu lieu la lésion, car certains des nerfs génitaux se branchent plus haut que d'autres et peuvent continuer à fonctionner même si le nerf pudental est désactivé. Dans les cas les plus défavorables, moelle sectionnée entièrement et très haut, il est encore possible d'observer des orgasmes. L'explication la plus plausible est que ceux-ci passent par le nerf vague, le seul de tous les nerfs génitaux qui ne se branche pas dans la moelle épinière mais qui est raccordé directement au cerveau. Quant à la stimulation, lorsqu'elle n'est plus ressentie du tout dans la zone génitale, elle peut très étrangement faire l'objet d'un transfert de sensibilité, un peu comme les aveugles qui deviennent hypersensibles des doigts. Les cérébro-lésés peuvent développer une sensibilité érotique allant jusqu'à l'orgasme dans des zones qui sont raccordées au cerveau par des nerfs encore fonctionnels, comme la poitrine ou le cou ou le cuir chevelu. Le tout est d'obtenir une stimulation et une excitation suffisantes pour enclencher la réaction du système nerveux autonome. Si les stimuli (physiques et/ou psychiques) atteignent le seuil nécessaire pour provoquer la réaction orgasmique, celle-ci aura lieu de façon réflexe, même si le corps est paralysé.

Dire que l'orgasme est un réflexe du système nerveux central, c'est dire qu'il peut être provoqué sans aucune participation de votre part. Si vous ne le croyez pas, allez vous faire implanter des électrodes dans la moelle épinière ou dans le cerveau, et vous verrez qu'il suffit d'un petit courant électrique bien placé pour vous envoyer au septième ciel. C'est aussi pourquoi on peut assister au surgissement occasionnel d'orgasmes non voulus, que ce soit à pied, à cheval ou à vélo, ou encore dans des moments de stress. De même pour les orgasmes qui surviennent pendant le sommeil. On peut même affirmer, sans avoir jamais tenté l'expérience pour de bon, qu'un corps en état de mort cérébrale serait encore capable d'avoir un orgasme. Les médecins connaissent le réflexe de Lazare (même si très peu l'ont vu – mais ceux qui l'ont vu s'en souviennent toute leur vie) qui fait qu'un corps au cerveau mort mais maintenu en vie végétative par un respirateur peut lever les bras et les croiser sur sa poitrine si on stimule la moelle épinière au bon endroit par un courant électrique. D'autres réflexes moins spectaculaires sont assez courants dans les salles d'opération où l'on pratique le retrait d'organes sur de tels cadavres vivants, au point qu'il a été question, pour la sérénité des équipes, de pratiquer l'anesthésie sur lesdits cadavres avant de les approcher au scalpel. De la même façon, si on stimulait la moelle à l'endroit *ad hoc* sur un tel corps sans cerveau, il pourrait manifester un orgasme (c'est-à-dire le réflexe qui correspond à la partie physique de l'orgasme, pas son ressenti subjectif, évidemment, et ceci illustre bien le fait que l'on peut avoir un orgasme mais ne pas jouir). Ce ne serait pas plus bizarre que de voir un poulet sans tête qui continue à courir, ce que l'on pourrait voir couramment si l'on tuait ses poulets soi-même.

L'orgasme est donc un réflexe mais il n'est pas qu'un réflexe. Comme d'autres fonctions automatiques (respiration, rythme cardiaque, déglutition, éternuement...), il peut être provoqué ou contrôlé en partie.

La manière la plus efficace de provoquer un éternuement est sans doute de respirer du poivre, mais on peut aussi se placer dans un courant d'air ou regarder dans la direction du soleil par exemple. La manière la plus efficace de provoquer un orgasme est généralement de frictionner le bout du nerf pudental c'est-à-dire le gland chez l'homme et le clitoris chez la femme, mais il peut y en avoir d'autres. Les autres parties de la région génitale sont connectées au même ensemble de nerfs, de façon beaucoup plus légère mais réelle. Une stimulation vulvaire ou vaginale, voire urétrale ou anale, peut contribuer à atteindre la stimulation nécessaire, et dans certains cas peut suffire à elle seule pour déclencher le réflexe nerveux de l'orgasme. Les seins sont à mettre quasiment au même niveau, car ils sont reliés aux mêmes groupes de neurones que ceux qui reçoivent les informations sensorielles des parties génitales.

Plus étonnants sont les orgasmes occasionnellement provoqués par d'autres types de stimulations, comme les caresses et baisers dans le cou, les oreilles, la bouche, les épaules, ou d'autres parties du corps habituellement dévolues à d'autres fonctions. Ils peuvent s'expliquer par contagion d'excitation au niveau des neurones qui reçoivent les informations sensorielles, dans un contexte de grande excitation psychologique. Il faut d'ailleurs constater que chez certains individus la suggestion de pensée seule peut suffire. Un peu comme si on décidait d'éternuer rien qu'en se concentrant sur la pensée du poivre dans les narines. Pas facile mais faisable. Pour prendre un réflexe plus courant encore, il est très facile de se mettre à saliver lorsqu'on se concentre sérieusement sur la pensée d'une rondelle de citron en train de frotter sur la langue. Aucun stimulus réel n'a été utilisé, et pourtant la salivation est réelle. Le réflexe orgasmique demande un seuil d'activation très élevé par rapport à une salivation ou un éternuement, mais il n'est pas différent de nature. Il se déclenche quand le seuil est atteint, quelle que soit la façon de l'atteindre, stimuli physiques, génitaux ou non génitaux, ou suggestion ou toute combinaison possible de tout cela. Les fantasmes ou les films porno font partie des stimuli non physiques qui mettent le circuit nerveux orgasmique en état de se déclencher plus rapidement.

Le réflexe orgasmique peut parfois être déclenché par un processus qui n'a rien à voir avec l'excitation sexuelle. Il y a ainsi des sensations orgasmiques qui apparaissent au début de certaines crises d'épilepsie, par similarité dans l'activation de certaines zones cérébrales, ou dans des prises de drogues, ou dans des circonstances inexpliquées, comme cette femme saoudienne qui se plaignait amèrement de souffrir d'orgasmes spontanés et incontrôlés apparaissant n'importe où et à n'importe quel moment, jusqu'à trente fois par jour sans la moindre sorte de contact sexuel. Une petite anomalie de câblage, sans doute, qui fait qu'une réaction donnée s'enclenche indépendamment de la procédure normale pour y parvenir. Des orgasmes non génitaux surviennent ainsi quand le réflexe orgasmique est enclenché par une voie inhabituelle.

C'est tellement vrai qu'il est aussi possible – avec les moyens modernes – de se passer de procédure de déclenchement et d'aller forcer le réflexe directement dans le circuit nerveux, soit en appliquant un courant électrique dans la moelle épinière, à travers toutes les fibres simultanément, soit en appliquant un courant électrique dans une zone particulière du cerveau directement, ou encore en y injectant un réactif chimique, l'acétylcholine.

L'orgasme en tant que réflexe passe donc par les nerfs du circuit nerveux autonome, c'est une chose entendue. Il mobilise plusieurs étages de ce circuit nerveux, qui peut continuer à fonctionner même lorsqu'il ne tient plus qu'au seul et dernier étage du nerf vague. Il utilise comme déclencheur la stimulation des organes génitaux directement reliés au circuit nerveux orgasmique, mais il peut aussi s'en passer et fonctionner sur une stimulation de remplacement ou sur une autosuggestion qui parvient au même niveau d'excitation. Mais le déclencheur et le réflexe ne seraient rien s'il n'y avait quelqu'un au bout du fil pour transformer ce mécanisme en expérience orgasmique. Ce quelqu'un, c'est votre cerveau.

QUAND LE CERVEAU PERD LA TÊTE

Le cerveau est un sapin de Noël qui fonctionne toute l'année. Le nombre de guirlandes susceptibles de s'allumer est incalculable. Il y en a une ou plusieurs pour chaque perception, pour chaque pensée, pour chaque mouvement, pour chaque souvenir. Mais que se passe-t-il au moment de l'orgasme ? Est-ce que toutes s'allument en même temps ? Ou bien voit-on entrer en activité des guirlandes qui ne s'allument jamais autrement ? Comment voir ce qui s'y passe d'abord ? Le cerveau est une boîte noire, fameusement boîte (il faut scier de l'os pour entrer) et fameusement noire (le cerveau peut sentir tout sauf lui-même, il n'a aucune conscience de l'état dans lequel il est).

L'une des premières voies d'approche de l'activité cérébrale a été l'électroencéphalogramme, l'étude de l'activité électrique du cerveau. Car le cerveau est une grande centrale électrique qui bourdonne de milliers de microcourants échangés entre neurones *via* les fibres nerveuses. Si l'on pose des électrodes sur le crâne, on peut enregistrer l'intensité de l'activité électrique à la surface du cerveau, et si l'on enfonce des électrodes fines dans certaines zones du cerveau, on peut étudier l'activité électrique de ces différentes zones individuellement. La technique fut d'abord utilisée pour étudier l'épilepsie, qui est un dérèglement électrique du cerveau. En temps normal, l'activité du cerveau est asynchrone, c'est-à-dire que les décharges électriques des neurones ont lieu à tout moment et sans mouvement d'ensemble, le sapin de Noël clignote dans tous les sens. Mais lors d'une crise d'épilepsie, on constate une synchronisation de certaines zones du cerveau dont les oscillations électriques ont tendance à se mettre en phase. Certaines guirlandes du sapin clignotent ensemble. Dans les années 1970, le docteur Robert Heath étudiait ces dysfonctionnements électriques en vue d'apporter un soulagement aux malades épileptiques dont la vie était ruinée par la fréquence et la gravité des crises. Le seul traitement à l'époque consistait à déconnecter chirurgicalement les zones sujettes à ces crises de synchronisation récurrentes. Pour les identifier précisément, il fallait passer par une première intervention chirurgicale où l'on implantait des électrodes dans toute une série de zones profondes du cerveau. Ensuite, le malade vivait normalement pendant plusieurs semaines, tandis que le médecin recevait le journal de bord en direct de son cerveau. Les foyers des crises pouvaient ainsi être localisés puis déconnectés ou retirés du cerveau. Mais par la même occasion – et c'est ainsi que tant de découvertes intéressantes ont lieu, à l'occasion du fait que l'on cherchait autre chose –, par la même occasion, donc, Robert Heath fut le premier homme à être témoin de ce qui se passe dans un cerveau au moment de l'orgasme. Ses patients, pour être épileptiques, n'en étaient pas moins humains et sexuellement actifs, et les enregistrements de leurs cerveaux montrèrent qu'il y avait une parenté entre un orgasme et une crise d'épilepsie. Une synchronisation partielle s'installait dans certaines zones du cerveau, avec des oscillations de basse fréquence et de grande amplitude. Les neurones d'une région avaient brusquement tendance à faire la même chose en même temps, sur un mode de fonctionnement ralenti et très ample, qui est celui que l'on retrouve dans les états de méditation profonde. Assimiler l'orgasme à une petite crise d'épilepsie serait abusif, car la synchronisation est trop faible. Il n'empêche qu'elle coïncide avec les mouvements spasmodiques de l'orgasme qui ne sont pas sans rappeler les convulsions de l'épilepsie.

Comme il avait équipé ses patients d'un grand nombre de capteurs, Heath fut même en mesure de reconstituer le trajet d'un orgasme dans le cerveau. L'information sensorielle arrive par la moelle épinière en provenance des organes génitaux – jusque-là rien que de logique – et est traitée dans le thalamus qui sert de plate-forme de filtrage pour toutes les informations sensorielles. Le signal traverse ensuite la zone centrale du cerveau pour arriver dans sa partie frontale, plus précisément dans le faisceau médian du télencéphale, un carrefour nerveux qui relaie l'information dans plusieurs directions, mais de façon très importante vers les centres du plaisir, aussi appelés zone septale. Cette zone est le foyer de la sensation subjective appelée orgasme. Mais l'influx électrique ne s'arrête pas là. Il poursuit son chemin jusqu'au cortex préfrontal, la zone considérée comme le siège des émotions. L'orgasme en cours prend alors un sens ou une coloration en fonction de la vie émotionnelle et du contexte psychologique.

La chose amusante avec les électrodes, c'est qu'elles peuvent capter les courants électriques tout comme elles peuvent en envoyer. Robert Heath, dont la curiosité était sans doute aussi grande que le désir de soigner, a voulu voir ce qui se passait si l'on permettait aux patients de stimuler eux-mêmes certaines régions de leur cerveau. Ils n'avaient qu'à pousser sur un bouton pour s'envoyer un petit courant électrique ici ou là. Et c'est alors que tout devint clair. Le cerveau n'a pas besoin des organes génitaux pour déclencher un orgasme. Il peut en produire tout seul comme un grand. Il suffit pour cela que la zone septale s'agite brutalement – ce qui est tout à fait possible en la chatouillant directement par un courant électrique. Les rats utilisés dans le laboratoire de Olds et Miller dans les années 1950 avaient déjà montré les bienfaits d'un tel chatouillement en s'envoyant des décharges électriques de façon frénétique. Les humains testés par Heath firent exactement la même chose, plus moyen de les arrêter. L'autostimulation septale engendrait des orgasmes et une compulsion irrépressible à la masturbation. Des considérations éthiques ont mis fin à ce genre d'expériences qui menaçaient par trop la morale et le marché – qui regarderait encore la télé si on pouvait se faire implanter l'orgasme à volonté, et sans les lenteurs de la machinerie génitale ?

Si l'orgasme peut être induit directement dans le cerveau par un courant électrique (ou un réactif chimique, ça marche aussi), on comprend mieux qu'il puisse l'être occasionnellement de façon spontanée (pendant le sommeil, sous hypnose), ou par un exploit de la volonté (fantasme, autosuggestion, méditation...). Le déclenchement spontané pendant le sommeil est d'autant plus fréquent que l'activité sexuelle est rare par ailleurs, comme si l'aire septale était de plus en plus susceptible de se satisfaire toute seule en cas de disette.

On a vu que le réflexe orgasmique pouvait avoir lieu sans passer par le cerveau conscient, lorsque la stimulation atteint un seuil d'activation suffisant. On voit maintenant que le cerveau peut se payer un orgasme sans l'aide du corps, lorsque l'aire septale est déclenchée d'une manière directe, qu'elle soit artificielle ou spontanée. On peut ainsi isoler, un peu abusivement, les deux composantes majeures, la composante organique ou physique, et la composante cérébrale ou subjective, d'un phénomène qui réunit normalement les deux. L'intérêt de décortiquer les choses est que cela peut éclairer les dysfonctionnements possibles. Deux choses qui vont presque toujours ensemble peuvent connaître des ratés, et on voit parfois des orgasmes physiques auxquels manque le plaisir cérébral, ou des orgasmes cérébraux sans contrepartie physique.

L'activité électrique n'est pas la seule caractéristique du cerveau, loin de là. Toute cette agitation sert notamment à déclencher d'autres activités comme la production de neurotransmetteurs et d'hormones par les glandes qui sont contenues dans le cerveau. L'hypothalamus, par exemple, sécrète un neurotransmetteur particulier, l'ocytocine, dès qu'il y a une stimulation génitale ou une stimulation des seins. Cette ocytocine est ensuite relâchée massivement dans le sang au moment de l'orgasme. Elle stimule les contractions utérines et elle participe au ressenti subjectif de l'orgasme car on a montré qu'une injection additionnelle d'ocytocine augmentait l'intensité perçue de l'orgasme. D'autres neurotransmetteurs sont sécrétés pendant la phase d'excitation sexuelle, comme la noradrénaline, la sérotonine et la dopamine. Ces deux dernières stimulent à leur tour la production d'endorphines dans le cerveau – une molécule analgésique similaire à la morphine. Les coureurs de jogging et autres sportifs de fond connaissent l'effet des endorphines qui au bout d'un certain temps endorment les douleurs musculaires ou articulaires. C'est ainsi que l'excitation sexuelle permet d'oublier momentanément certaines douleurs et certaines limites physiques pour adopter des positions improbables ou faire des efforts musculaires inédits – mais gare aux courbatures du lendemain.

Pour ce qui concerne le ressenti subjectif de l'orgasme, on peut dire que tout se passe dans le cerveau. Les organes génitaux ne sont qu'un outil, un passage quasiment obligé vers le seuil d'activation qui va mettre le cerveau sur orbite. C'est pourquoi on voudrait voir en détail ce qui s'y passe. L'électroencéphalogramme, même par électrodes profondes, ne donne qu'une idée grossière de l'activité de cette immense centrale, un peu comme si on prenait une photo tous les kilomètres pour se représenter l'activité d'une ville comme Paris. Voir tout, ce serait mieux. Depuis quinze ans c'est devenu possible, de plus en plus possible. L'orgasme observé au PETscan, c'est quelque chose qui se fait. Du moins en Hollande, pays moins chichiteux sur les convenances que beaucoup d'autres. En France ou aux États-Unis, les chercheurs et les institutions hésitent à prendre le risque de ternir une réputation scientifique par des sujets de recherche qui pourraient ne pas avoir l'air sérieux. Pour les Hollandais, tout est sérieux, même le sexe. L'Université de Gröningen a accepté de financer des recherches sur l'activité cérébrale pendant l'orgasme au moyen du PETscan. Ces investigations irréalisables il y a seulement quinze ans sont possibles aujourd'hui, donc il n'y a pas de raison de s'en priver. Encore faut-il composer avec les contraintes techniques du moment, car l'imagerie cérébrale est soit fine dans le temps mais floue dans l'espace, soit fine dans l'espace mais pour des temps de pose plus longs. Entre netteté et instantané, il faut (provisoirement) choisir. Il n'est donc pas facile de capturer l'image d'un événement précis, comme l'orgasme, d'autant moins facile que la boîte crânienne des candidats a une fâcheuse tendance à ne pas rester en place. Il est encore moins facile, pour le candidat sommé de rester immobile, de parvenir à l'orgasme dans des délais raisonnables, alors qu'il ne peut ni faire l'amour avec un partenaire ni se stimuler lui-même car cela produirait des activations parasites dans le cerveau en raison de tout le contrôle moteur nécessaire (les neurones qui commandent les muscles feraient dans les clichés des appels de phares qu'on ne veut pas voir puisqu'ils ne sont pas spécifiques de l'orgasme). Le (ou la) candidat(e) est donc immobile, masturbé(e) par quelqu'un d'autre (en l'occurrence son partenaire habituel, pour que la morale soit sauve), et prié(e) de jouir sans frémir de la tête. On comprendra que les clichés sont facilement tremblés et qu'on loupe des choses qui passent inaperçues alors qu'elles apparaîtraient nettement sur un cliché pris au repos.

Alors, qu'y voit-on, sur ces clichés ?

Les résultats des études de l'orgasme par imagerie cérébrale sont encore clairsemés et relativement incohérents. Dans une première approche très globale, il semble que l'activité cérébrale, habituellement répartie sur les deux hémisphères, ait tendance à se déplacer vers un seul hémisphère, généralement le droit. Ce qui correspondrait à un sentiment d'euphorie par abandon de tout contrôle – et l'on peut opposer ceci à l'euphorie avec délire de contrôle qui apparaît dans la phase maniaque du trouble bipolaire et qui est plutôt associée à un déplacement de l'activité cérébrale vers l'hémisphère gauche.

Dans des expériences menées en 2004, Barry Komisaruk a trouvé que l'activité cérébrale était très intense pendant l'orgasme, notamment au niveau du système limbique qui gère les émotions. Il a remarqué que les régions impliquées dans la perception de la douleur sont aussi actives pendant l'orgasme, que l'amygdale n'intervient pas lorsque l'orgasme est déclenché mentalement et qu'elle est donc peut-être liée au sensoriel génital, alors que le reste des zones activées aurait un rôle cognitif. L'observation la plus intéressante ne concerne pas l'orgasme mais la perception des stimuli sexuels : Komisaruk a observé que le cortex visuel s'active beaucoup plus intensément lorsqu'on visionne des images érotiques que lorsqu'on visionne d'autres sujets. Dans les deux cas, il s'agit d'une image avec la même quantité d'information à traiter, mais dans le premier cas le cerveau y consacre beaucoup plus d'énergie – preuve que la perception n'est pas passive mais modulée par le contenu émotionnel du stimulus.

Dans une étude ultérieure, toujours au PETscan, Bert Holstege a trouvé que le fait le plus marquant de l'orgasme réside dans la quantité non pas d'activations mais de désactivations que l'on observe. Premièrement, le centre de la vigilance s'éteint, ainsi que le centre de la peur situé dans l'amygdale (on observe la même désactivation du centre de la peur lorsqu'un sujet très amoureux regarde la photo de l'être aimé). Ensuite, on observe une désactivation du lobe temporal ainsi que du cortex préfrontal et orbito-frontal, impliqués dans le traitement des émotions. Cette désactivation est plus marquée chez les femmes que chez les hommes. On voit s'éteindre leur cortex orbito-frontal gauche qui pourrait gouverner le self-control sur des désirs de base comme le sexe et ainsi amener une baisse des tensions et des inhibitions. On voit également baisser l'activité du cortex préfrontal dorsomédian qui semble avoir un rôle dans la moralité et le jugement social, ce qui amènerait donc une suspension du jugement et de la réflexion.

Les zones qui augmentent leur activité, en revanche, sont peu nombreuses. On note une augmentation évidente dans le cortex somato-sensoriel, qui gère la perception des stimuli sensoriels provenant des organes génitaux, mais cet accroissement est plus marqué chez les hommes que chez les femmes, comme si les mêmes causes ne produisaient pas la même réaction chez les uns et chez les autres. Le cerveau d'un homme accorde plus d'importance que celui d'une femme aux caresses sexuelles, et la sensation sera beaucoup plus présente dans son champ de conscience. De même que le cerveau masculin est davantage activé par des images ou films pornos que le cerveau féminin. On voit aussi une activation des centres du plaisir (pour les hommes, l'intensité de la réponse est comparable à celle induite par une injection d'héroïne) et, pour les hommes, une activation dans les régions responsables de l'imagerie liée aux souvenirs et dans le cortex visuel lui-même (trace probable des efforts des sujets pour fantasmer afin d'arriver à l'orgasme).

La désactivation des centres émotionnels chez la femme semble centrale à Holstege au point d'affirmer qu'au moment de l'orgasme une femme n'a plus d'émotions, ou encore qu'elle entre en transe. Pour pouvoir parler avec cette assurance, Holstege n'a pas oublié de fixer une situation de référence en demandant à des femmes de simuler un orgasme dans le PETscan, exactement comme elles le feraient si elles étaient avec un partenaire à qui elles voudraient faire croire qu'elles sont en train de jouir. Que voit-on dans ce cas-là ? Aucune désactivation, ni des centres de la vigilance ou de la peur ni des centres émotionnels. En revanche, on voit s'activer le cortex moteur conscient qui contrôle les mouvements musculaires dans le pelvis et le corps, alors que, dans l'orgasme garanti authentique, ces mêmes mouvements sont involontaires et ont lieu sans intervention du cortex moteur. Ceci corrobore le fait que beaucoup de femmes n'arrivent pas à décrire ce qu'elles font au moment de l'orgasme – elles ne le font tout simplement pas consciemment. Moralité, si vous voulez être sûr qu'une femme n'est pas en train de simuler, il faut la mettre dans un PETscan et vérifier si son cortex moteur est allumé ou non.

Enfin, une nouvelle étude réalisée en 2009 par Kortekaas (lui aussi hollandais) contredit ou nuance ce qui vient d'être établi. Pour lui, les différences cérébrales entre les sexes existent pendant l'excitation, mais pas pendant l'orgasme. Pendant l'orgasme, il observe le même tracé chez tout le monde : diminution de l'activité dans une grande partie du cortex cérébral et activité normale ou augmentée dans les aires limbiques.

Au final, on est un peu dans le brouillard. La technique n'est sans doute pas assez fine pour capturer la bonne chose au bon moment d'une expérience à l'autre. Et rien ne dit non plus que l'expérience subjective de l'orgasme soit très homogène d'une personne à l'autre, ni d'un orgasme à l'autre. Comme chaque étude jusqu'ici ne rassemble qu'une petite série de mesures (sur 10 ou 20 sujets au maximum), il est difficile de dire que les activités observées sont représentatives de l'orgasme dans sa généralité. Le sexe est une expérience universelle, mais la sexualité est une expérience culturelle et individuelle. Deux cerveaux en train de jouir peuvent sans doute être aussi dissemblables que deux cerveaux en train d'écouter Mozart ou Massive Attack. Il y a quelques circuits obligés, et tout le reste est affaire d'appréciation personnelle. Au-delà des sensations primaires fournies par le réflexe orgasmique, on peut voir le plaisir sexuel comme une construction savante, un feu d'artifice composite que le cerveau s'offre à lui-même.

Ce qui est sûr, c'est que certaines opérations de lobotomie ainsi que certaines lésions cérébrales modifient complètement le comportement sexuel. On peut notamment observer des explosions de l'appétit sexuel, ce qui peut être interprété comme une levée des inhibitions imposées par l'éducation et encodées dans certaines parties du cerveau (cortex frontal). Mais le facteur cognitif n'est pas le seul verrou, car les mêmes effets peuvent s'observer chez l'animal, notamment le chat qui une fois lobotomisé se mettra à copuler comme un fou, y compris avec des ours en peluche... Voilà ce qui se passe quand le cerveau-sapin de Noël se met à clignoter de travers. En fait, les études en neuropathologie ont permis d'identifier au moins six zones cérébrales dont les lésions ou les stimulations peuvent entraîner des modifications parfois spectaculaires vers une hypersexualité ou au contraire une hyposexualité : la région septale bien sûr, l'hypothalamus, le lenticularis ansa et le pallidum, les lobes frontaux, les lobes pariétaux et les lobes temporaux, en particulier l'amygdale. Les pertes d'inhibition sont plutôt associées à des dysfonctionnements dans les lobes frontaux et la sexualité compulsive à des dysfonctionnements du système limbique (aire septale, hypothalamus) et des lobes temporaux.

L'ORGASME JOUE SUR LA SANTÉ

Les effets de l'orgasme sur la santé ont pu être réputés calamiteux dans certaines cultures ou à certaines époques. Les orgasmes obtenus par masturbation, notamment, ont été taxés de toutes les conséquences possibles et imaginables, de la surdité à la damnation éternelle en passant par la folie et les ulcères d'estomac. La sexualité non procréative a aussi beaucoup payé à la fantaisie des médecins qui promettaient l'épuisement et la sénilité précoce aux grands jouisseurs. Dans le taoïsme et dans le tantrisme, l'orgasme est cultivé mais l'homme doit se retenir d'éjaculer pour ne pas gaspiller son énergie, et il n'est pas rare aujourd'hui d'entendre des hommes redouter de mourir de crise cardiaque au plus fort de leurs ébats. Sans parler des maladies comme la syphilis ou le sida qui ont rendu l'acte sexuel assimilable à une roulette russe. Que sait-on au juste de l'effet de l'orgasme sur la santé ? Faut-il penser, comme cette jeune femme participant à notre enquête : « Trois orgasmes par jour, en forme toujours » ? Ou bien l'orgasme est-il une performance qui tire sur les réserves de l'organisme et qui finit par l'affaiblir ?

Les enquêtes statistiques sur la question sont difficiles car il faut suivre de grands groupes pendant une ou plusieurs décennies. Les corrélations sont difficiles à établir car la fréquence orgasmique d'un individu peut varier fortement d'une époque à l'autre. Curieusement – ou pas – les études qui existent concernent surtout les hommes.

Citons une étude publiée en 1997 par George Smith dans le *British Medical Journal* et montrant que sur

918 hommes de 45 à 59 ans suivis pendant dix ans, la mortalité est 50 % plus faible chez les hommes qui ont deux orgasmes ou plus par semaine que chez ceux qui en ont moins d'une fois par mois.

Un suivi de la même étude publié en 2001 et centré sur les risques cardio-vasculaires a montré que les hommes ayant des rapports sexuels trois fois ou plus par semaine montraient 50 % de risque en moins de faire un infarctus ou une crise cardiaque. Évidemment, s'agissant de comparer l'activité sexuelle actuelle avec le taux de mortalité, on peut toujours arguer que ces hommes font souvent l'amour parce qu'ils sont en bonne santé, et non l'inverse.

Citons alors cette étude australienne publiée par Graham Giles en 2003 qui part du passé sexuel des hommes interrogés et qui montre que la fréquence orgasmique a un effet protecteur par rapport au cancer de la prostate. Les hommes qui éjaculaient plus de cinq fois par semaine lorsqu'ils avaient 20 à 30 ans montrent un tiers de risque en moins de développer un cancer agressif de la prostate lorsqu'ils sont plus âgés.

Une autre étude américaine publiée par Michael Leitzmann en 2004 montre que les grands éjaculateurs (au moins 21 fois par mois en moyenne) ont un tiers de risque en moins de développer un cancer de la prostate, et ajoute que cet effet protecteur n'est pas linéaire. En dessous de 12 fois par mois, il n'y a pas d'effet positif.

L'explication serait qu'il faut éviter les stagnations au sein des conduites, comme dans toute plomberie qui se respecte. Plus vous drainez les tuyaux, plus ils restent sains et à l'abri des attaques de rouille. Comprenez : le liquide séminal contient des éléments minéraux et acides qui pourraient devenir cancérigènes en cas de séjour trop long dans les canaux de la prostate. L'équipe australienne ajoute que l'orgasme par masturbation serait plus favorable que celui par rapport sexuel, parce que les infections sexuelles occasionnelles ont tendance, elles, à accroître les risques de cancer de la prostate.

Et pour les femmes ? On ne dispose pas encore d'études statistiques. Mais on connaît l'effet de certaines manifestations associées à l'orgasme, et qui vont toutes dans le même sens : positif, mon capitaine. Par exemple, l'ocytocine et la DHEA, une autre hormone produite pendant l'excitation sexuelle et l'orgasme, ont une action protectrice contre le cancer, et aussi contre l'endométriose, les crampes menstruelles, les migraines et le stress. À propos de la migraine et du célèbre : « Pas ce soir, chéri, j'ai mal à la tête », certaines femmes affirment que l'orgasme est le meilleur traitement qu'elles connaissent contre la migraine et qu'il faudrait plutôt dire : « Viens vite, chéri, j'ai mal à la tête. » Cela peut être attribué à la vasodilatation et à la production d'endorphines, nos antidouleurs naturels.

Pour beaucoup de médecins actuels, un orgasme est aussi bénéfique sur le plan mental et physique qu'un jogging de 7 kilomètres, grâce à l'entraînement cardiaque qu'il réalise. Il est aussi bénéfique pour la respiration, la circulation, la force et la flexibilité musculaires. Il aide à soulager les symptômes menstruels et ceux de l'ostéoporose et de l'arthrose. Il favorise la qualité du sommeil. Certains affirment même qu'il peut aider à maigrir car l'adrénaline libérée favorise la réduction du glucose, empêchant qu'il soit stocké sous forme de graisse.

On peut encore citer des effets favorables sur l'immunité. Les endorphines libérées pendant l'orgasme favorisent la production de l'immunoglobuline A, un antigène qu'on trouve dans la salive et dans le mucus nasal et qui repère les bactéries, se lie à elles et provoque la mise en route du système immunitaire contre elles.

Il y a même eu un professeur américain pour affirmer que le sperme contient des hormones qui passent dans le sang de la partenaire *via* les parois du vagin et qui affectent positivement l'humeur, agissant comme une sorte d'antidépresseur naturel. Comme ce monsieur était impliqué dans une croisade antiavortement et antipréservatif, on peut malheureusement douter de la rigueur scientifique de ses affirmations. Mais, pour celles qui le consomment oralement, le bénéfice est sûr : un éjaculat contient 60 % de la dose journalière recommandée de vitamine C, ainsi que d'autres vitamines et sels minéraux.

Quoi qu'il en soit, tous les indicateurs possibles vont dans le même sens. L'orgasme est bon pour la santé.

L'ORGASME ÉCLIPSÉ

25 à 35 % des femmes n'ont jamais ou quasiment jamais d'orgasme pendant les rapports sexuels. Le facteur génétique peut jouer, comme on l'a vu grâce à cette vaste enquête réalisée sur de vraies jumelles. Bien qu'elles n'aient pas la même histoire sexuelle, il y a une corrélation significative dans la facilité d'accès à l'orgasme lorsqu'on partage exactement les mêmes gènes. L'anatomie a son importance.

L'anorgasmie n'est pas nécessairement un problème dans la mesure où certaines femmes ne souhaitent pas le résoudre et vivent très bien, y compris une sexualité qui les satisfait. Par ailleurs, il faut savoir qu'il existe des femmes qui se déclarent anorgasmiques, alors que physiologiquement elles présentent la réaction appelée orgasme mais elles ne l'éprouvent pas comme telle. Ces femmes peuvent s'être fait une idée stéréotypée de ce que devrait être un orgasme, et estimer que ce qu'elles vivent n'y ressemble pas, en particulier si elles ont des orgasmes uniquement par stimulation clitoridienne et pensent que ce n'est pas « ça ». Ou bien il faut supposer que le réflexe physiologique est, chez elle, déconnecté de l'événement cérébral qui y est normalement associé et qui fait tout le ressenti subjectif de l'orgasme.

La cause d'une anorgasmie peut être physiologique, comme elle peut être psychologique ou comportementale. Tant que différents types de stimulations n'ont pas été explorés, on ne peut pas conclure à une anorgasmie réelle. Un certain nombre de femmes anorgasmiques sont tout simplement ignorantes de leur anatomie génitale et des chorégraphies possibles à cet endroit. C'est pourquoi la masturbation dirigée est souvent la première mesure adoptée dans un traitement de l'anorgasmie. Le clitoris tout comme le vagin peuvent se révéler sensibles à un type de caresse, de contact, de mouvement, de rythme qui jusque-là n'avait jamais été essayé. Explorer soi-même sa sensibilité, avec ses doigts, avec un vibromasseur ou avec un godemiché est une étape indispensable pour se connaître. Certains sexologues ont affirmé que la masturbation clitoridienne installait une habitude de jouir de cette seule façon et réduisait les chances de jouir un jour par la stimulation vaginale. Aujourd'hui on pense plutôt qu'il faut encourager toute forme de masturbation car la jouissance en solo favorise l'orgasme à deux. Simplement, la jouissance par stimulation vaginale n'est pas un objectif en soi, car l'orgasme est beaucoup plus difficile à obtenir et pas nécessairement meilleur. D'autre part, si l'on veut se donner la possibilité de l'obtenir, c'est encore la masturbation qui sera la meilleure voie d'exploration et d'accès, en faisant l'essai de stimuler l'intérieur du vagin en même temps que l'on caresse le clitoris. Même si cette stimulation additionnelle n'est pas nécessaire, pas utile ou pas agréable au début (voire carrément gênante), il se peut qu'après quelques orgasmes vécus tout en ayant le vagin rempli, des sensations agréables et intensifiantes s'installent progressivement. Une découverte à tenter avec un doigt inséré, ou un vibromasseur adapté pour la double stimulation.

Il faut prendre conscience aussi que l'on peut muscler, entraîner, renforcer, assouplir des muscles qui jouent un grand rôle dans la réponse orgasmique et que l'on ne pense jamais à développer. Autant les abdominaux, les fessiers ou les pectoraux féminins sont sculptés à longueur de journée dans d'innombrables salles de fitness, autant les muscles pelviens de ces dames sont totalement abandonnés à eux-mêmes. Or les sexologues considèrent que la plus grande cause d'anorgasmie est la faiblesse du muscle pubo-coccygien. Il s'agit de ce muscle qu'il faut contracter si l'on veut s'interrompre d'uriner. Des séries quotidiennes d'exercices de musculation sont donc à recommander, et d'autant plus faciles à placer dans un planning déjà chargé que l'on peut les pratiquer à peu près dans n'importe quelles circonstances. Dans le métro, au resto, au boulot, au cinéma, devant la télé ou son écran d'ordinateur, rien de plus facile que de contracter rythmiquement son périnée sans se faire remarquer de personne. Certaines femmes, en serrant les cuisses et en se concentrant, sont même capables de s'autostimuler jusqu'à l'orgasme de cette façon (mais cela devient nettement plus difficile à camoufler). Par ailleurs, la tonicité du vagin lui-même entre en jeu également. Elle est favorisée par les exercices dont on vient de parler, mais on peut aussi la travailler spécifiquement au moyen d'outils comme les boules de geishas qui s'insèrent dans le vagin et se portent lors de la vie courante. Les deux boules reliées par une cordelette contiennent une bille intérieure dont les mouvements et vibrations vont stimuler la paroi vaginale et favoriser sa tonicité, tandis que le poids de l'ensemble oblige les muscles de l'entrée du vagin à rester contractés, ce qui les renforce à long terme. En commençant progressivement, on peut aller jusqu'à les porter la journée entière.

Rien que par ces méthodes purement pratiques et pragmatiques, on améliore une grande part des difficultés d'accès à l'orgasme. La sexologue Pia Struck, qui donne des ateliers pratiques sur l'orgasme, a compté que sur 500 femmes ayant du mal à atteindre l'orgasme, dont 25 % qui n'en avaient jamais eu, âgées de 18 à 88 ans, 93 % ont pu démontrer un orgasme devant la thérapeute à la fin de l'atelier. Le sexe féminin est un peu comme un instrument de musique – il faut apprendre à s'en servir.

Ensuite, de nombreux facteurs chimiques et hormonaux peuvent interférer avec la mécanique de l'orgasme. Un grand nombre de régions cérébrales, de neurotransmetteurs et d'hormones jouent un rôle dans la mécanique de l'orgasme, dont l'équilibre peut être mis à mal par la moindre pichenette extérieure, notamment tout ce qui affecte les transmissions synaptiques. Toute une série de médicaments habituels peuvent réduire la réponse sexuelle, en particulier dans les antipsychotiques et les antidépresseurs. Ils sont susceptibles de réduire soit le désir, soit la capacité orgasmique, soit les deux, notamment les inhibiteurs de la recapture de la sérotonine (présents dans certains antidépresseurs) qui interfèrent avec le cycle de la sérotonine impliquée dans les circuits du plaisir. La pilule contraceptive, elle, par son effet de « silencement » de la testostérone, agit comme une sorte de ménopause artificielle. La baisse de libido qui s'ensuit n'est pas trop perceptible entre 20 en 30 ans, mais peut devenir manifeste au-delà de 35 ans. Cet effet peut réduire l'accès à l'orgasme. Mais comme la pilule supprime par ailleurs l'anxiété de grossesse et parfois les douleurs menstruelles, l'inhibition est contrebalancée par une détente psychique et le bilan est variable d'une femme à l'autre.

D'autres substances de consommation courante sont néfastes pour la capacité orgasmique, comme l'alcool en grande quantité. En revanche, une petite dose d'alcool augmente l'excitabilité et la sensation de plaisir, de même qu'une petite dose de cannabis (ou de cocaïne, d'amphétamines, d'ecstasy, de LSD, de peyotl, de nitrites à inhaler ou poppers...) – encore que, dans tous ces cas, c'est surtout l'excitation sexuelle qui est accrue mais pas nécessairement l'orgasme, qui peut même être retardé. On signale toutefois que le cannabis augmente la capacité d'expérimenter des orgasmes à partir d'autres stimulations que la stimulation des parties génitale (caresses sur diverses parties du corps, cou, nez, genoux...) Le ginkgo et le ginseng sont à peu près les seules substances réputées aphrodisiaques qui ont des effets positifs sur la réponse sexuelle. Ou alors la testostérone. Hormone très impliquée dans le désir et l'excitation sexuels, la testostérone est produite par les femmes (dans les ovaires) aussi bien que par les hommes, mais en moindre quantité. Un manque de testostérone entraîne une baisse de désir comme de l'intensité de l'orgasme. Et *vice versa*. On a par exemple mesuré que chez des femmes qui sont séparées de leur partenaire pendant de longues périodes de temps le taux de testostérone est variable, plus élevé quand le partenaire est présent et qu'elles ont des relations sexuelles, plus bas quand il est absent et qu'elles n'en ont pas.

Chez les transsexuelles femmes qui deviennent hommes, les doses massives de testostérone prescrites ont pour effet de renforcer la libido et de modifier le comportement sexuel. Par ailleurs, il y a aussi des témoignages de femmes ayant pris du Viagra et qui ressentent des orgasmes plus forts.

Il faut toutefois considérer avec précaution les résultats de prises de substances quelconques, car la réponse sexuelle dépend du mental autant que du chimique. La testostérone a été testée en 2005 comme traitement du manque de libido chez des femmes artificiellement ménopausées par ablation des ovaires. Après douze semaines de traitement, l'une des femmes témoigne d'un retour de libido manifeste. Elle a de nouveau du désir, des fantasmes, elle a recommencé à se masturber, et elle est enfin capable de refaire l'amour avec son mari et d'avoir un orgasme pour la première fois depuis trois ans. Grande victoire de la testostérone semble-t-il. Sauf que cette femme faisait partie sans le savoir du groupe témoin – la moitié du groupe testé qui a reçu un patch au placebo et non à la testostérone. Le désir et le plaisir ne dépendent pas seulement de la chimie. De la même manière, dans une étude sur 75 femmes de 31 à 56 ans qui souffraient d'un manque de libido, celles qui ont pris de la testostérone ont eu trois fois plus de pensées et d'actions sexuelles, mais est-ce à cause de la substance ou à cause du fait de l'avoir prise ? L'état psychique, la confiance, la croyance sont parfois les meilleurs stimulants de la mécanique sexuelle. Participer à une étude sur la libido féminine peut être un aiguillon suffisant pour recommencer à s'intéresser à la sexualité, pour avoir des conversations avec des amis, pour voir certains films, pour s'imaginer en femme désirante et jouissante, et par effet d'entraînement on se trouvera effectivement en état d'excitation sexuelle. À cet égard, enfiler un string en dentelle de bon matin peut avoir le même effet sur le déroulement de la journée que de poser un patch à la testostérone…

Des enquêtes ont montré que la fréquence d'accès à l'orgasme était notamment liée à certains comportements, à savoir la longueur et la richesse des préliminaires, le fait que la femme soit active et non passive dans le rapport sexuel, et le fait qu'elle ait une pratique de la masturbation.

À noter que l'être humain est le seul animal capable d'érotiser de nombreuses situations sans lien avec la sexualité mais vécues comme des préliminaires ou des rappels excitants. On a mesuré que pendant un rendez-vous amoureux au restaurant, l'ocytocine (hormone du plaisir) est produite et relâchée dans le sang des partenaires en quantités comparables à l'excitation sexuelle explicite.

Et le vieillissement ? Empêche-t-il de jouir ? Non. Le vieillissement n'est pas une cause d'anorgasmie. Il peut être facteur de ralentissement, mais pas nécessairement. Le déclin hormonal dû à la ménopause peut rendre l'excitation plus lente à venir, par ralentissement du flux sanguin dans la région pelvienne. Les sensations génitales sont alors un peu moins intenses, et la lubrification moins rapide. Pour certaines femmes, l'orgasme devient plus court et moins intense, car les contractions du vagin perdurent mais les contractions rectales ont tendance à disparaître. Cependant, la meilleure façon de contrer ces évolutions est de garder une vie sexuelle active, car cela entretient la sensibilité et l'élasticité vaginales. À condition d'adapter sa façon d'aborder les rapports sexuels, la satisfaction sexuelle et orgasmique peut se maintenir jusqu'aux âges les plus avancés, et il n'y a en tout cas aucune date limite pour la capacité à avoir des orgasmes. L'effet dû au déclin hormonal est réel, mais il n'est pas dramatique. D'autres facteurs (état de santé, partenaire, mental) sont plus déterminants pour le maintien d'une vie sexuelle épanouie.

L'une des meilleures preuves que ce n'est pas le corps seul qui détermine le potentiel sexuel vient de l'évolution des comportements observés. Selon la grande étude Inserm 2006 sur la sexualité, 90 % des femmes de 50 ans déclarent poursuivre une activité sexuelle, alors qu'elles étaient 53 % en 1970. Non seulement cela, mais la satisfaction exprimée ne décline pas. D'après une enquête du *Reader's Digest* en 2003 sur un échantillon de mille couples mariés, la tranche d'âge la moins concernée par la qualité de sa vie sexuelle était la tranche la plus jeune (24-34). Les personnes entre 35 et 44 ans attachaient beaucoup plus d'importance au fait d'avoir des relations sexuelles fréquentes et satisfaisantes (et les femmes encore plus que les hommes). L'intérêt pour le sexe (mais pas pour l'amour) fléchissait quelque peu dans la tranche 45-65, mais sans retomber au niveau plancher des jeunes années. Dans le *Nouveau Rapport Hite*, publié en 2000, on apprend que les femmes plus âgées sont plus susceptibles de connaître des orgasmes multiples que les plus jeunes. L'auteur ajoute : « Il est vrai que la capacité de reproduction s'arrête à la ménopause, et que la lubrification vaginale peut diminuer, mais l'intérêt sexuel et la capacité orgasmique augmentent. » Citons encore cette étude portant sur des retraités brésiliens en 1992 : 74 % poursuivent une activité sexuelle, 35 % font l'amour deux ou trois fois par semaine, 40 % disent que le désir augmente avec l'âge. Seules 13 % des femmes ont ressenti un effet de la ménopause dans leur vie sexuelle.

CES MERVEILLEUX FOUS VOLANTS

La conquête du ciel, au début du XXe siècle, a été émaillée de valeureux pionniers qui sont partis à l'assaut du vide avec les dispositifs les plus variés. L'orgasme féminin présente à peu près le même genre d'attrait magique pour des inventeurs de tout poil. Bien que le classique vibromasseur ait largement fait ses preuves, déjà avant l'invention de l'électricité, son succès n'est pas encore tel qu'on puisse prétendre avoir tordu le coup à l'orgasme récalcitrant. Il reste toujours des femmes pour récalcitrer. Alors les inventeurs continuent d'inventer.

En 2001, le docteur roumain Nicolae Adrian Gheorghiu a inventé un dispositif qui peut donner à une femme jusqu'à seize orgasmes en une minute. L'appareil fonctionne sur batterie et consiste en électrodes placées dans la colonne vertébrale et qui délivrent un courant électrique pulsé. Il a été testé par seize femmes dont la seule objection était que l'expérience était trop forte. « C'est plus efficace que d'avoir trente hommes », affirme l'inventeur. Et il ajoute adroitement que même les vierges peuvent l'utiliser sans perdre leur pucelage.

Quelques mois plus tard, le neurochirurgien Stuart Meloy inventait son propre appareil, l'orgasmatron, un boîtier électronique implanté sous la peau et connecté directement au nerf pelvien. La découverte est venue par hasard, alors que le docteur, spécialiste dans le traitement de la douleur, effectuait une opération pour contrer un problème de douleur chronique dans le dos dû à une hernie discale. La technique était astucieuse et bien rodée : implanter un système à électrodes qui envoie des signaux pulsants dans les nerfs pour brouiller les signaux douloureux et que l'on peut déclencher à volonté chaque fois que la douleur se manifeste. Cette fois-là, une électrode avait établi un contact avec le nerf voisin, et lorsque le système fut activé, la patiente se mit à pousser des exclamations de plaisir. Puis elle dit à son chirurgien : « Il faut que vous appreniez à faire ça à mon mari. » Meloy se pencha alors sur une adaptation de son système spécifiquement conçue pour le plaisir sexuel : un boîtier de la taille d'un paquet de cigarettes, implanté sous la peau au niveau de la taille lors d'une opération « pas plus douloureuse qu'une péridurale », et dont les électrodes sont connectées directement au nerf pelvien. Le système est breveté aux États-Unis et actuellement testé dans le traitement de l'anorgasmie. Une première expérience a eu lieu en 2006 sur onze femmes volontaires pour se faire greffer pendant neuf jours ce pacemaker du plaisir. Dix femmes sur les onze se sont déclarées enchantées : celles qui avaient perdu l'accès à l'orgasme l'ont retrouvé, et celles qui ne l'avaient jamais connu l'ont découvert. La Food and Drug Administration a dès lors donné son feu vert pour des tests complémentaires – étant entendu qu'il s'agira d'un dispositif réservé aux femmes souffrant d'un dysfonctionnement de l'orgasme ; les autres devront continuer à le fabriquer à l'artisanale. Stuart Meloy précise qu'il faudra peut-être prévoir une façon de limiter l'utilisation de son implant, car on se souvient de l'expérience des rats qui pouvaient se stimuler le cerveau directement et qui se sont ruiné la santé à force de s'envoyer en l'air.

Beaucoup plus classique, pour ne pas dire préhistorique : un système tout simple inventé par une mère de famille anglaise en 2003. Il s'agit d'un dispositif masturbatoire non vibrant, en PVC, ayant la forme d'un doigt de gant en caoutchouc avec relief. En bref, un doigt amélioré, idéal pour les femmes qui ont des problèmes moraux à l'idée de se toucher directement. Le dispositif se porte sur l'index et arbore huit nodules en relief autour de la pulpe du doigt, assurant un contact et un massage maximum du clitoris. Le petit chéri est frictionné de tous les côtés à la fois, et il y a même un petit réservoir prévu pour ajouter du lubrifiant. Le système a été testé scientifiquement par un sexologue de l'Université de Preston, qui a conclu que le taux d'orgasmes passait de 82,8 % par masturbation simple à 95,3 % avec le doigt amélioré et que le temps moyen pour atteindre l'orgasme passait de 13,57 à 5,05 minutes. Pour cette contribution au bonheur des femmes, l'honorable mère de famille a été nominée pour le titre de British Female Inventor of the Year (Health Section). Le trophée est toutefois allé à un nouveau modèle de fourche hyperlégère pour nettoyer les écuries.

Une nouvelle technique, bien plus audacieuse, nous vient de la chirurgie esthétique, qui a trouvé le moyen d'investir l'intérieur du vagin. Il est désormais possible de faire gonfler son point G au moyen d'une injection d'acide hyaluronique, un antirides analogue au Botox. En dix minutes d'opération sous anesthésie locale par gel, on se trouve gonflée pour plusieurs mois, avec pour effet de renforcer les sensations vaginales puisque la friction et la pression imposées par le mouvement de va-et-vient seront plus fortes au niveau du renflement artificiel. La technique, dénommée « amplification du point G » est assez controversée (certains médecins mettent en garde contre le risque de perforation de l'urètre) mais produit des adeptes qui ne tarissent pas d'éloges sur les bienfaits d'un point G boursouflé. Certaines affirment qu'elles ont des orgasmes rien qu'en marchant. Aucune recherche scientifique sérieuse n'a été menée sur cette technique. Une étude pilote réalisée par Christine Louis-Vadhat sur 30 patientes en 2006 a montré que trois mois après l'opération 28 d'entre elles rapportaient une augmentation des sensations de plaisir, 25 rapportaient une meilleure qualité de leurs orgasmes, et toutes parlaient d'une augmentation du désir. Au bout de six mois, toutes étaient demandeuses d'une réinjection, ce qui suppose qu'il faudrait pouvoir s'offrir ce petit cadeau deux fois par an – tout un budget !

Mais la plus grande frénésie d'invention observable actuellement s'expose dans les love-shops et autres comptoirs d'accessoires féminins, dont beaucoup possèdent de magnifiques sites Internet (qui dispensent les timides de devoir contempler des sex-toys sur un comptoir). Les godemichés et vibromasseurs qui avaient quitté les magazines familiaux des années 1920, où ils se camouflaient sous des dehors médicaux, ont fait un retour revendiqué dans les années 1970 à l'appui des discours féministes et de la défense de l'orgasme clitoridien, pour connaître une véritable explosion depuis la fin des années 1990, au point qu'on peut les trouver en vente dans les supermarchés ou en cadeau-gadget accompagnant des magazines féminins. Ils ont changé de look, sont devenus glamour, coquins, artistiques ou zen, mais ils ont surtout bénéficié d'une quantité impressionnante de recherche et développement, notamment de la part d'ingénieurs féminins. Ergonomiques, anatomiques, vaginodynamiques, ils sont conçus pour explorer toutes les potentialités de stimulations agréables. Certains, à usage interne autant qu'externe, peuvent se porter pendant les rapports sexuels. À regarder les vitrines high-tech de ces boutiques, il est difficile de se dire que l'orgasme féminin pourrait encore résister une minute de plus. Il s'agit évidemment de trouver chaussure à son pied, mais ce ne sont plus les chaussures qui manquent.

IL RESTE À DÉSIRER

Tous les sexologues sont d'accord sur un constat : nous savons encore très peu de choses sur l'anatomie, la sexualité et l'orgasme féminins. Les recherches médicales et universitaires sont très récentes et peinent à trouver des financements. Certains n'hésitent pas à parler de Moyen Âge de la recherche, et d'un retard invraisemblable par rapport aux connaissances sur la fonction érectile masculine. La bibliographie médicale dit tout : des milliers de références sur la chirurgie du pénis, mais presque rien sur le clitoris.

Ce qui apparaît au moins nettement, dans le peu qui a été investigué, c'est que, contrairement aux hommes, la plupart des femmes doivent apprendre à atteindre l'orgasme. L'orgasme féminin ne se produit pas automatiquement lors des rapports sexuels « normaux » de type reproductif. Pour le faire éclore, il faut souvent que le rapport sexuel soit centré sur le plaisir de la femme et adopte les types de stimulations auxquels elle est particulièrement réceptive. Au vu des recherches scientifiques, qui ont commencé timidement dans les années 1950 et qui en sont toujours au stade de l'éclosion, et au vu des témoignages sur lesquels nous allons nous pencher dans le chapitre suivant, il n'est pas absurde de dire que l'anatomie et la réponse sexuelle féminines sont aussi homogènes et prévisibles que la météo d'un pays comme l'Islande, y compris ses volcans.

CHAPITRE 6

Quand les femmes en parlent

UNE ENQUÊTE CIBLÉE

Il y a deux façons d'écrire un ouvrage sur l'orgasme féminin. La première est de s'adresser aux experts, chercheurs et professionnels de tout poil. La seconde est de s'adresser aux femmes. Beaucoup de femmes. Nous avons pensé que faire les deux en même temps s'imposait pour cerner un tant soit peu le phénomène. Pendant les mois qui ont précédé la présente édition (en 2009 et jusqu'en mai 2010) nous avons procédé à une enquête *via* Internet sur le sujet spécifique de l'orgasme féminin, qui s'intitulait *Établissez votre CV orgasmique*. Le questionnaire se trouve sur une page du site d'Élisa Brune, à laquelle renvoyait son livre *Alors heureuse... croient-ils*, publié en septembre 2008. Un appel aux réponses a par ailleurs été diffusé *via* quelques centaines d'adresses électroniques en France et en Belgique. Plus de trois cents femmes ont pris le temps qu'il fallait pour répondre à cinquante questions sur leur vie orgasmique et nous les en remercions chaleureusement.

Il ne fait aucun doute que l'échantillon de notre enquête n'est pas représentatif de la population féminine franco-belge. Il s'agit de femmes qui ont spontanément répondu à un questionnaire détaillé sur l'orgasme, ce qui suppose que le sujet les intéresse et aussi qu'elles trouvent plausible et valable de s'y intéresser collectivement. Il s'agit de femmes qui ont un accès facile et tranquille à Internet (le bureau ou le cybercafé ne sont sans doute pas des endroits suffisamment intimes), ce qui introduit un biais sur l'âge, le niveau économique et le milieu culturel des participantes. Par ailleurs, répondre à cinquante questions sur son histoire orgasmique suppose d'avoir des choses à dire et favorise les femmes qui ont de l'expérience par rapport à celles qui en ont très peu.

Pour toutes ces raisons, nous pensons que les femmes qui ont répondu à cette enquête sont plus actives sexuellement et/ou plus intéressées par la question de l'orgasme que la moyenne des femmes de la petite aire spatio-temporelle que constituent la France et la Belgique en 2009-2010.

Ces particularités étant posées, la richesse et la diversité des réponses justifient pleinement leur publication et leur analyse, pour autant qu'on veuille bien ne pas y voir un reflet fidèle de la société mais un coup de sonde à travers un échantillon de volontaires désireuses de partager ce qu'habituellement l'on garde pour soi.

Il existe plusieurs grandes enquêtes quantitatives sur la sexualité, qui se sont déroulées par téléphone ou par interview *de visu*. Les questions qui portaient précisément sur l'orgasme y formaient un petit chapitre parmi d'autres sur les comportements sexuels, et elles souffraient de la difficulté d'en parler ouvertement avec un ou une inconnu(e). Imaginez qu'on vous demande par téléphone de décrire votre technique de masturbation préférée. Même si vous êtes seule dans la pièce et même si vous êtes sûre de ne jamais croiser votre correspondant au supermarché, il est gênant de claironner ce genre de renseignement tout haut – c'est trop intime. La possibilité de répondre de façon totalement anonyme et solitaire devant un écran d'ordinateur change la donne. Nous pensons que les femmes qui ont répondu spontanément à notre enquête l'ont fait avec une grande honnêteté et parfois un vrai soulagement de pouvoir dire les choses telles qu'elles les vivent. Cela transparaît souvent dans le ton des réponses, dans la précision des détails, et parfois dans les remerciements explicites qui accompagnent la fin du questionnaire.

Nous n'avons posé aucune question concernant le contexte économique, social, familial, religieux, ethnique... La sociologie de l'orgasme féminin est un chantier énorme et passionnant qui est à peine entamé à l'heure actuelle. Nous nous sommes concentrés ici sur la question de l'intimité pure, de l'accès au plaisir et du rapport au corps orgasmique. À quel moment, dans quelles circonstances, par quelles techniques, dans quel parcours évolutif les femmes ont-elles accès à l'orgasme ?

Un seul critère s'est imposé pour cadrer et classer certaines des expériences rapportées : l'âge des répondantes. Celui-ci se répartit comme suit dans notre échantillon de 314 femmes : 18 % de 18 à 29 ans, 35 % de 30 à 39 ans, 30 % de 40 à 49 ans, 17 % de plus de 50 ans.

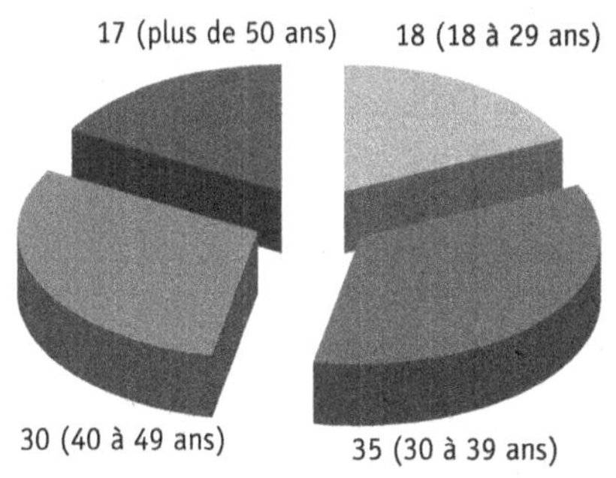

Répartition de l'échantillon par classes d'âge (%)

Pour un appel qui fut lancé indifféremment à toute femme sexuellement active, on trouve déjà ici un trait de comportement signifiant en soi. Qui sont celles qui veulent et qui peuvent répondre à un questionnaire détaillé sur l'orgasme ? Les femmes de 30 à 50 ans. Les autres le font beaucoup moins, soit qu'elles ne se sentent plus concernées, ou pas encore suffisamment, soient qu'elles se sentent gênées, choquées ou empêchées par d'autres soucis et priorités ou manques techniques. Notre échantillon n'est pas du tout représentatif de la population féminine en général, il compte pour deux tiers des femmes de 30 à 50 ans et il montre que cette tranche d'âge se sent la plus motivée et la plus libre pour parler d'orgasme.

Un autre critère peut s'avérer utile pour faire certaines mises en perspective, et il est lié à l'activité sexuelle elle-même, c'est le nombre de partenaires sexuels rencontrés. Celui-ci est très variable : 21 % des femmes de notre échantillon ont connu moins de 5 partenaires, 26 % en ont connu entre 5 et 10, 26 % entre 10 et 20, 18 % entre 20 et 40 et 9 % plus de quarante.

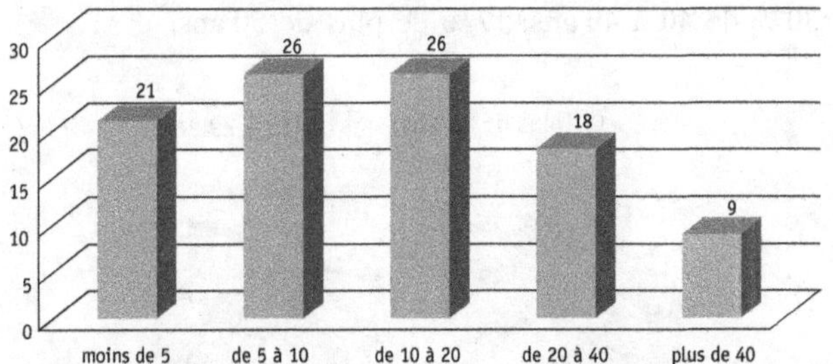

Répartition de l'échantillon par nombre de partenaires sexuels

Ce seul critère accentue fortement la particularité de notre échantillon. Si l'on se reporte aux études statistiques récentes sur les comportements sexuels dans les pays occidentaux, on constatera que le nombre de partenaires sexuels déclarés, tous âges confondus, tourne autour de 3 ou 4 en moyenne. Pour les femmes de 30 à 50 ans en France en 2006, il était de 5,1, et pour l'ensemble des femmes de 4,4. Si nous faisons le même calcul sur notre échantillon, nous obtenons une moyenne de 14 partenaires. Les femmes qui ont répondu à cette enquête ont beaucoup plus d'expériences sexuelles différentes que la moyenne des femmes.

On pourrait penser que le nombre de partenaires est lié à l'âge, mais ce n'est vrai que pour la première classe d'âge (18-29 ans), dans laquelle 41 % des répondantes ont connu moins de 5 partenaires, et 36 % de 5 à 10. Au-delà de 30 ans, le nombre de partenaires se répartit de façon assez homogène sur les trois tranches d'âge. Par exemple, pour celles qui déclarent le nombre de partenaires le plus élevé (au-delà de 40 partenaires), cette catégorie regroupe 10 % des trentenaires, 11 % des quarantenaires et 10 % des cinquantenaires.

L'AUTRE PREMIÈRE FOIS

Le premier orgasme est-il concomitant avec le premier rapport sexuel ?

Très rarement : 11 % des répondantes ont découvert l'orgasme au même âge que leur premier rapport sexuel – ce qui ne veut pas dire en même temps pour autant. Pour les autres, 40 % ont découvert l'orgasme avant et 48 % l'ont découvert après. L'expression « la première fois » recouvre donc très généralement deux significations : d'une part la première fois où l'on a fait l'amour, et d'autre part la première fois où l'on a joui. Pour le premier orgasme, il faudra encore distinguer deux moments : le premier orgasme en solitaire, et le premier orgasme à deux. Quand ont lieu ces différents événements ?

Le premier rapport sexuel a eu lieu très majoritairement entre 16 et 19 ans (63 % des répondantes), entre 11 et 15 ans pour 19 % et entre 20 et 25 ans pour 18 %. Après 25 ans, il n'y a plus de vierges dans notre échantillon.

Pour ce qui est du premier orgasme, l'étalement des premières fois est beaucoup plus marqué : 14 % des répondantes connaissaient déjà l'orgasme à l'âge de 11 ans, 24 % l'ont découvert entre 11 et 15 ans, 24 % entre 16 et 19 ans, 21 % entre 20 et 25 ans, 10 % après 25 ans, 5 % n'ont jamais eu d'orgasme encore. Les deux extrêmes pour l'âge déclaré du premier orgasme sont 3 ans et 63 ans.

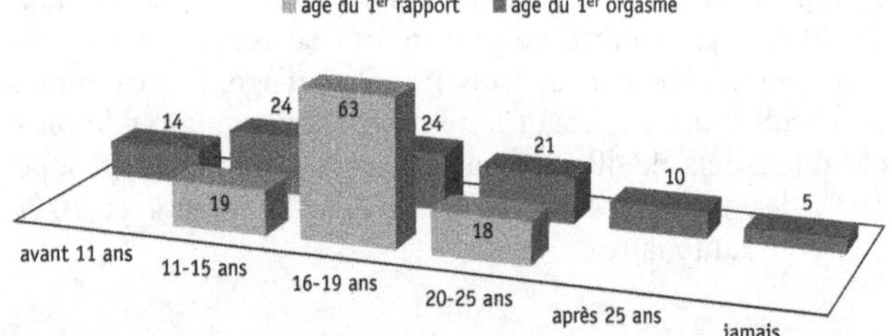

Comparaison des âges au premier rapport et au premier orgasme

Comparons de plus près l'âge du premier rapport sexuel et l'âge du premier orgasme. Pour celles qui ont découvert l'orgasme d'abord, en général toutes seules, on voit une distribution homogène sur les dix années qui précèdent le premier rapport sexuel. C'est-à-dire que cela a pu leur arriver n'importe quand entre la petite enfance et l'âge du premier rapport sexuel. Tant que le rapport sexuel n'avait pas eu lieu, la probabilité de découvrir l'orgasme était la même tout le temps, que ce soit par hasard ou volontairement.

Pour celles qui ont découvert l'orgasme après le premier rapport sexuel, on observe une distribution décroissante, avec la moitié d'entre elles qui l'ont découvert dans les trois premières années après le rapport, puis le quart d'entre elles dans les trois années suivantes, et le dernier quart au-delà, avec un décalage pouvant aller jusqu'à trente ans. Ainsi, une fois que le premier rapport sexuel a eu lieu, la probabilité de découvrir l'orgasme n'est plus homogène, mais elle

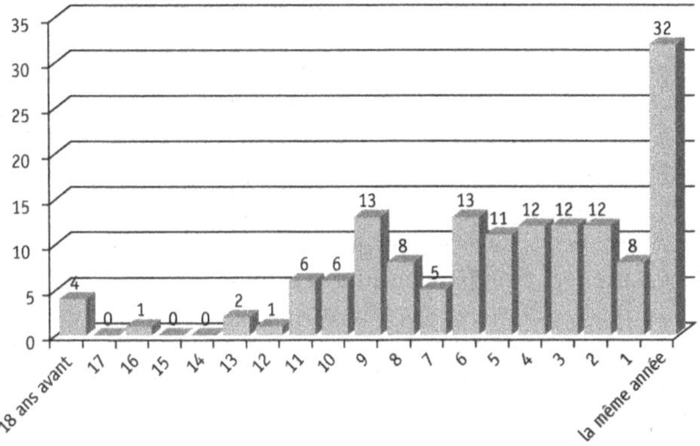

Nombre de femmes ayant eu leur 1er orgasme avant leur 1er rapport

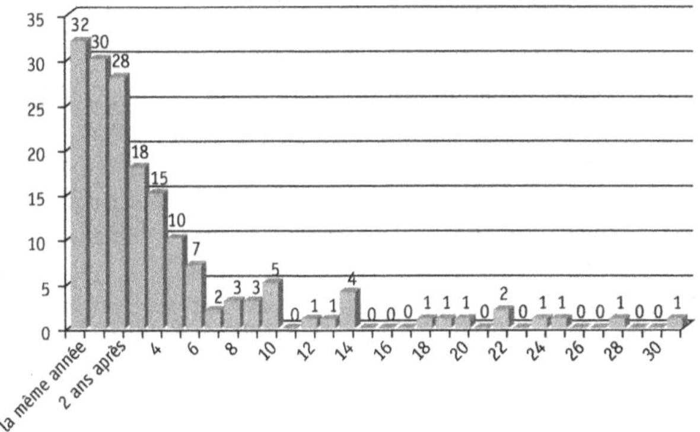

Nombre de femmes ayant eu leur 1er orgasme après leur 1er rapport

est de 50 % dans les trois ans et de 75 % dans les six ans. Ce qui tend à montrer que lorsque ces femmes sont entrées dans la vie sexuelle active, l'orgasme est devenu une question concrète et a fait l'objet d'une recherche, ce qui n'était pas le cas auparavant – quand bien même cela aurait pu l'être, puisque la capacité à l'orgasme est là dès l'enfance.

La moitié des femmes de notre échantillon (48 %) s'est mise à rechercher l'expérience orgasmique seulement après la première expérience sexuelle.

Celles qui ont découvert l'orgasme avant la première relation sexuelle l'ont généralement fait seules (88 %), mais cela pouvait aussi être lorsqu'elles étaient en couple (12 %) – ce fut toutefois rare, peu de couples débutants sachant ou comprenant que l'on peut se donner des orgasmes par masturbation mutuelle. Celles qui l'ont découvert après la première relation sexuelle étaient généralement en couple (73 %), mais cela pouvait également être lorsqu'elles étaient seules (27 %), poussées par une curiosité que la sexualité à deux n'avait pas assouvie.

Comment l'orgasme vient aux femmes

Les circonstances du premier orgasme sont éminemment variables. Pour 50 % des femmes de notre échantillon (parmi celles qui connaissent l'orgasme – on laissera désormais les 5 % de femmes anorgasmiques en dehors de nos comptages pour reparler d'elles seules plus loin), le premier orgasme a eu lieu lorsqu'elles étaient seules, et pour 50 % cela s'est produit en couple.

Prenons d'abord l'ensemble des femmes qui ont découvert l'orgasme toutes seules. 27 % l'ont découvert avant 11 ans, 37 % entre 12 et 14 ans, 23 % entre 15 et 18 ans, 8 % entre 19 et 25 ans, 4 % après 25 ans. La grande majorité, 82 %, s'est livrée à une masturbation, poussée par la curiosité ou par l'excitation sexuelle. Dans certains cas, cette excitation est survenue par surprise, et la masturbation s'est enclenchée sans comprendre la portée de ce qui se passait.

- J'ai été prise d'une excitation physique dans la baignoire et je me suis frotté le sexe. Je me souviens que je ne savais pas ce qui se passait et que ça m'a pas mal travaillée (à 14 ans).

- C'est arrivé par hasard sous la douche (à 12 ans).
- J'ai tapoté légèrement et régulièrement sur mon clitoris aussi longtemps que l'excitation grandissait. Je voulais voir jusqu'où ça pouvait aller. Je n'avais même jamais entendu parler d'orgasme clitoridien. C'est la sensation qui m'a fait jouir (à 16 ans).
- Excitation clitoridienne dans mon lit, avec les draps, associée à des fantasmes style *La Comtesse de Ségur*. Je n'y associais pas un acte sexuel. Ce n'est qu'adolescente que j'ai pris conscience qu'il s'agissait en réalité de masturbation (à 5 ans).

Ou bien l'excitation a été au contraire amenée de façon très consciente.

- J'avais entendu des filles parler entre elles à l'école. Je ressentais fréquemment de l'envie et ce petit piquant, mais je ne m'étais jamais caressée avant. J'avais déjà eu du plaisir en nageant par exemple, ou sous la douche, mais je n'étais jamais allée jusqu'à l'orgasme. Un soir dans mon lit, j'étais excitée en pensant à un garçon que j'aimais à l'époque et j'ai repensé à cette conversation surprise à l'école. Alors j'ai testé et j'ai eu mon premier orgasme (à 14 ans).
- Un cours de sexologie sur l'orgasme féminin... ça m'a donné des idées ainsi que des trucs et astuces bien précis pour y arriver (à 22 ans).
- Masturbation devant une scène d'amour à la TV (à 18 ans).

9 % ont eu des orgasmes déclenchés par des stimulations physiques non sexuelles, durant le sport ou les jeux.

- Le simple frottement provoqué par le mouvement de grimper sur un poteau (à 12 ans).
- J'étais allongée sur le ventre et j'ai rampé sous mon lit pour atteindre quelque chose, quand soudain j'ai eu un orgasme spontané. Je pense qu'il était complètement mécanique, par frottement du clitoris contre la moquette. C'était non voulu consciemment, j'étais vraiment occupée à trouver l'objet sous le lit et l'orgasme est survenu. J'ai compris à ce moment-là comment faire et j'ai rampé sous le lit de très nombreuses fois. C'était compliqué et presque

athlétique, mais très efficace. Plus tard j'ai compris que je pouvais faire ça avec ma main, tranquillement allongée sur le lit (à 15 ans).

- Vers 8-10 ans, j'adorais grimper aux cordes qui pendaient du plafond dans la salle de gym. Ce sont elles qui m'ont fait découvrir ces sensations.
- Mon premier orgasme est survenu pendant que je faisais un exercice d'aérobic de Véronique et Davina, tout à fait par hasard (à 8 ans).
- C'est arrivé pendant que je jouais à descendre en me laissant glisser sur une rampe d'escalier à l'école primaire (à 10 ans).
- J'étais à mobylette, arrêtée au feu rouge, et j'ai tout de suite compris que c'était « cela » (à 15 ans).
- Pendant un jeu, je chevauchais la partie haute d'une balançoire (le portique) et j'ai ressenti un très grand plaisir (à 6 ans).
- Je conduisais un scooter. J'allais rejoindre mon amoureux, et l'excitation physique involontaire provoquée par les vibrations du moteur a suffi (à 18 ans).
- En retenant en secret mon urine (à 5 ans).
- Je faisais de l'équitation (à 14 ans).
- Stimulation/sensations sur la poutre, en gym, puis frottement à califourchon sur la baignoire (à 10 ans).
- Cuisses serrées, contractions du périnée et des muscles des cuisses, qui devaient frotter sur le clitoris, j'imagine (à 3 ans).

4 % ont eu des orgasmes spontanés liés à des émotions provoquées par l'imaginaire (livre, film, rêve).

- J'ai ressenti une excitation sexuelle liée à une image et un texte, j'avais les jambes croisées, j'ai dû serrer les cuisses et c'est arrivé (à 12 ans).
- J'ai vu une image représentant le jardin d'Éden, j'ai eu envie de serrer très fort un coussin entre mes jambes, et c'est arrivé (à 10 ans).
- Je regardais le film *Le Tambour* avec ma famille, et hop, le cadeau divin est apparu (à 11 ans).

- C'est arrivé à la lecture d'une scène romantique-érotique (à 14 ans).
- Une lecture à caractère sexuel (à 12 ans).

4 % ont eu des orgasmes spontanés liés à des situations de stress intense.

- C'était pendant un stress lié à la préparation d'un examen (à 18 ans).
- J'étais très angoissée parce que j'allais arriver en retard à l'école. Je me dépêchais de terminer mon cartable, et j'ai senti une sensation incroyable irradier dans tout mon corps. J'ai cru que j'avais un malaise cardiaque ou quelque chose du genre. Je me suis sentie mourir. Puis tout est revenu à la normale et j'ai filé à l'école sans rien comprendre. Je n'en ai jamais parlé à personne et je n'ai jamais revécu la même chose jusqu'à mon premier orgasme en couple à 22 ans. Alors, seulement, j'ai compris ce qui s'était passé (à 11 ans).
- Je lisais *Les Trois Mousquetaires* dans mon lit. Lors d'une scène de bataille où un protagoniste est près de tomber dans le vide et en conçoit une grande terreur, j'ai senti une vague dans tout mon corps. C'était mon premier orgasme (à 11 ans).

Au total, dans 88 % des cas, il y a eu une stimulation clitoridienne, volontaire ou involontaire, dans 2 %, il y a eu stimulation vaginale, et pour 4 % il y a eu stimulation clitoridienne et vaginale. Dans 6 % des cas, il n'y a eu aucune stimulation physique ; l'état psychique seul a déclenché la réaction orgasmique. Le fait que le stress et la peur, aussi bien que l'excitation sexuelle ou amoureuse, puissent déclencher l'orgasme est un fait qui n'apparaît pas dans la recherche scientifique sur le sujet et qui pose des questions sur le mécanisme neuropsychique de l'orgasme. Si certaines des études récentes par imagerie cérébrale montrent que les centres de la vigilance et de l'anxiété « s'éteignent » lors de l'orgasme, force est de constater que ce n'est pas le seul scénario. Dans certains cas, c'est au contraire l'anxiété qui semble déclencheuse. On entre ici dans des questions d'associations d'émotions qui sortent du champ des expériences menées en laboratoire, mais que d'autres recherches en psychologie expérimentale ont pu mettre en évidence. Prenons par exemple cette expérience-ci, menée par Dutton et Aron en 1974 : une jeune femme séduisante aborde les passants masculins et leur demande de répondre à quelques questions pour un sondage d'opinion. À la fin, elle leur propose de l'appeler s'ils veulent en savoir plus sur cette recherche (fictive) et leur remet son numéro de téléphone. Ce que l'on veut vraiment savoir dans cette expérience, c'est combien d'hommes vont lui téléphoner pour lui demander de la revoir. Il y a deux circonstances différentes pour l'expérience. Dans la première, la jeune femme se trouve au milieu du Capilano Suspension Bridge, un pont suspendu à proximité de Vancouver où il y a du vent et une grande hauteur de vide. Dans la seconde, la même femme se trouve dans un parc du centre-ville. L'expérience montre que le taux d'intérêt sexuel des hommes est deux fois plus élevé dans le premier cas. Les hommes désirent revoir une femme qu'ils ont rencontrée à un moment où leur taux d'adrénaline était élevé (pour des raisons qui n'ont rien à voir avec elle), bien plus qu'une femme qu'ils ont rencontrée à un moment émotionnel normal. C'est-à-dire qu'ils font l'association automatique et abusive entre un état émotionnel excité et la personne avec laquelle ils se trouvaient dans cet état. L'émotion forte a quelque chose d'indistinct qui peut allumer des circuits voisins. L'excitation sexuelle fait partie des circuits voisins de l'anxiété. On retrouvera ci-après d'autres témoignages sur le surgissement d'orgasmes en situation de stress.

Voyons maintenant l'ensemble des femmes qui ont découvert l'orgasme lorsqu'elles étaient avec un partenaire. L'orgasme lors de relations sexuelles très précoces est rare, 4 % des femmes de ce groupe l'ont connu avant 15 ans, 34 % l'ont connu entre 15 et 18 ans, 46 % entre 19 et 25 ans et 14 % après 25 ans. Soit une distribution très décalée dans le temps par rapport à celles qui ont découvert l'orgasme toutes seules (pour qui la moyenne de la distribution se situait entre 12 et 14 ans).

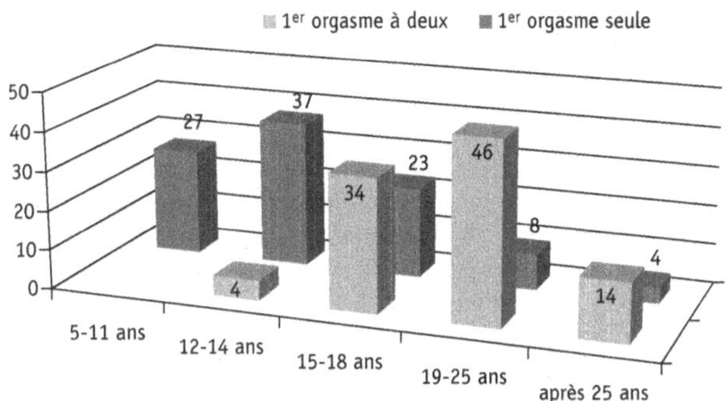

Comparaison de l'âge du 1er orgasme seule ou à deux

L'immense majorité des femmes de ce groupe ont découvert l'orgasme dans une situation explicitement sexuelle, c'est-à-dire lors d'une relation sexuelle soit complète (64 %), soit limitée aux caresses manuelles et buccales ou même à des frottements (36 %).

- Mon petit ami et moi, nous nous amusions à nous coucher l'un sur l'autre, habillés tous les deux, et on se frottait l'un sur l'autre (à 16 ans).

Pour le facteur déclenchant l'orgasme, la majorité des femmes de ce groupe mentionnent l'excitation sexuelle principalement (78 %). 7 % ajoutent que la stimulation physique a été le facteur déterminant, et pas la relation émotionnelle.

- J'étais avec un homme qui ne m'attirait pas du tout et avec qui je ne voulais pas avoir de relations sexuelles. Il a tellement insisté que je me suis laissé faire. Il m'a fait un cunnilingus, ce qu'aucun de mes quatre partenaires précédents n'avait fait. J'ai joui en 10 secondes (à 21 ans).
- C'est arrivé avec un partenaire d'un soir, une simple rencontre *carpe diem* (à 40 ans).
- C'était une expérience abusive avec mon frère par alliance, âgé de 14 ans, ayant attouché sa vraie sœur (12 ans) une

seule fois, puis s'étant définitivement adressé à moi (11 ans), « fausse sœur », et comprenant qu'avec moi il était moins, voire pas question d'inceste. Nous avons eu des relations sexuelles sans pénétration jusqu'à mes 17 ans, relations vécues par moi dans une extrême ambivalence... dégoût, honte, ferme intention de ne jamais me laisser pénétrer, mais m'ayant fait connaître l'orgasme, grand plaisir ressenti alors, immédiatement suivi par un véritable dégoût de mon corps et de la sexualité, éjectant finalement ce « frère » du lit (à 11 ans).

- J'ai eu mon premier orgasme à 6 ans lors d'attouchements sexuels de la part d'un grand-père dégueulasse.
- C'est arrivé par hasard, j'ai atteint l'orgasme en me mettant au-dessus de mon partenaire (à 17 ans).
- Avec ma sœur, on jouait au docteur (à 5 ans).
- À 6 ans, j'ai été masturbée par un homme.
- J'ai eu le sentiment que faire l'amour « ce n'était pas plus que ça ! », ce qui a installé un lâcher-prise et m'a permis de jouir pendant un cunnilingus (à 18 ans).
- Excitation sexuelle par une masturbation suite à laquelle je m'étais toujours arrêtée avant l'orgasme car cette sensation me faisait peur, voire mal (à 23 ans).

32 % estiment au contraire que c'est la part émotionnelle qui était dominante. Celle-ci pouvait être liée à la relation (sentiment amoureux intense, conflit intense) et/ou à la situation (relation extraconjugale, endroit risqué...)

- J'ai eu mon premier orgasme lors d'un coït particulièrement sauvage suite à une dispute assez violente avec mon petit ami. Je me suis imaginée faire l'amour avec un autre, mais l'excitation venait certainement de la dispute (à 18 ans).
- C'était avec mon compagnon dans une ferme-auberge où à tout moment quelqu'un pouvait arriver. C'est la peur d'être surpris qui l'a déclenché (à 28 ans).
- J'ai eu mon premier orgasme quand j'ai fait l'amour dans les bois et j'étais enceinte. Je suis presque sûre que ça a une importance, sans savoir pourquoi. Le stress d'être découverte a joué un rôle, mais mineur. Je pense que

c'était surtout la fusion avec la nature, la terre, c'était magique (à 24 ans).

- C'était une situation nouvelle : j'étais par terre à quatre pattes, il était en dessous de moi en cunnilingus et je découvrais cette envie animale (à 23 ans).
- Excitation due à des voisins proches dans la tente à côté (à 23 ans).
- Après une attente de ce rapport pendant quelques mois, laissant le sentiment mûrir à point de telle sorte que ce moment ne pouvait être qu'orgasmique (à 24 ans).

Deux femmes ont vécu leur premier orgasme aux côtés de leur partenaire alors qu'il n'y avait pas de contact physique en cours et pas de contexte sexuel. L'une dormait à côté de son partenaire et a eu un orgasme au cours d'un rêve. L'autre a vécu un stress soudain couplé à une stimulation physique sur son clitoris.

- Je circulais à vélo avec mon amoureux et à un carrefour, d'un seul coup, il a disparu de ma vue (masqué par d'autres véhicules, en fait). C'est d'avoir eu peur pour lui de façon soudaine qui a dû me couper le souffle. Je suppose que la combinaison du manque d'air et du fait de devoir poursuivre une activité physique (en vélo, au milieu d'un carrefour, je n'avais pas le choix) qui a déclenché cet orgasme (à 21 ans).

Enfin, la stimulation physique qui accompagnait ce premier orgasme était dans 63 % des cas clitoridienne seule, dans 20 % des cas clitoridienne et vaginale, dans 15 % des cas vaginale seule, plus un cas de stimulation anale, un cas de stimulation vaginale et anale, et deux cas d'orgasmes sans stimulation physique.

C'est l'une des premières questions de cette enquête, et déjà le paysage s'ouvre sur un éventail presque infini de situations. Le premier orgasme féminin, ça peut se déclencher à peu près n'importe comment : par hasard pur, par technique seule, par émotion amoureuse, par transgression sociale, par fantasme spontané, par l'effet d'une représentation, par angoisse sans lien au sexe, par colère, avec ou sans attouchements, avec ou sans désir, à 3 ans comme à 63 ans. Le premier orgasme est totalement personnel pour chacune, entouré de circonstances propres et d'un mode de déclenchement particulier, qui laissent en général un souvenir précis. Chez certaines il apparaît sans être compris, et disparaît pour des années avant de resurgir, chez d'autres il procède d'une curiosité sexuelle consciente et assumée dès la première fois. Chez certaines il n'a jamais été problématique, chez d'autres il occasionne dix ou vingt ans de recherches et d'inquiétude. À partir de modes d'inauguration aussi variés, que va-t-on découvrir de la vie orgasmique de chacune ? Des convergences ou un éclatement continué ?

COMMENT L'ORGASME FAIT SON NID

Ce n'est pas tout d'avoir eu un orgasme. On voudrait encore en avoir régulièrement et facilement. Si 95 % des femmes de notre échantillon savent ce qu'est l'orgasme, on ne peut pas dire que toutes y accèdent facilement.

Quelle est la fréquence orgasmique globale ?

Lorsqu'on demande si, globalement, lors des rapports sexuels qu'elles ont eus au cours de leur vie, elles ont souvent atteint l'orgasme, les réponses se répartissent comme suit. Rarement ou jamais : 25 %, régulièrement : 31 %, souvent ou toujours : 44 %.

Pour certaines femmes, l'orgasme en couple est une expérience exceptionnelle ou inexistante.

- J'ai eu deux orgasmes avec deux partenaires, à 13 ans d'intervalle.
- J'ai joui avec un seul partenaire. Je n'ai jamais eu d'orgasme avec les autres.
- J'ai joui uniquement avec cette personne, donc je pense ne plus jamais pouvoir retrouver cela.

- Jamais... un sentiment d'y être presque mais de ne jamais arriver à l'atteindre.
- 1 fois sur 50 (! ! !)
- 1 fois sur 15 ou 20.
- Zéro.
- Je n'ai rencontré que deux partenaires qui m'ont procuré un orgasme (sur une centaine).

On peut essayer de répartir les réponses sur la fréquence orgasmique en fonction de plusieurs critères peut-être discriminants.

a) La fréquence orgasmique globale est-elle liée à l'âge des répondantes ?

Oui, légèrement. On observe une progression entre les moins de 30 ans (40 % disent avoir joui souvent), les trentenaires (44 %) et les quarantenaires (52 %), puis une chute pour les plus de 50 ans (39 %). Inversement, la rareté orgasmique diminue avec l'âge : 36 % chez les moins de 30 ans, suivies par les trentenaires (26 %) et les quarantenaires (17 %), avec une hausse pour les plus de 50 ans (24 %). Ainsi, la fréquence orgasmique globale, dans notre échantillon, semble s'améliorer avec l'âge – sauf pour les aînées, du moins si on regarde les réponses extrêmes (avoir joui rarement ou souvent). Si on regarde celles qui disent avoir joui régulièrement, c'est-à-dire ni très souvent ni très rarement, la progression est constante entre les moins de 30 ans (23 %), les trentenaires (29 %), les quarantenaires (31 %) et les plus de 50 ans (37 %). Globalement, les répondantes, à mesure qu'elles se trouvent dans les tranches d'âge plus élevées, disent avoir eu plus souvent des orgasmes dans leur vie. De là on peut former l'idée, qui sera renforcée par la suite, que la fréquence orgasmique augmente avec l'âge (et non qu'il s'agit d'un effet de différences propres à des générations différentes).

b) La fréquence orgasmique globale est-elle liée au nombre de partenaires sexuels ?

Les scores ne sont pas équivalents, mais sans qu'on puisse déceler une tendance. Les femmes qui sont les plus nombreuses à déclarer avoir joui souvent sont celles qui ont eu plus de 40 partenaires (66 %). Ensuite viennent celles qui en ont eu entre 20 et 40 (50 %), et celles qui en ont connu moins de 5 (48 %), puis de 5 à 10 (39 %), et de 10 à 20 (39 %). Pas de tendance claire, donc, sauf pour les femmes particulièrement multipartenaires. Mais celles-ci sont aussi nombreuses que les autres à déclarer avoir joui rarement. C'est la catégorie « orgasmes réguliers » qui est réduite pour les plus de 40 partenaires (14 %) alors qu'elle est d'environ 30 % pour toutes les autres catégories. Les femmes qui ont connu de nombreux partenaires ont plutôt tendance à jouir souvent (66 %), ou alors rarement (21 %), sans entre-deux. Les autres se répartissent de façon plus homogène.

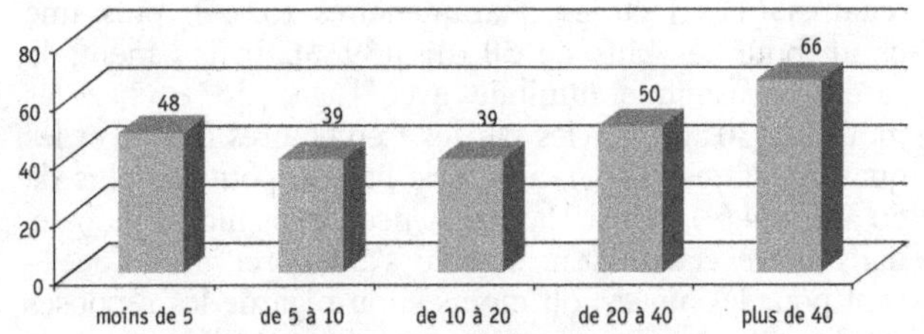

Pourcentage de femmes ayant des orgasmes fréquents selon le nombre de partenaires

c) La fréquence orgasmique globale est-elle liée à l'âge du premier orgasme ?

Légèrement. La proportion de femmes qui disent avoir joui souvent se situe entre 41 et 52 %, avec un maximum (52 %) pour le groupe qui a joui le plus tôt (avant 12 ans), suivi par le groupe qui a joui entre 12 et 15 ans (50 %). Les femmes qui ont eu des orgasmes jeunes sont plus nombreuses à déclarer jouir souvent. Le maximum de femmes qui disent avoir joui rarement (42 %) se trouve dans le groupe qui a joui le plus tard (après 25 ans), loin en tête devant les quatre autres groupes où elles s'échelonnent entre 20 et 26 %. Les femmes qui ont joui tard sont aussi nombreuses à répondre qu'elles ont joui souvent (45 %), mais il y a peu d'entre-deux (13 %), là où les autres catégories sont plutôt 30 % dans l'entre-deux.

Au total, dans notre échantillon, l'estimation de la fréquence orgasmique globale augmente avec l'âge et avec la précocité du premier orgasme, mais n'est pas liée au nombre de partenaires (sauf pour les femmes très multipartenaires).

Cette estimation globale peut maintenant être affinée. Car demander aux femmes si elles ont joui souvent dans leur vie n'est qu'une première approximation, très grossière, de leur vécu orgasmique.

Quelle est la proportion de partenaires sexuels avec qui c'est arrivé ?

On voudrait savoir combien de partenaires, en moyenne sur 10, ont pu leur procurer au moins un orgasme (et on écarte, pour ce calcul-ci, les femmes qui ont connu moins de 5 partenaires, car une proportion n'aurait pas de sens sur un si petit nombre). Les réponses se répartissent comme suit. Ont joui avec 0 à 3 partenaires sur 10 : 43 % ; ont joui avec 4 à 6 partenaires sur 10 : 28 % ; ont joui avec 7 à 10 partenaires sur 10 : 29 %.

Beaucoup de femmes soulignent que la répartition n'est pas homogène dans le temps. La proportion de partenaires avec qui elles ont des orgasmes augmente avec le temps.

- Au début, je jouissais souvent seule par masturbation, et plus tard régulièrement lors de rapports sexuels.
- J'ai eu la plupart de mes partenaires sexuels entre 15 et 22 ans, et je ne pense pas avoir eu beaucoup d'orgasmes en couple avant au moins 18-19 ans. Les jeunes ne sont pas de grands experts en matière féminine, et l'on n'ose pas forcément, à cet âge-là, discuter de ça.
- Au début je ne jouissais jamais, et maintenant souvent.
- Au début, je ne jouissais pas avec mes partenaires mais seule, de 15 à 20 ans environ, ensuite tout le temps lors des rapports.

- Au début, aucun partenaire ne m'a fait jouir, et après mon premier orgasme, 8 sur 10.
- Aujourd'hui, j'ai tout le temps un orgasme (au début non).
- Au début, jamais, ensuite régulièrement.
- Je n'ai jamais joui avec mes partenaires passés (il y en a eu 17), jusqu'à mon partenaire actuel, à 32 ans, avec qui les orgasmes sont quasi systématiques.
- J'ai joui rarement, puis régulièrement, puis souvent.
- Rarement avant 35 ans. De plus en plus souvent avec l'âge.
- Je jouis avec 1 partenaire sur 3 maintenant ; 1 sur 10 avant 40 ans. Et encore...
- Régulièrement, et après quelques années pratiquement systématiquement.
- Rarement – c'est assez nouveau, en fait.
- Avec un, l'actuel.
- Aujourd'hui je jouis souvent, mais de 21 ans à 27 ans, pas d'orgasme avec mes partenaires.
- Quasi tous, sauf les trois premiers car j'étais trop jeune.
- Environ avec 5 partenaires sur 10 au début, pour arriver à 9 sur 10 actuellement.
- Avec mon partenaire actuel, je connais l'orgasme beaucoup plus régulièrement.
- Je jouis avec la moitié de mes partenaires. Mais, avec le temps, l'expérience et une meilleure connaissance de mon corps ainsi qu'une meilleure communication avec mes partenaires pendant les rapports sexuels, de même que leurs propres expériences, la proportion augmente nettement.

Ce qui peut signifier que les hommes sont plus compétents sexuellement lorsqu'ils avancent en âge, mais également que les femmes sont davantage capables d'atteindre l'orgasme. Beaucoup d'entre elles signalent que c'est en grande partie de leur ressort de jouir ou non.

- Je jouis avec tous, mais l'orgasme vient de moi !
- Je suis bonne joueuse, disons que j'ai eu des orgasmes avec 8 partenaires sur 10, mais ce n'était pas toujours grâce à eux !
- J'ai joui avec 9 partenaires sur 10. Ce n'est pas de leur ressort mais de ma propre capacité à en tirer profit.

- J'ai appris à en avoir à chaque fois.
- Je jouis presque toutes les fois, mais seule, pas de son fait en général.
- À partir du moment où j'ai connu l'orgasme, c'est moi qui leur ai appris à me donner des orgasmes, et je crois que sur une vingtaine, un seul savait le faire ! Beaucoup ont été très surpris.
- Je jouis souvent, mais je connais bien mon corps.
- Quand j'ai trouvé le « truc », presque tous m'ont fait jouir.
- J'ai connu l'orgasme avec presque tous. Mais je dois me caresser pour l'obtenir. Je n'ai (hélas) jamais eu d'orgasme sans action de ma part...
- Avec 8 partenaires sur 10, sachant que c'est moi qui sais comment les obtenir (j'utilise les muscles de mon vagin).
- Chaque fois si masturbation, sinon pas.
- J'ai pris la peine d'expliquer mon besoin à chacun de mes partenaires.
- J'ai joui avec tous... parce que si je n'en ai pas envie, ils ne deviennent tout simplement pas mes amants.
- Je jouis avec 10 partenaires sur 10 si je le décide. J'ai très vite découvert le point G en plus de la masturbation clitoridienne. J'en jouis comme je veux, et si le sexe de mon partenaire ne trouve pas le point G, je lui indique comment y arriver avec les doigts.
- L'acte sexuel m'a procuré l'orgasme avec tous les partenaires (ce n'est pas le partenaire qui le provoque !).

On voit que la responsabilité de chacune vis-à-vis de ses orgasmes peut recouvrir des choses différentes : 1) elle se le donne elle-même pendant le rapport sexuel, 2) elle explique à son partenaire ce qui la mènera à l'orgasme, 3) elle est capable d'aller chercher dans le rapport sexuel la stimulation qu'il lui faut. Dans les trois cas, ce sont des capacités (ou des audaces) qui grandissent avec le temps. À moins d'être très réactive et d'avoir un partenaire très généreux, jouir ne tombe pas du ciel, il faut savoir ce qui marche et il faut savoir le faire venir.

À nouveau, on peut analyser la répartition de ces réponses en fonction des trois paramètres : âge, nombre de partenaires, âge du premier orgasme.

a) L'estimation de la fréquence orgasmique rapportée au nombre de partenaires est-elle liée à l'âge des répondantes ?

Un peu. Celles qui ont joui avec une majorité de leurs partenaires sont plus nombreuses chez les aînées (36 % des quarantenaires et 38 % des plus de 50 ans) que chez les plus jeunes (24 % chez les trentenaires et 24 % chez les moins de 30 ans). C'est-à-dire que, pour une partie des femmes, les scores s'améliorent au cours du temps, elles passent d'orgasmes avec une moitié des partenaires à des orgasmes avec une majorité des partenaires, selon les commentaires que nous venons de citer. Par ailleurs, le nombre de femmes qui disent avoir joui avec une minorité de leurs partenaires est stable à travers les âges (40 à 46 %). Pour celles-là, les scores n'évoluent pas au cours du temps. Cela peut recouvrir deux cas de figure : soit les scores avec les nouveaux partenaires ne s'améliorent effectivement pas, soit le nombre de partenaires n'évolue plus, parce qu'elles ont trouvé le bon, et donc le score reste inchangé parce qu'il est fixé dans le passé.

b) L'estimation de la fréquence orgasmique rapportée au nombre de partenaires est-elle liée au nombre de partenaires qu'on a eus ?

Pas spécialement, sauf pour les femmes très multipartenaires qui ont tendance à avoir joui avec la plupart de leurs partenaires (45 %) ou alors avec très peu d'entre eux (42 %), mais connaissent peu d'entre-deux (14 %). Chez les femmes ayant connu moins de partenaires, la répartition est plus homogène.

c) L'estimation de la fréquence orgasmique rapportée au nombre de partenaires est-elle liée à l'âge du premier orgasme ?

Oui, d'une façon très particulière. Pour toutes les femmes qui ont connu l'orgasme avant 20 ans, il y en a environ un tiers qui ont joui avec peu de partenaires, un tiers avec la moitié, un tiers avec beaucoup. Mais pour celles qui ont joui plus tard (entre 20 et 24 ans), la répartition est très différente. Elles sont 60 % à n'avoir connu l'orgasme qu'avec 1 à 3 partenaires sur 10. Et c'est encore davantage le cas (92 %) pour celles qui ont joui après 25 ans. L'orgasme tardif ou très tardif semble lié à la rencontre avec certains partenaires très rares.

Au total, dans cet échantillon, la fréquence orgasmique rapportée au nombre de partenaires augmente avec l'âge, et diminue lorsque l'âge du premier orgasme est tardif, mais n'est pas liée au nombre de partenaires (sauf pour les femmes très multipartenaires).

Procédons maintenant à un nouvel affinage. Après les estimations de la fréquence orgasmique sur toute la période d'activité sexuelle, on voudrait focaliser la question sur la situation actuelle.

Quelle est la fréquence orgasmique avec le partenaire actuel ou le plus récent ?

On veut savoir combien de rapports sexuels, en moyenne sur 10 rapports avec ce partenaire, procurent un orgasme. Les réponses se répartissent comme suit. 0 à 3 orgasmes sur 10 rapports : 29 % ; 4 à 6 orgasmes sur 10 rapports : 14 % ; 7 à 10 orgasmes sur 10 rapports : 58 %.

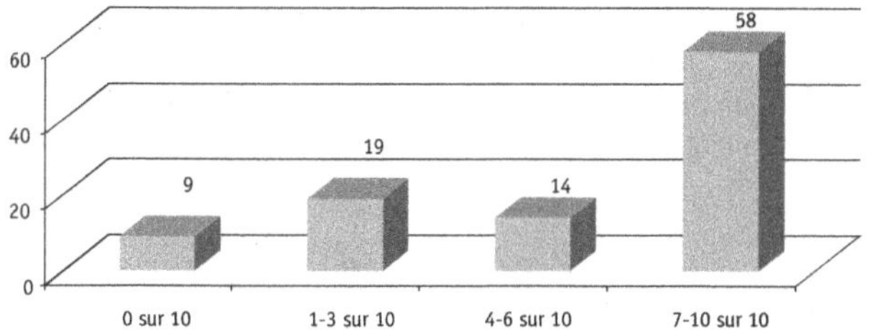

Fréquence des orgasmes avec le partenaire actuel

Plus de la moitié des répondantes jouissent dans une majorité de leurs rapports sexuels actuels, et 29 % dans une minorité – dont 10 % dans aucun rapport. Ce qui est un peu mieux que la fréquence orgasmique globale, et bien mieux que la fréquence orgasmique rapportée au nombre de partenaires.

Là aussi, le temps joue un rôle. Une fréquence orgasmique peut augmenter avec le même partenaire à mesure que le couple se connaît davantage.

- Tous m'ont fait jouir, dès lors qu'il s'agissait de relations sur le long terme.
- J'ai changé de compagnon et j'ai dû attendre trois ans avant qu'il me fasse jouir.
- Je jouis 9 fois sur 10 rapports, car on se connaît bien et il est très à l'écoute de mon plaisir.
- Je jouis presque toujours ; il connaît le mécanisme.
- Je jouis régulièrement, principalement en cas de relation durable avec un partenaire.
- Je jouis 9 fois sur 10 ! Alléluia ! Mon chéri actuel a compris que ce n'est pas si difficile de provoquer un orgasme à sa partenaire, en y mettant un peu du sien et en prenant un peu de temps. Il déteste abandonner, pour mon plus grand plaisir.
- Avec 7 partenaires sur 10 environ (rarement les coups d'un soir, mais mes « petits amis » toujours).
- Au début, relations sexuelles en tant que mère (4 enfants) et pour faire plaisir à mon mari (un peu rapide et sans beaucoup de préliminaires). Puis, vers les 40 ans, je comprends ce qu'est prendre du plaisir et avoir des orgasmes. Mon mari passe plus de temps aux préliminaires et cherche mon plaisir qu'il aime aussi. Nous faisons souvent l'amour et la recherche de l'orgasme est importante pour moi.

À l'inverse, la fréquence orgasmique peut diminuer, pour toutes sortes de raisons.

- Avant 2005, je jouissais 1 fois sur 4 ou 5. Maintenant, seulement une fois de temps en temps. En 2005, il m'a dit

qu'une autre était la femme de sa vie. Avant ça, j'étais amoureuse de lui. On s'entend toujours bien néanmoins.
- Je jouissais régulièrement les premières années, puis rarement.
- 10 fois sur 10, sauf ces derniers mois où je sors d'une grossesse et suis un peu traumatisée de la stimulation clitoridienne. Je préfère la pénétration tout de suite, or je jouis en général clitoridiennement.
- 1 fois sur 10, car pour l'orgasme je dois être allongée et mon conjoint préfère faire l'amour sous la douche.

Par ailleurs, certaines femmes (3 %) signalent spontanément qu'elles jouissent plus de 10 fois sur 10, car un rapport peut leur fournir plusieurs orgasmes. C'est le cas pour 9 femmes sur 282.

- Je jouis toujours, et plusieurs fois à chaque rapport.
- J'ai au moins 2 ou 3 orgasmes par rapport sexuel.
- Je jouis plusieurs fois par rapport.
- Je jouis 10 fois sur 10 rapports et parfois plus.
- Je jouis à chaque fois et je me suis découverte multi-orgasmique.
- À chaque rapport je jouis plusieurs fois, ça fait partie des préliminaires pour moi.
- Je jouis chaque fois et plusieurs fois.
- Je jouis pratiquement à chaque fois, et plusieurs orgasmes de suite.
- Chaque fois, parfois plusieurs fois par rapport.

Les scores qui s'avèrent meilleurs pour le partenaire actuel ou le plus récent que sur l'ensemble de l'histoire sexuelle pourraient indiquer une sélection progressive des partenaires qui sont les plus performants. Quelques commentaires vont explicitement dans ce sens.

- Je jouis 2 fois sur 10 avec mon partenaire actuel. Je pense aller rechercher l'ancien où c'était 9 fois sur 10.
- 1 fois sur 10, d'où la relation n'a pas duré, d'autres facteurs d'entente manquant également.

Reprenons maintenant la même série de questions sur les facteurs liés.

a) L'estimation de la fréquence orgasmique actuelle est-elle liée à l'âge des répondantes ?

Oui. Les plus jeunes sont les plus nombreuses (43 %) à dire qu'elles jouissent rarement avec leur partenaire actuel. Après 30 ans, ce pourcentage tombe à 26 % et après 40 ans, à 20 %, pour remonter à 31 % chez les plus de 50 ans. Celles qui sont les plus nombreuses à déclarer jouir souvent avec leur partenaire actuel sont les quarantenaires (77 %), suivies par les trentenaires (58 %) et les plus de 50 ans (56 %). Pour cette question, le ventre mou de l'entre-deux (orgasme environ 1 fois sur 2) a disparu. Dans toutes les catégories d'âge, il n'y a que 12 à 15 % des femmes qui choisissent cette réponse. Les autres jouissent soit souvent (44 à 77 %), soit rarement (20 à 43 %), ce qui tend à montrer qu'avec un partenaire donné les scores sont plutôt bons ou mauvais, pas intermédiaires. La fréquence orgasmique actuelle est donc clairement croissante avec l'âge sauf au-delà de 50 ans où elle retombe, mais pas aussi bas que dans les jeunes années. Les plus de 50 ans conservent un score orgasmique équivalent à celui des trentenaires.

b) L'estimation de la fréquence orgasmique actuelle est-elle liée au nombre de partenaires ?

Oui. Les femmes qui ont eu beaucoup de partenaires (de 20 à 40 ou plus) sont les plus nombreuses (75 et 62 %) à déclarer jouir souvent avec leur partenaire actuel. Les autres tournent autour de 50 %. Les femmes qui ont eu entre 10 et 20 partenaires sont les plus nombreuses (37 %) à jouir rarement avec leur partenaire actuel, suivies par les moins de 5 partenaires (30 %) et les 5 à 10 partenaires (28 %). Dans notre échantillon, la fréquence orgasmique actuelle est plus élevée chez les femmes qui ont connu plus de 20 partenaires. C'est peut-être qu'elles ont changé de partenaire aussi souvent qu'il a fallu pour trouver l'épanouissement sexuel.

c) L'estimation de la fréquence orgasmique actuelle est-elle liée à l'âge du premier orgasme ?

Oui, les femmes qui ont découvert l'orgasme entre 12 et 15 ans sont de loin les plus nombreuses (80 %) à déclarer jouir souvent avec leur partenaire actuel. Puis viennent celles qui ont joui entre 16 et 19 ans (58 %), avant 12 ans (57 %), entre 20 et 24 ans (52 %), et après 25 ans (46 %). Dans notre échantillon, la fréquence orgasmique actuelle est nettement meilleure lorsque le premier orgasme est survenu au cours de l'adolescence, c'est-à-dire avant le début des rapports sexuels. L'orgasme dans l'enfance, lui, n'est pas un garant d'une meilleure fréquence orgasmique actuelle (57 %, dans la moyenne). L'orgasme très tardif, en revanche, est associé à la plus faible fréquence orgasmique (46 %).

Au total, dans cet échantillon, la fréquence orgasmique actuelle augmente avec l'âge des répondantes jusqu'à 50 ans, elle est plus élevée chez les femmes qui ont connu plus de 20 partenaires, et elle est plus élevée chez les femmes qui ont connu leur premier orgasme entre 12 et 15 ans.

Globalement, la fréquence orgasmique est une expérience très différenciée au sein de notre échantillon, depuis jamais aucun orgasme en couple (7 %), jusqu'à plusieurs orgasmes à chaque rapport (3 %) en passant par tous les intermédiaires. Rappelons les estimations globales : rarement ou jamais : 25 % ; régulièrement : 31 % ; souvent ou toujours : 44 %.

À titre de comparaison, voici les statistiques rassemblées sur 15 000 personnes par le site queendom.com : 42 % des femmes ont un orgasme la plupart du temps, 26 % rarement ou jamais pendant les rapports sexuels. D'autre part, le site aufeminin.com a rassemblé les réponses de plus de 27 000 femmes : 30 % ont un orgasme la plupart du temps quand elles font l'amour, 32 % en ont régulièrement, 25 % rarement et 13 % jamais.

Si l'on compare ces réponses avec celles des hommes, qui atteignent l'orgasme dans 90 % des rapports sexuels, on voit qu'un monde sépare l'expérience orgasmique féminine de l'expérience masculine. Mais aussi qu'un monde sépare les sexualités féminines entre elles : celles pour qui l'orgasme est d'une facilité évidente, celles pour qui il est limité à certaines circonstances, certaines techniques ou certains partenaires, celles pour qui il est rare et incompréhensible, celles pour qui il est un Graal inaccessible.

EST-CE SI IMPORTANT DE JOUIR ?

Est-il important pour les femmes d'avoir un orgasme au cours du rapport sexuel ? 49 % des répondantes disent que c'est important ou très important (41 et 8 %), 17 % que ce n'est pas tellement important, 34 % que ce n'est pas important.

Celles qui trouvent l'orgasme très important y voient un enjeu de la relation.

- J'y accorde une grande importance et suis déçue si l'orgasme n'arrive pas.
- Oui, c'est impératif, sinon je suis agressive.
- C'est indispensable de jouir à chaque fois pour moi, c'est la récompense du rapport sexuel.
- Si le rapport sexuel ne produit pas d'orgasme, la douleur physique de la frustration est telle que je préfère cesser avec ce partenaire.
- Si je ne jouis pas, je change de partenaire. C'est donc suffisamment important.
- C'est très important sinon je ne me sens pas bien.
- Indispensable, d'autant plus que cela survient très facilement quand je le veux.
- Oui, c'est très important pour moi de jouir lors de chaque rapport sexuel. Sinon, c'est comme de faire un gâteau au chocolat sans le manger... super frustrant. Si je fais mon gâteau au chocolat, je dois le manger !
- C'est très important pour moi et je ne suis pas du genre à renoncer facilement.

- Oui, il est important pour moi de jouir à chaque fois et mon partenaire fait en sorte que, si je ne suis pas en forme, il me caressera plus que d'habitude.
- Oui, c'est important. Si cela ne survient pas une fois, cela peut arriver, si cela arrive plus souvent, je romps.
- Il est important pour moi de jouir lors de chaque rapport. Si ça ne se passe pas, je m'en veux...
- Il est important pour moi de jouir lors de chaque rapport sexuel, si ce n'est pas le cas je reste assoiffée.

Celles qui trouvent l'orgasme important y prennent beaucoup de plaisir sans en faire une condition, en tout cas pas à chaque fois.

- C'est important, pas essentiel mais vachement bon.
- Je ne suis pas une obsessionnelle mais c'est un peu frustrant quand ça foire. Si c'est dans le cadre d'une relation suivie, c'est pour la prochaine fois et tant pis.
- C'est important. Je mobilise de l'énergie à chaque fois.
- Le must évidemment est l'orgasme mais il ne s'agit pas d'une condition absolue pour un rapport satisfaisant.
- C'est important, mais le peu de fois que je n'ai pas d'orgasme clitoridien, la pénétration peut être un vrai plaisir et suffisant. 1 raté sur 10, c'est loin d'être une catastrophe.
- C'est important, mais si cela ne vient pas on recommencera.
- C'est important, mais je peux renoncer si c'est trop long à venir.
- C'est important car cela libère les tensions nerveuses.
- Oui, c'est important. Si ça ne vient pas facilement, je le dis à mon partenaire et je continue pour lui permettre d'avoir du plaisir sans qu'il consacre trop d'énergie à essayer de m'en donner quand même.
- Oui, cela me fait tellement de bien ; je me sens tellement reposée après l'orgasme. Mais si cela ne vient pas et que je suis seule, j'abandonne ; si je suis en couple, je m'occupe de mon partenaire.

Celles qui trouvent l'orgasme important sont parfois habituées à une certaine frustration.

- Si je suis excitée et que mon partenaire est peu inspiré, je me masturbe.
- J'aimerais bien jouir... mais mon compagnon n'est pas toujours d'humeur à me « préparer » : il me faut beaucoup de temps pour me détendre et pour que le désir-plaisir atteigne l'orgasme. Parfois cela me met en colère, souvent je renonce, parfois heureusement nous sommes en phase.
- C'est important et cela peut être frustrant quand je ne l'atteins pas.
- Important est un grand mot, mais cela me frustre si je n'ai pas d'orgasme.
- Important. Je peux m'en passer mais pas trop souvent. Car alors l'excitation se transforme en frustration et énervement.
- Oui, je veux jouir souvent, et si je n'ai pas eu « ma dose » de plaisir je me masturbe par après.
- Ce serait important si ça pouvait survenir, déjà ! Même pas forcément toutes les fois.
- C'est important, mais visiblement ça l'est surtout pour moi... En général ça vient plutôt facilement mais mon partenaire n'a pas tout à fait la même notion de la facilité que moi.
- Pas à tous les coups, mais à quelques-uns ce serait bien.
- S'il y a trop de rapports sans jouissance, alors la frustration monte.
- C'est important mais il faut parfois renoncer, tout dépend du partenaire (puissance sexuelle, motivation...). Il m'est arrivé de terminer la relation en me masturbant à côté de mon partenaire endormi... pour ne pas rester sur un sentiment de frustration.
- Quand je suis très excitée et que cela va trop vite ou pas comme je veux, je suis frustrée. Il m'arrive alors de le terminer seule.
- C'est important mais je suis obligée de renoncer.

Celles pour qui ce n'est pas tellement important trouvent autant de plaisir dans d'autres aspects du rapport sexuel.

- Ce n'est pas tellement important, le plaisir peut être extrêmement fort sans orgasme aussi – excitation et plaisir liés au degré d'intimité, à l'amour éprouvé pour le partenaire, etc.

- Ce n'est pas primordial, je préfère le jeu.
- Nous ne considérons pas l'orgasme comme objectif à atteindre lorsque nous faisons l'amour. Les caresses, la peau, le rapprochement, les paroles, tout ce qui se passe avant, pendant et après est aussi important. Si l'orgasme ne vient pas, on ne s'en formalise pas, on redouble d'attention l'un envers l'autre et il viendra la prochaine fois.
- L'important n'est pas l'orgasme mais le plaisir.
- Je préfère renoncer mais seulement si le moment d'intimité a été agréable et satisfaisant au niveau émotionnel (caresses, paroles, complicité, etc.).
- Ça ne me dérange pas de renoncer, le plaisir d'être contre lui est déjà très intense.
- Ce n'est pas ce qu'il y a de plus important pour moi. Je préfère renoncer si ça ne vient pas facilement. L'important pour moi c'est d'être avec lui et de partager ces petits instants de bonheur. Il fait toujours attention à mon plaisir, donc je fais de même pour lui, et si ça ne vient pas, je fais en sorte que pour lui ce soit le pied.
- Ma préférence va vers la jouissance, mais si ça ne vient pas ce n'est pas très grave.
- Je ne me mets aucune pression ni aucune obligation de résultat, et je peux recommencer plus tard.
- Ce n'est pas indispensable pour autant que mon partenaire ait du plaisir.
- Pour moi, il n'est pas impératif de jouir à chaque rapport sexuel. J'y renonce facilement, car actuellement la fréquence de ces rapports est très élevée.
- Pas absolument nécessaire. Les caresses et les baisers, la symbiose sont plus importants.
- J'adore aussi les coups à la va-vite qui ne débouchent pas nécessairement sur l'orgasme mais provoquent des excitations extrêmes.
- Ce qui compte le plus pour moi c'est que j'aime mon partenaire, que je puisse avoir des rapports avec respect de l'autre et tout simplement passer de bons moments avec lui, au lit ou en dehors.

- C'est la sensualité avec mon partenaire, l'échange, la proximité qui sont les plus importants.

Dans celles pour qui ce n'est pas important, on trouve des femmes qui accèdent difficilement à l'orgasme et qui n'essaient plus.

- J'ai renoncé depuis longtemps !
- Obligée de renoncer.
- C'est devenu un enjeu, générateur de pression morale et donc je me vois rapidement renoncer car ça ne fonctionne pas.
- Pas important. En solitaire, c'est tout aussi bien.
- J'en ai fait mon deuil. J'essaie un peu et si ça ne survient pas facilement je renonce.
- Cela devient lassant et un peu du bénévolat.
- Non, ce n'est pas important. L'intensité de l'échange l'est beaucoup plus, ainsi que la tendresse (que je n'ai pas non plus, je perds sur tous les plans, mais c'est la tendresse qui me manque, pas l'orgasme).
- Vu que je n'y arrive pas souvent, je n'en fais pas un but en soi. Je ne mets pas la pression.
- Non, pas important. C'est super si ça arrive, bien sûr, mais j'estime qu'un rapport n'est pas raté sans jouissance (heureusement, vu mon expérience). Si j'ai un goût de trop peu, je me termine seule.
- Je préfère renoncer... mais j'en suis souvent triste car je sais que j'ai un blocage psychologique lié à mon passé.
- Non, ce n'est pas important car c'est extrêmement rare.
- Je renonce si ça ne vient pas facilement, mais j'essaie quand même un peu.
- Je préfère renoncer. Je suis vite lasse quand ça ne prend pas.
- J'aime éprouver du plaisir mais je ne pense pas qu'il soit possible de jouir à chaque rapport.
- Je préfère renoncer. Acharnement = souffrance.

Ou au contraire des femmes pour qui l'orgasme est tellement facile qu'elles n'ont pas besoin de le chercher.

- Ce n'est pas important, je renonce facilement, mais la situation est rare.

- Ce n'est pas important mais cela vient pratiquement chaque fois, j'ai un partenaire très généreux et attentif à mon plaisir.
- Ce n'est pas important mais c'est chaque fois.
- Non, je ne me focalise pas là-dessus, je crois d'ailleurs que c'est pour cela que ça vient chez moi facilement, il faut se sentir bien dans son corps et pouvoir lâcher prise, voilà mon avis...
- Je ne me pose pas la question. La machine marche bien !
- Ce n'est pas nécessaire mais cela survient presque chaque fois, nous y mettons le temps, la tendresse ou la sauvagerie qu'il faut, comme cela nous convient...
- Pas important, mais j'ai un orgasme à chaque fois.

L'effet du temps vers une certaine résignation est souligné par certaines.

- C'est important, mais avec le temps je me dis que d'autres choses sont aussi importantes.
- Il m'arrive plus souvent de ne pas chercher à atteindre l'orgasme. C'est devenu moins important, la sensualité a pris plus de place.
- Actuellement moins jeune, je préfère renoncer si cela me semble plus long.
- Non, ce n'est plus important. J'y renonce (peur des remarques).

La diversité des opinions s'avère aussi grande que la diversité des expériences orgasmiques, et sans recouvrement direct. On peut être très orgasmique et se dire très attachée à l'orgasme ou pas du tout, comme on peut l'être très peu et en souffrir beaucoup ou bien très peu. On voit apparaître ici une forme d'indépendance entre un fonctionnement physiologique et une appréciation psychologique, l'un lié aux gènes, à l'apprentissage, à l'information, aux techniques sexuelles, l'autre à l'éducation, à la culture, au caractère, à l'intellect, à la relation... Pouvoir jouir et vouloir jouir sont deux choses qui vont chacune leur chemin.

LA DIFFICILE QUESTION DE LA SIMULATION

Dans la vie, il y a ce que l'on éprouve, et puis il y a ce que l'on exprime. En matière d'orgasme féminin, ces deux choses ne se recouvrent que très partiellement. Nous avons demandé aux femmes d'estimer leur taux de simulation par rapport à l'ensemble de leurs partenaires d'une part, et par rapport à leur partenaire actuel ou le plus récent d'autre part.

Avec combien d'hommes a-t-on simulé dans sa vie ?

Pour ce qui est de l'ensemble de leurs partenaires, 39 % des répondantes déclarent n'avoir jamais simulé l'orgasme avec personne, 27 % ont simulé l'orgasme avec une minorité de partenaires (1 à 3 sur dix), 13 % ont simulé avec une moitié environ de leurs partenaires (4 à 6 sur dix), 20 % ont simulé avec une majorité de leurs partenaires (7 à 10 sur 10).

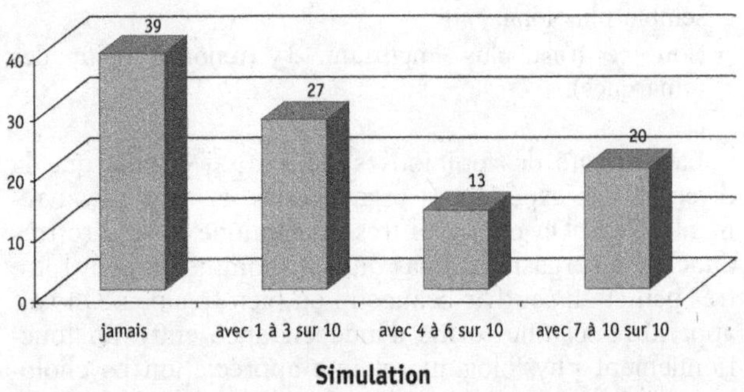

Voyons quelques commentaires généraux.

- J'ai simulé avec plus ou moins 2 sur 10, ceux qui m'ont laissée sur le carreau !

- J'ai simulé avec 8 sur 10 sans doute, les autres, trop rapides, ne m'en ont même pas laissé le temps.
- J'ai davantage simulé avec des partenaires occasionnels, les partenaires d'une nuit ou d'une semaine... Avec mes partenaires de vie, je suis beaucoup plus honnête.
- Je ne simule pas, sauf avec des partenaires occasionnels (les corps sont moins apprivoisés).

Parmi celles qui ne simulent pas, certaines sont conscientes du fait que leur comportement peut néanmoins prêter à confusion, et il est rare qu'elles choisissent de lever l'équivoque.

- En fait, je gémis de plaisir, mais lui croit chaque fois que j'ai un orgasme.
- Je n'ai jamais simulé, mais il est possible que certains aient pris cela pour un orgasme.
- Je ne simule pas, mais je ne dis pas non plus que je n'ai pas joui, sauf si on me le demande, et alors là je dis oui-oui, bien sûr.
- Jamais. Quand je n'en ai pas je ne le cache pas. Mais généralement j'ai du plaisir même si je n'atteins pas l'orgasme ; parfois je crois que mon partenaire prend à tort ce plaisir pour l'orgasme lui-même.
- Je ne simule pas vraiment. Mais est-ce que tous les hommes savent déterminer comment une femme jouit ? Pas sûr !
- Je ne simule pas, mais comme j'ai des soupirs puissants car le plaisir monte, je pense que mon partenaire croit que j'y suis et il s'arrête.
- Non, jamais. Mais peut-être croit-il que je le fais. L'orgasme féminin n'est pas tout ou rien. Il va crescendo et souvent il y a un différentiel non négligeable d'appréciation entre le début et la fin de la pente pour les partenaires.
- Peut-être mon partenaire pense-t-il que j'ai un orgasme à chaque fois car j'exprime facilement le plaisir que je ressens... mais pour moi ce n'est pas une simulation d'orgasme !

D'autres choisissent la franchise quand on les interroge.

- Je ne simule pas. Il me demande si j'ai joui et je lui réponds franchement.
- Jamais. Si je n'éprouve pas de plaisir, je me tais, et je lui dis par la suite.
- Je simule parfois l'orgasme. Mais s'il me demande après le rapport si j'ai joui, je lui réponds non (contrairement à d'autres partenaires avec lesquels je simulais complètement). En fait, les autres partenaires ne me demandaient jamais si j'avais pris du plaisir ou non. Pour mon partenaire actuel, ça semble important.
- Je simule presque toujours. S'il a été trop « mauvais » je lui dis que je n'ai pas joui.

À l'inverse, certaines peuvent jouir sans que cela se voie.

- Je ne suis pas certaine que mon partenaire sache systématiquement quand j'atteins l'orgasme car je ne crie pas, ne gémis pas et ne le montre pas particulièrement.

Et certaines ont simulé « sans le savoir ».

- Je leur ai toujours donné l'impression de prendre beaucoup de plaisir, mais en fait, en découvrant à 28 ans ce qu'est vraiment un orgasme, je me dis qu'ils auraient dû se rendre compte que je n'en ai jamais eu avec eux.
- Je n'ai jamais simulé. Sauf que je croyais que ce que je ressentais jusqu'à 32 ans c'était un orgasme. En fait, je confondais le plaisir de la pénétration et les sensations fortes sur le col de l'utérus avec l'orgasme !
- Je ne l'ai pas fait consciemment. Se sentir bien n'est pas l'orgasme. Il y a eu erreur sur le ressenti.
- Avant de connaître l'orgasme, je crois que je simulais beaucoup. Du moins j'en faisais plus que je ne sentais vraiment.

Combien de fois simule-t-on dans sa relation actuelle ?

Pour ce qui est de leur partenaire actuel ou le plus récent, 72 % des répondantes déclarent n'avoir jamais simulé l'orgasme avec lui, 20 % simulent avec lui mais rarement, 8 % simulent avec lui fréquemment.

La situation en matière de simulation est bien meilleure pour le partenaire actuel que pour l'ensemble de la vie sexuelle. Cette évolution peut recouvrir plusieurs tendances : au cours du temps, elles apprennent à atteindre plus facilement l'orgasme, ou bien elles éprouvent moins le besoin de mentir, ou bien encore elles trouvent le partenaire qui leur convient et les dispense de mentir. En tout cas, l'amélioration dans le temps est régulièrement mentionnée.

- Dans le début de la vingtaine je simulais avec 3 ou 4 hommes sur 10.
- Je ne simule plus l'orgasme depuis quelques années et visiblement ça n'a jamais dérangé personne de savoir que je n'en ai pas !
- J'ai simulé presque tout le temps jusqu'à mes 25 ans.
- Oui, ça m'est arrivé, mais ça ne m'arrive plus.
- Non, ça fait très longtemps que ça ne m'est plus arrivé.
- Très rarement, sauf entre 15 et 20 ans, tout le temps.
- J'ai toujours simulé sauf avec mon partenaire actuel.
- Jamais avec mon partenaire actuel.
- Lorsque j'étais plus jeune, je simulais, maintenant j'ai autre chose à faire que de m'occuper des états d'âme de mon partenaire.
- Plus maintenant, car j'ai voulu éviter de m'enfermer là-dedans.
- Avec mes derniers partenaires, je n'ai plus jamais simulé l'orgasme.
- Rarement, cela arrivait plus souvent au début de notre relation.
- Avant 30 ans, quasiment tout le temps.
- Jamais... ou alors au tout début de ma vie sexuelle.
- Quasi avec tous, sauf l'actuel qui, lui, arrive à me faire jouir.
- Plus maintenant. Précédemment, oui.
- J'ai simulé lors de mes premières relations. Quand j'ai su ce qu'était l'orgasme, je n'ai plus jamais simulé.

5 femmes précisent qu'elles ont simulé avec tous leurs partenaires sauf le dernier. Ce sont des femmes de plus de 40 ans. Pour certaines, on arrête de simuler que le jour où l'on rencontre le bon partenaire – et on ne le quitte plus.

Quelles sont les raisons pour lesquelles on simule ?

Pour les 61 % des répondantes à qui il est arrivé de simuler dans leur vie, il y a de nombreuses raisons qui peuvent expliquer leur comportement. La liste qui suit est longue, mais il nous semble intéressant de laisser place à la façon dont les femmes s'expriment à ce sujet. On a regroupé les formulations simples et identiques au début, puis donné les autres *in extenso* :

- Pour en finir (39 fois).
- Pour lui faire plaisir (23 fois).
- Pour ne pas le décevoir (9 fois).
- Pour ne pas le vexer (8 fois).
- Pour l'exciter (9 fois).
- Pour le rassurer (6 fois).
- Pour ne pas avoir l'air frigide (5 fois).
- Pour lui faire penser que je suis « normale ».
- Pour ne pas avoir à donner d'explications.
- C'est difficile à expliquer. L'avion est sur la piste et part pour décoller mais ne rejoint pas tout à fait le ciel. Je ne simule pas vraiment, le plaisir est là, mais je sais que j'aurais pu aller plus loin.
- Afin de faire en sorte qu'il ne se sente pas nul.
- Au bout d'un moment, ça me fatigue la pénétration et surtout qu'il croie qu'il va me faire jouir alors que moi je sais que je n'y arriverai jamais... alors je simule et il est content... ça le fait jouir et comme ça, je suis une bonne partenaire... héhé !
- Je simule toujours au début parce qu'il m'est impossible d'être assez détendue pour jouir. Je fais semblant d'avoir un orgasme au moment où il fait les bons gestes pour que ça marche, et ainsi il refera la même chose la prochaine

fois. Au bout de quelques fois, en général, l'orgasme devient réel, et le mec n'y voit que du feu. Sans cela ça commencerait par poser problème entre lui et moi, et je n'y arriverais plus du tout, même après.

- Pour que le partenaire pense que son « travail » a été effectué, pour ne pas qu'il s'en fasse à ce sujet.
- Parce que je n'arrive pas à jouir.
- J'ai été mariée pendant dix ans, et pendant dix ans j'ai simulé, histoire d'en finir au plus vite. Je pensais que c'était comme ça qu'il fallait faire pour bien faire. Les rencontres amoureuses que j'ai faites après m'ont éveillée, jusqu'à une en particulier qui m'a révélé que j'adore faire l'amour autant que de manger du chocolat.
- Pour qu'ils pensent qu'ils étaient bons au lit.
- Pas envie d'expliquer, conviction profonde que de toute façon « il » n'y arriverait pas.
- Comme porte de sortie, plus rarement comme « encouragement ».
- Quand la pénétration était bien trop longue pour moi, vu que je ne jouissais jamais de cette manière-là.
- Pour ne pas lui faire perdre ses moyens.
- Si je mens lorsqu'on me demande si c'était bien, c'est pour ne pas blesser le mâle, qui est très susceptible.
- Parce que les muscles de mes jambes ne tiennent plus, alors je préfère déclarer forfait ! La plupart des mecs se lâchent une fois qu'ils pensent que vous avez joui.
- Parfois, j'ai très envie de faire l'amour, mais pas du tout envie qu'il me mène jusqu'à l'orgasme.
- Quand j'ai envie que ça se termine vite ou quand je suis bourrée. Je fais semblant de trembler.
- En cas de partenaire pas doué.
- Pour donner à mon partenaire la sensation d'être un amant performant et valoriser mon image de « salope ».
- Par crainte des représailles masculines.
- J'étais jeune.
- Pour ne pas gâcher son plaisir.
- Parce qu'une phase de couple compliquée s'accompagne souvent dans mon cas d'une baisse de l'envie (à cause de colères ou de non-dits), et donc d'une baisse de présence lors des rapports... ce qui empire la situation parce que

mon partenaire se sent nul, incapable de me donner quelque chose et en un sens « désaimé », ce qui se répercute sous forme d'un « complexe » dans les autres sphères de la relation, et donc compromet la possibilité d'une amélioration de la situation !

- Pour ménager les sentiments de l'autre.
- Quand j'étais ado, pour des raisons d'ego (me sentir femme et pas gamine).
- Car à la suite de problèmes de grosse mésentente et étant jeune, le fait de simuler devenait naturel.
- Quand ma jouissance est importante pour mon partenaire et qu'elle ne vient pas.
- Car cela semblait si important pour eux.
- Pendant longtemps par culpabilité, sentiment de ne pas être normale si on ne jouit pas mais aussi (surtout ?) pour valoriser l'autre.
- Je simulais pour faire croire que j'étais « normale », que je pouvais prendre du plaisir, et que « Bravo mon homme, tu es très fort, ça te flatte, et je ne voudrais surtout pas te décevoir ».
- Parce que le plaisir psychique est parfois aussi fort que le plaisir physique.
- Sinon, j'ai droit à des questions sans fin, à des suggestions de solution comme la masturbation (qui ne m'intéresse pas).
- Je n'ai pas envie de la question : « C'était bon ? », pas plus que de la réflexion : « C'est pas grave, ça arrive. »
- Parce qu'il est nul et que je veux en finir rapidement.
- J'ai simulé au début de notre histoire car le fait pour lui de savoir que je sortais d'une histoire dans laquelle j'avais connu un épanouissement sexuel extraordinaire provoquait chez lui un blocage.
- Le dimanche soir, quand je pense à la semaine qui recommence et que je veux en finir vite.
- Pour mettre un terme élégant à la situation.
- Par crainte de provoquer un blocage de son côté.
- Par jeu.
- Je souhaitais l'encourager.
- Je n'osais pas encore affirmer mon plaisir.
- Par manque d'envie et d'amour.

- Pour éviter de culpabiliser l'autre.
- Je me sentais si longue à venir... tellement longue, quoique sur le point de jouir (ce qui arrive souvent... au moment où je sens que je vais peut-être jouir, un revirement de situation psychologique m'en éloigne jusqu'au moment où l'envie revient... et puis plus... et tout le temps comme ça, en dents de scie, pour en définitive ne jamais atteindre l'orgasme), que j'ai préféré simuler : pour ne pas le renvoyer à un « échec », car le pauvre voulait tellement me le procurer, parce que moi-même j'étais découragée de cette situation intérieure psychique que je vivais.
- Parce que j'imaginais que ça faisait partie du jeu, et certainement pour satisfaire son ego.
- Je ne ressentais pas grand-chose au niveau vaginal et je pensais qu'en poussant de grands gémissements, je paraîtrais une femme « normale ».
- Quand je sais que ça ne viendra pas et pour ne pas devoir donner des explications frustrantes pour le partenaire.
- Je simulais pour avoir la paix, parce que je ne savais pas ce qu'était un orgasme. Au début de la plupart de mes relations, le désir était grand, le plaisir aussi, mais jamais d'orgasme. Je me lassais donc et n'avais plus de désir, ni même de plaisir.
- Pour ne pas décevoir l'homme qui se donne de la peine (si ça dure longtemps).
- Pour ne pas avoir de remarques désagréables du genre « c'est pas moi le problème ».
- Pour ne pas créer de conflit.
- Quand je suis trop fatiguée pour pouvoir jouir.
- Pour satisfaire son ego.
- Pour que mon partenaire ait une satisfaction quitte à délaisser la mienne.
- Lorsqu'il n'y a rien d'agréable, pour que cela s'arrête au plus vite !
- Parce qu'un homme est rarement capable de se remettre en question. Pour eux : pas d'orgasme = femme frigide, coincée. Eux ont éjaculé donc tout va bien.
- En vrac, les raisons sont : peur de déplaire, de ne pas être dans la « norme », envie de satisfaire l'autre, peur des

remarques blessantes (expérience plusieurs fois vécue), marre de ne pas être entendue...

- Pour ne pas déplaire à mon partenaire.
- Pour donner l'impression à l'autre qu'il me procure du plaisir.
- Pour ne pas laisser son partenaire « seul » dans ce qui est censé être la fin d'un rapport sexuel.
- Pour m'encourager et encourager l'autre.
- Trop jeune, peu de connaissance de mon propre corps, peur de l'autre et de ce qu'il imagine.
- Parce que ce n'était pas drôle que ça continue.
- Pour terminer le calvaire.
- Le rapport devient trop long. La fatigue. Pas de désir.
- Ne pas les renvoyer à leur incapacité. C'est un peu vache, ça, non ?
- Si mon compagnon y met tout son cœur mais que je n'arrive pas à avoir la sensation, pour le flatter.
- Pour que l'autre puisse accepter plus facilement que je veuille arrêter et se sente valorisé sexuellement (il y a peu de monde qui accepte que j'ai tout le plaisir que je veux sans forcément avoir un orgasme).
- Quand je n'ai pas envie de faire l'amour, mais lui oui, et que je ne veux pas le décevoir.
- Je n'ai simulé l'orgasme qu'avec quatre partenaires qui semblaient très attachés à leurs « compétences ». Je n'ai d'ailleurs pas répété nos rapports.
- Pour qu'il soit convaincu que j'ai du plaisir (sinon il pourrait penser que je n'apprécie pas ou que je m'ennuie).
- Pour ne pas créer de dispute car j'ai moins souvent envie que lui de faire l'amour.
- Parce que ça devient trop long et je sens que je n'aurai plus vraiment de plaisir par la suite, et je ne me sens pas assez à l'aise avec mon partenaire pour le lui faire savoir, et il ne se sent pas assez à l'aise pour percevoir que je ne suis plus tout à fait en phase.
- Pour l'instant, si je simule, c'est pour donner confiance à l'autre.
- Une fois que j'ai joui, je n'ai plus tellement envie de continuer, mais lui si, alors je fais semblant de jouir une

deuxième fois, et cela l'aide à avoir le sien, et comme ça, c'est fini plus vite, pour pouvoir passer à autre chose.
- Si je ne simule pas après un certain temps (quelques semaines ou mois), ils se découragent et perdent confiance en eux. Et ça devient ingérable, sentimentalement parlant. Je deviens moins attirante à leurs yeux.
- À cause de ma jeunesse et de ma méconnaissance.
- Sinon ils sont frustrés ou posent trop de questions.
- Ils ne me plaisaient pas vraiment.
- Je sais que cela ne viendra pas et je veux « satisfaire » mon partenaire, surtout si je ne le connais pas encore bien.

Il arrive qu'une forme de simulation permette de se mettre en bonne condition.

- Je ne simule pas vraiment l'orgasme, mais émettre un peu plus de bruits que nécessaire peut justement être excitant et aider à atteindre l'orgasme. Et, inversement, voir que mon partenaire jouit peut me permettre de jouir en même temps. Donc je ne simule pas l'orgasme mais j'exagère l'intensité de mon plaisir, pour m'exciter et pour exciter mon partenaire.
- Ce n'est pas vraiment une simulation mais un accompagnement.
- Le fait de simuler déclenche parfois le vrai orgasme !
- J'exprime plus d'enthousiasme du moins au début du rapport sexuel. Sinon, ça me prend beaucoup trop de temps d'embarquer. Ce n'est pas tant pour leurrer mon partenaire que pour me mettre moi-même dans l'action. Me permettre de lâcher prise, couper avec le rationnel. Ainsi, l'excitation/plaisir monte graduellement durant le rapport. Par contre, l'orgasme est assez difficile à atteindre.
- J'y crois toujours... un peu la méthode Coué ?
- Une motivation personnelle qui peut aider parfois à atteindre l'orgasme.
- Ça me fait plaisir de crier, de simuler encore plus de plaisir.
- Pour l'exciter et parce que j'ai remarqué que moi aussi j'apprécie au moment même de me faire un « pseudo-orgasme ».

- Plus pour alimenter/pimenter le jeu que pour vraiment simuler.
- Jamais de simulation de l'orgasme, mais pour moi une certaine « mise en scène » fait partie du jeu.
- Je ne simule pas vraiment l'orgasme, mais j'en rajoute un peu sans doute par rapport à mon état d'excitation réel. Surtout après un moment... Et j'essaie d'arrêter ça, mais c'est assez stimulant pour moi-même en même temps.
- Ça m'est arrivé une fois pour justement m'aider à jouir et à ressentir fort la jouissance.
- Ça m'excite.
- La simulation, pour moi, c'est juste sortir un peu plus la voix pour exprimer au partenaire ce qui se passe à l'intérieur. C'est aussi pour l'exciter un peu. C'est érotique !
- Cela provoque parfois l'orgasme.

Les femmes qui ne simulent pas disent parfois pourquoi (sans que la question ait été posée).

- J'ai horreur de mentir ou de tricher.
- Je ne simule pas, partant du principe que le partenaire sait ou ne sait pas comment me donner du plaisir, bref j'ai pour principe : « On récolte ce que l'on sème. »
- Je ne sais pas simuler.
- Je ne vois pas l'intérêt de simuler. Ça marche ou pas. Les choses peuvent toujours être dites.
- Être vrai est pour moi le mieux.
- Je l'ai fait souvent, aujourd'hui plus. J'estime que j'ai le droit de ne pas jouir sans culpabilité. Je ne suis pas une machine.
- Jamais. Je pense vraiment qu'il s'en rendrait compte, étant donné les réactions de mon corps, je ne pourrais pas vraiment feindre.
- Cela m'est arrivé plus jeune (avant 25 ans) mais plus jamais depuis. Je ne vois pas l'intérêt de la simulation.
- Arrivée à 40 ans, je ne le ferai plus car ça n'apporte rien, au contraire.
- Je ne pense pas avoir jamais simulé. J'ai du mal à mentir et ne le fais que quand c'est vraiment nécessaire. Dans ce domaine, ça ne m'apparaissait pas comme nécessaire, tant

la plupart des hommes que j'ai connus se contentaient de quelques soupirs/gémissements. Mais j'ai cru comprendre dernièrement en parlant avec une amie que ça m'a sans doute fait passer pour frigide auprès des mecs de l'époque (ce que je pensais que j'étais, évidemment). Le père de ses enfants, que j'ai connu intimement, lui ayant dit que j'étais une femme comme elle « qui ne prenait pas son pied », elle a voulu qu'on en parle ensemble. Il faut dire que c'est le seul qui, à part mon partenaire actuel, m'avait posé la question et auquel j'avais répondu honnêtement.

- Pourquoi tricher ?
- Je trouve que si on simule, on est frustrée, je préfère guider mon partenaire : plus vite, plus doux, ici pas là !
- Je ne simule pas, je trouve ça idiot.
- J'ai décidé une fois pour toutes que je ne simulerai pas et je m'y tiens, mais ils sont parfois déroutés.
- Jamais, je ne vois pas l'intérêt. J'ai du plaisir dans la relation et je n'ai pas besoin de simuler un orgasme pour que nous soyons heureux.
- Je ne simule pas par simple honnêteté.
- Jamais, il ne manquerait plus que ça !
- Jamais, c'est un accord entre nous.
- Je ne simule pas, je trouve ça hypocrite.
- Jamais. Comme j'ai de forts orgasmes et que je crie, je me sentirais vraiment bizarre de simuler cela. Et je jouis facilement.
- Non. Il y a assez de confiance en soi et en l'autre pour assumer quand l'orgasme ne survient pas.
- Non, mon partenaire me connaît trop bien.
- Jamais, et si les filles arrêtaient de simuler, les gros nazes cesseraient de croire qu'ils sont des bêtes de sexe !
- Quand je ne ressens rien, ça se voit et on change quelque chose, ou sinon on « finit » comme ça... mais simuler non.
- Ce n'est rendre un service à personne.
- Être honnête dans mon couple est ce qui compte le plus.
- Quand j'accepte un rapport où je sais d'emblée que seul l'autre prendra son plaisir, il le sait.
- Je n'ai jamais simulé pour ne pas donner de fausses indications à mon partenaire concernant mon plaisir. Donner du plaisir, ça s'apprend. Ça se fait dans le dialogue et la

confiance réciproque. Simuler, c'est à la fois mentir et perturber l'apprentissage de son partenaire.

- Il me serait difficile de simuler car je suis de très mauvaise humeur si mon partenaire ne respecte pas mon droit au plaisir.

Étonnante diversité des attitudes face au regard et au ressenti de l'autre. On simule pour lui ou pour soi, tout comme on se l'interdit pour lui ou pour soi, selon que sa susceptibilité, la fatigue, la franchise ou la honte tiennent le haut de l'affiche. Quand on choisit de simuler, cela signifie que la motivation à mentir l'emporte sur le reste, et cela s'est présenté pour 61 % des répondantes. La formulation qui nous semble résumer le mieux cette motivation est : *pour mettre un terme élégant à la situation*. Autrement dit, pour sortir de ce qui est ressenti comme une impasse, car si on ne jouit pas, on s'expose à quelque chose qui sera déplaisant, plus déplaisant encore que de mentir : subir l'acharnement de l'autre, sa déception, sa vexation, ses questions, sa sollicitude, son désarroi, son jugement, son abandon. Dans tous les cas, souffrir de ne pas correspondre à ce qui est attendu, de ne pas pouvoir fournir le sursaut réglementaire, cette norme, ce standard, ce terme qui doit venir absolument, comme un rot qui suit le repas du bébé, ou comme une éjaculation qui suit la pénétration. Or on commence à comprendre que la jouissance féminine est tout sauf normée, homogène, prévisible. C'est un grand terrain vague, pas encore exploré, pas du tout cultivé, laissé en friche, parfois luxuriant, parfois fantaisiste, parfois en hibernation, que la classique vision androcentrique voudrait considérer comme un jardin à la française, avec ses grandes allées et ses petits parterres. Tant que les femmes se sentiront tenues de fournir un orgasme en temps et en heure (c'est-à-dire selon des procédures qui ne correspondent pas à leur mécanique intime), sous peine de ne pas se sentir valablement femmes, elles continueront à simuler « pour mettre un terme élégant à la situation ».

PLUS D'UN ORGASME À LA FOIS ?

L'expérience est là, on vient de le voir dans certaines réponses sur la fréquence orgasmique : il y a des femmes qui peuvent jouir plusieurs fois lors d'un rapport sexuel (ou lors d'une séance de masturbation). Une distinction doit être faite entre des orgasmes qui s'enchaînent en rafale, sans qu'il y ait interruption de la stimulation, et que l'on appellera orgasmes multiples, souvent espacés de moins d'une minute, d'une part, et des orgasmes successifs mais séparés par une phase de repos ou de redescente avant de recommencer la stimulation, souvent espacés de quelques minutes, qu'on appellera orgasmes en série, d'autre part. n

Quelle est l'expérience des orgasmes multiples ?

Parmi les femmes de notre échantillon, 45 % ignorent les orgasmes multiples et 55 % disent en avoir déjà eu. Mais l'expression recouvre des réalités variables. Cela peut arriver uniquement en cas de masturbation (pour 19 % des femmes de ce groupe), cela peut arriver uniquement en couple (57 %) ou cela peut arriver dans les deux configurations (24 %). Le nombre maximum d'orgasmes atteints est très variable (pour celles qui mentionnent un nombre) : 2 à 3 pour 61 %, 4 à 5 pour 21 %, et 6 ou plus pour 17 %.

Certaines femmes soulignent le caractère exceptionnel de l'orgasme multiple.

- Oui mais très rarement.
- Ça m'arrive, mais plutôt rarement.
- Oui, mais rarement.
- Oui, mais pas souvent.
- Oui, 2 ou 3, mais assez rarement.
- En couple, je commence à connaître deux orgasmes, très rarement.

- Trois en une seule série, mais cela ne m'est malheureusement pas arrivé très souvent.

D'autres précisent au contraire que cela se produit régulièrement.

- Je ne compte pas mais lors d'un rapport je peux jouir plusieurs fois.
- Oui, ce ne sont que des orgasmes multiples, parfois même s'il est juste en moi sans bouger. Je n'ai pas ce genre d'orgasme qui monte jusqu'à éclater et puis plus rien (excepté seule), c'est beaucoup plus spontané, parfois surprenant. Combien ? Je vous avoue que je ne passe pas mon temps à les compter !
- Oui, oui, seule ou en couple, assez souvent.
- Oui, facilement.
- Oui, chaque fois, maximum une dizaine, après l'épuisement l'emporte.
- Oh que oui... j'ai un jour essayé de les compter et je me suis arrêtée à 20, ensuite j'étais trop « partie » pour encore raisonner.
- Oui, très souvent, et c'est... indescriptible ! En fait, quand le premier vient, les autres n'ont plus de mal à suivre.
- Oui, toujours.
- Oui, bien sûr, ça dépend de mes capacités physiques. Si je suis en forme, j'en ai 3 ou 4, mais c'est la première vague qui est la meilleure, la plus stupéfiante.
- Incalculable. En masturbation, je m'offre des séries jusqu'à l'épuisement. Jusqu'à une dizaine en 10 ou 15 minutes.
- ... quand je suis « lancée », pauvre amant...

Certaines précisent dans quelles conditions cela peut se passer.

- Seule, oui, avec un vibromasseur, j'ai dû en avoir une bonne dizaine, de moins en moins intenses. Les hommes ne me font pas cet effet, même les plus doués.
- Par la masturbation clitoridienne, je peux atteindre 4 à 5 fois l'orgasme, en rafale. Par la pénétration avec un partenaire : un premier et puis tout de suite après un autre, presque toujours.

- En couple, c'est arrivé avec une seule personne.
- Oui, lorsque je me masturbe. Je peux alors faire venir l'orgasme très vite, et épuiser mon corps en me procurant l'orgasme plusieurs fois « vite fait, bien fait ». À ce moment-là, je peux me faire jouir jusqu'à 10 fois en 5 minutes (chaque orgasme demandant une nouvelle stimulation clitoridienne).
- En couple, j'ai déjà eu 5 ou 6 orgasmes de suite, séparés de très peu de temps, surtout lors de caresses buccales du clitoris.
- Avec mon copain Vibroman, j'ai connu jusqu'à 13 orgasmes puissants et divins. Sinon, devant un petit porno je peux m'en taper 5.
- Ouiiiii ! Je ne sais pas combien mais tellement que je devais arrêter car je tombais presque dans les pommes.
- Oui. C'est trop formidable. Je ne saurais dire combien en une série puisqu'à ce moment-là je ne m'appartiens plus. Ça a été beaucoup le cas avec un partenaire en particulier où cela survenait vraiment régulièrement. Je n'ai jamais pu reproduire cela de la même manière toute seule. Ce n'est pas tout à fait la même chose. Et si j'ai reconnu ça avec d'autres partenaires, ça n'a jamais atteint tout à fait la même intensité. Je tiens à préciser que cela n'avait rien à voir avec le sentiment amoureux. Ça reste un mystère pour moi cette possibilité de totale compatibilité corporelle et non-compatibilité totale au niveau intellectuel. Quel dommage.
- Oui, en couple, et c'est un miracle qu'il faut avoir connu dans sa vie.

Pour certaines femmes, la séparation paraît nette entre un orgasme et le suivant, et ils peuvent s'enchaîner très rapidement. Mais d'autres ont du mal à faire la différence entre un orgasme multiple et un orgasme simple.

- Je ne fais pas attention à compter et je ne peux pas dire si c'est le même orgasme qui continue ou s'il s'agit d'un autre.
- Alors des soubresauts séparés de moins d'une minute (ça m'arrive très souvent) sont des orgasmes multiples ? Pour moi, c'est un seul et même orgasme qui dure !

- L'orgasme EST une rafale de spasmes !
- Pas d'orgasme multiple, mais un orgasme est souvent composé de 3 à 4 secousses.
- Oui je crois que j'en ai eu, mais quand c'est si rapide pour moi cela finit par faire un grand et long orgasme... je ne parlerais pas vraiment d'orgasmes multiples. Je n'ai jamais compté.
- Pour moi, un orgasme c'est toujours une série plus ou moins longue de contractions en rafale.
- Non, pas connu, ou mini-orgasme en rafale, plus détente qu'extase, alors je ne sais pas si cela s'appelle orgasme.
- Seule, ou exceptionnellement en couple, au moment de jouir, mon vagin se contracte de 5 à 12 fois, je n'ai jamais compté. Pour moi, c'est un orgasme « normal ». C'est ça un orgasme multiple ?
- Est-ce que le fait d'être « électrique » à la moindre caresse pendant plusieurs minutes signifie « orgasme multiple » ? Dans ce cas, oui, ça m'est arrivé. Je ne suis pas sûre de bien saisir cette question...

Un orgasme – du moins ceux qui ont été étudiés en laboratoire – est effectivement accompagné d'une série de contractions vaginales (et d'autres, utérus, périnée, rectum, mais moins nettement perçues), entre 5 et 10 environ qui, si elles sont perçues de façon distincte, pourraient être interprétées comme autant d'orgasmes différents. Ce serait toutefois un abus de langage. Un orgasme consiste en une série de contractions, et il peut être suivi d'une autre série de contractions, soit dans la même stimulation qui se prolonge, en un orgasme multiple, soit après un moment d'interruption et de redescente, en un orgasme en série. Cela dit, l'expérience orgasmique des femmes est tellement multiple et différenciée qu'il paraît vain de vouloir tracer des catégories. Les enquêtes quantitatives récentes montrent que l'orgasme multiple est une expérience régulière pour 15 à 20 % des femmes.

Quelle est l'expérience des orgasmes en série ?

Dans les femmes de notre échantillon, 24 % ignorent les orgasmes en série et 76 % disent en avoir déjà eu. Ici aussi, l'expression recouvre des réalités variables. Cela peut arriver uniquement par le biais de la masturbation (pour 17 % des femmes de ce groupe), cela peut arriver uniquement en couple (56 %) ou cela peut arriver dans les deux configurations (27 %). Le nombre maximum d'orgasmes atteints est très variable également (pour celles qui ont donné un nombre) : 2 à 3 pour 66 %, 4 à 5 pour 17 %, et 6 ou plus pour 17 %.

Il faut noter qu'un petit nombre de femmes répondent de façon identique aux deux questions, signe probable qu'il n'est pas possible pour elles de faire la distinction entre orgasmes multiples et orgasmes en série, alors que pour d'autres la distinction est très claire. Certaines soulignent cette difficulté.

- J'ai déjà joui plusieurs fois de manière rapprochée, mais jamais plus de trois fois, et je ne sais pas s'il y avait plus ou moins de 1 minute entre chaque orgasme.
- Difficile à dire, ce sont en général des rafales, mais il m'est arrivé d'avoir une deuxième rafale dans l'heure.
- Je ne sais pas si ce sont des orgasmes multiples ou successifs. Il y a un pic orgasmique, puis ce que j'appelle les « queues de la comète » qui sont de plus petits orgasmes venant dans les 3 à 5 minutes qui suivent la fin du premier orgasme. En général 1 ou 2 « queues de comète » après l'orgasme principal.
- Quelle différence avec la question précédente ? Si je fais l'amour avec mon mari, je peux jouir 3 fois le temps d'une pénétration de plusieurs minutes. Si nous nous reposons, puis nous recommençons, je recommence aussi à jouir...
- Les orgasmes en série ne sont-ils pas des orgasmes multiples ? Difficile de répondre car la notion du temps devient très relative dans ce contexte.

Les orgasmes en série sont rares pour certaines.

- Après un orgasme, mon partenaire ne peut plus me toucher pendant au moins 5 minutes et après cela, il me faut pas mal de temps pour redécoller. J'en ai rarement fait l'expérience car je me sens satisfaite après un seul et j'ai généralement une pressante envie de dormir.
- C'est arrivé quelquefois.
- Cela m'est arrivé une fois, en couple.
- Oui, assez rare, pas souvent recherché.
- Oui, très rarement.
- Oui, parfois.
- Rarement.
- Pas très fréquent.
- Cela m'est arrivé uniquement deux fois avec un partenaire.
- Oui, une fois ou deux en une dizaine de minutes. J'étais en couple.
- Deux, en couple (très rarement).

Ils sont réguliers pour d'autres.

- Il suffit qu'on s'arrête un peu pour faire diminuer la tension de part et d'autre et se caresser, puis repartir, pour que j'aie des orgasmes espacés de quelques minutes.
- En général, ça va par deux, d'abord un orgasme provoqué par les caresses de mon amant et ensuite parfois un deuxième orgasme lors du coït qui suit.
- Oui, avec le vibromasseur, en recommençant ça marche pratiquement à tous les coups.
- L'orgasme clitoridien, je peux en obtenir autant que je veux. Il m'est arrivé de le faire 5 fois de suite. J'ai dû arrêter parce que j'avais des crampes au bras.
- Il m'est déjà arrivé de jouir 7 ou 8 fois pendant un rapport.
- Oui, selon la forme du partenaire : sans limite une fois que le premier orgasme était déclenché.
- Oui, toujours, avec mon compagnon, je peux en avoir (grâce à lui) 6 ou 7, c'est génial.
- 3 en 1 heure avec un partenaire doué, c'est assez fréquent.
- Oui, ça ne dépend que de moi.
- Oui, en couple, si on recommence tout de suite après, on est de plus en plus sensible, donc ça vient plus vite.

- Oui, en fait je peux en avoir plusieurs et cela dépend comment on me restimule pendant les intervalles. Il vaut mieux que je sois au-dessus car mon clitoris est si excitable qu'il faut savoir exactement quelle stimulation faire pour que ce ne soit pas douloureux.
- Oui, seule et en couple, mais particulièrement lors de mes grossesses pendant lesquelles la libido est démultipliée.

Quelles sont les conditions qui s'y prêtent ?

- Avec les bons amants qui ont de l'endurance.
- Seule, grâce à la pornographie, et en couple jusqu'à 3 en 1 heure, en début d'état amoureux.
- Non, ou oui si je recommence. En fait, après un orgasme, je n'ai plus tellement envie de recommencer. Je suis apaisée, bien. Je me sens revigorée et j'ai envie de faire autre chose.
- Oui, et cela est récent, depuis moins de deux ans, depuis le départ des enfants du domicile conjugal une nouvelle vie sexuelle a débuté. Si les orgasmes clitoridiens sont faciles à dénombrer, ceux d'origine vaginale sont beaucoup plus flous, sans vrai début ni fin, et une stimulation sexuelle ultérieure peut me faire repartir facilement comme une succession de vagues sur la plage. En 1 heure je peux ainsi en avoir plusieurs, mais je n'aime pas trop compter comme cela. Je dirais plutôt : le week-end dernier 2 orgasmes clitoridiens séparés par une série de pics (acmés) de plaisir d'origine vaginale qui peuvent diffuser jusqu'au sommet du crâne ou jusqu'aux pieds et dont la vibration dure plusieurs dizaines de minutes après l'arrêt des stimulations.
- Quand cela arrive, c'est rapidement après le premier.
- En couple, je suis satisfaite après un orgasme et je ne peux pas redécoller rapidement. En étant seule, il m'est déjà arrivé de « tester » pour voir, et de continuer la stimulation clitoridienne après l'orgasme. La seule méthode qui marche, c'est avec le jet d'eau de la douche. Mais je dois me forcer parce que mon clitoris n'a plus envie d'être stimulé. Si je continue quand même, j'arrive à « passer une barrière » et à jouir de nouveau au bout de 5 à 10 minutes.

Un jour, j'ai testé aussi loin que possible et j'ai eu 10 orgasmes en 1 heure, mais c'était vraiment une bataille.

La diversité des expériences commence à prendre un tour vertigineux. Rien de plus différent, semble-t-il, d'un orgasme féminin qu'un autre orgasme féminin. Il y a des mitraillettes, des revolvers à six coups, des carabines à un coup, et des pétards mouillés. Si la fonction orgasmique des unes et des autres fonctionne si diversement, c'est en fonction d'une multitude de facteurs différents, dont certains de nature constitutive, et il serait sot de prétendre que ceci ou cela est la situation à atteindre ou à désirer. Chaque femme a son mode de fonctionnement, son type de réactivité, et certainement aussi une grande marge de manœuvre. On peut découvrir en soi des capacités au plaisir virtuellement sans limites. Mais peut-être pas sans catégories. Une femme qui se découvre multiorgasmique d'emblée et une femme qui atteint son premier orgasme à 40 ans ne jouent pas dans la même catégorie. Pas plus qu'une femme ayant un physique pour la course de fond et une autre qui excelle au cent mètres. Le fait est que l'on explore rarement l'intégralité de son potentiel sexuel, et que cela laisse de nombreuses femmes en deçà de leurs possibilités orgasmiques, mais il ne faut pas imaginer pour autant que tout est possible à chacune. On peut apprendre à déployer ce que l'on a, pas à développer ce que l'on n'a pas. La diversité des dispositions en sport ou en musique ne choque personne. L'apprentissage fait beaucoup, mais le terrain aussi. Il faut accepter la diversité des dispositions en matière sexuelle. Et ne jamais sous-estimer l'apprentissage. Comment apprendre l'orgasme multiple ? Il fait partie de ces choses qui semblent difficiles à acquérir si l'on n'a pas des dispositions au départ. Pourtant certaines femmes le découvrent assez tard. Peut-être est-ce seulement parce qu'elles n'ont connu qu'une activité sexuelle limitée pendant des années avant de rencontrer un partenaire attentionné. Peut-être aussi pour d'autres raisons. La capacité orgasmique se développe, de manière générale, par une pratique assidue et variée, par une attitude exploratoire tant dans les rapports que dans la masturbation, par la capacité de fantasmer et de fabriquer des circonstances excitantes et par la qualité d'une relation avec un partenaire particulièrement compatible. L'orgasme multiple peut se déclencher par hasard ou par une recherche volontaire, il peut aussi ne jamais faire partie du programme sans que cela ôte rien à la plénitude de l'expérience sexuelle. L'orgasme en série est un phénomène plus courant qui consiste à recommencer la montée vers l'orgasme après une interruption courte. Certaines femmes peuvent remonter facilement, d'autres doivent surmonter une résistance, d'autres encore ont une phase réfractaire comparable à celle des hommes. En dehors de ces dispositions individuelles, deux éléments semblent déterminants dans la possibilité de remonter vers l'orgasme très vite : la qualité de la stimulation (le vibromasseur ouvre des possibilités dans ce domaine, notamment pour une exploration en solo) et l'intensité de l'excitation subjective due à la relation ou à la situation.

PLUSIEURS TYPES D'ORGASMES DIFFÉRENTS ?

La distinction entre orgasme clitoridien et orgasme vaginal, si autoritairement imposée par Freud, n'a plus cours aujourd'hui pour les sexologues. Tous les orgasmes sont de même nature, quelle que soit la voie utilisée pour les déclencher. Cependant, cette typologie a fait tellement recette dans les médias qu'elle structure toujours le discours sur l'orgasme et la façon dont les femmes le vivent.

Quelles sont les opinions sur l'existence de différents types d'orgasmes ?

Dans notre échantillon, 81 % des répondantes pensent qu'il y a plus qu'un type d'orgasme (deux : 58 %, plus de deux : 24 %) et 19 % pensent qu'il n'y en a qu'un. Mais la question soulève beaucoup de confusion.

- Je ne sais pas, je pense surtout qu'il y en a des forts et des moins forts.
- Je n'en sais rien.
- Je pense, oui, mais je ne les connais pas.
- Eh bien je me le demande encore.
- Je dirais clitoridien et vaginal, même si je ne connais encore que l'orgasme clitoridien.
- Je n'en connais qu'un mais je pense qu'il peut y en avoir plusieurs types avec différentes sensations.
- Je n'en connais qu'un : clitoridien. J'imagine qu'un orgasme par stimulation vaginale se diffuse autrement. Je pense que les sensations doivent surtout varier en fonction de la manière dont on bande certaines parties du corps et en relâche d'autres. J'ai l'impression d'avoir trouvé un mode d'emploi auquel je me suis habituée et qu'il en existe pourtant beaucoup d'autres.
- Oui, je ne connais que le clitoridien et je pense qu'il y a moyen de pousser plus loin, plus fort.
- Sûrement, je n'en sais rien.
- Pour le vaginal, j'y crois. Il ne faut pas ? ? Alors est-ce que l'orgasme vaginal c'est en fait par le point G ? ?
- Je pense clitoridien, et je soupçonne anal.
- Pas encore expérimenté le vaginal mais j'ai entendu dire qu'il existait.
- Je ne peux pas le dire. Évidemment clitoridien et vaginal sont les plus connus, il y a anal aussi mais je pense que c'est plus ou moins similaire à vaginal même si la voie de stimulation n'est pas la même.
- Oui, clitoridien et vaginal, mais pour l'instant je n'ai pas senti de différence, mais je sais que stimuler l'une ou l'autre partie peut amener à un orgasme.
- Je ne sais pas si l'orgasme vaginal existe vraiment, moi je ne le connais pas.
- Je ne sais pas si le fameux orgasme vaginal existe. Les miens jusqu'à présent sont toujours liés à une stimulation du clitoris.

On trouve aussi des affirmations tranchées, d'un côté comme de l'autre.

- Non, seulement clitoridien.
- Je pense que quel que soit le moyen d'y parvenir, c'est toujours le clitoris qui est stimulé. Si on n'avait plus de clitoris, on n'aurait plus de plaisir, même en se croyant vaginale.
- Oui, bien sûr, l'orgasme clitoridien, vaginal, utérin.
- Non, c'est physiologiquement absurde de dire qu'il existe plusieurs types d'orgasmes et très culpabilisant pour les adolescentes. L'orgasme est toujours déclenché par le clitoris (les femmes excisées n'en ont plus). Cependant, certaines femmes sont trop sensibles du clitoris pour le stimuler directement. Il est donc stimulé indirectement par la pénétration, l'attention est donc plus concentrée sur les spasmes vaginaux et donne l'impression que l'orgasme est différent alors que c'est une « vue de l'esprit ». L'orgasme est déclenché par le clitoris mais provoque des spasmes dans le vagin et l'anus. Sans clitoris, pas d'orgasme.
- Non, l'orgasme reste le même... tout dépend de la stimulation... clitoridienne ou vaginale.
- Au moins trois : clitoridien, vaginal et anal.
- Oui, il existe plusieurs types d'orgasmes : clitoridien, vaginal, les deux ensemble ou séparément.
- Je pense qu'il n'en existe qu'un. Mais, suivant la stimulation, il peut être plus localisé.
- Il existe toute une gamme d'orgasmes, depuis le léger jusqu'à l'impression de mourir, vaginal et/ou clitoridien.
- Plusieurs évidemment : clitoridien, vaginal et anal.
- Oui, clitoridien, vaginal, mais aussi le psychique.
- Oui, ils sont multiples : clitoridiens et vaginaux.
- Oui, clitoridien seul ou clito + vaginal ou anal, ça dépend des femmes je suppose.
- Clitoridien et vaginal peu profond ou très profond.
- Seulement le clitoris, stimulé par l'extérieur ou par l'intérieur ou par les deux. La réaction orgasmique est différente suivant chaque femme.
- Je pense qu'il peut exister plusieurs orgasmes (clitoridien, vaginal, anal...).

- Je pense qu'il s'agit de la même zone mais pouvant être stimulée de plusieurs façons différentes.
- Je ne pense pas qu'il y en ait plusieurs.
- Non, il n'existe pas plusieurs types d'orgasmes, mais chacun à une saveur différente.
- Oui, clitoridien et vaginal, et autre chose de plus diffus.
- Oui, les orgasmes sont très différents : selon leur type, selon le moment, selon notre disposition intérieure et notre attention à l'instant.
- Tout est clitoridien, qu'on le ressente à l'intérieur (vaginal) ou à l'extérieur (clitoridien).
- Je ne pense pas qu'il y ait deux types d'orgasmes, vaginal et clitoridien. Je pense surtout qu'il y a des orgasmes d'intensités différentes et où le « siège » est différent en fonction de la position.
- Oui, je sais qu'il y en a deux au moins.
- Non, il y a un seul orgasme, mais les sensations sont différentes en fonction de l'excitation, et s'il y a pénétration.
- Un seul, simplement plus ou moins intense selon la situation et les stimulations.

Quelles sont les expériences de différents types d'orgasmes ?

Même quand on demande aux femmes si elles ont ressenti plusieurs types d'orgasmes elles-mêmes, la confusion reste possible. 32 % des répondantes déclarent avoir éprouvé elles-mêmes un seul type d'orgasme, et 68 % disent en connaître plus d'un. Mais le ton des réponses est au flou.

- Il me semble que j'en ai ressenti trois de natures différentes.
- Non, mais l'orgasme lors du coït est souvent différent (plus diffus, plus « doux »... est-ce vraiment un orgasme en fait ?).
- Je crois que oui... à 34 ans je viens de découvrir une manière de jouir inédite, différente, avec la pénétration.
- À vrai dire, je n'en suis pas sûre...

- J'ai des orgasmes plus superficiels (pas complètement apaisants) et des orgasmes plus profonds.
- Je sais qu'il existe deux types d'orgasmes mais l'orgasme vaginal est pour moi très rare, exceptionnel, même.
- Je n'en connais qu'un seul. Les plaisirs sont différents et intenses, mais je ne sais pas si on peut parler d'orgasme vaginal.
- J'ai plutôt des sensations différentes que des types différents.
- Je dirais un seul, mais ce que je connais maintenant n'a rien de commun avec ce que je connaissais à 25 ans. Donc un seul mais avec des intensités et des ressentis très différents. Alors peut-être deux.
- Le plaisir vaginal que j'ai vécu jusqu'à 32 ans, avant de connaître l'orgasme clitoridien, n'était pas vraiment un orgasme. C'est plus de l'ordre de la sensualité et de l'émotionnel. Pour moi, l'orgasme vaginal n'est pas véritablement un orgasme. C'est plus de la jouissance.
- Je pense qu'il en existe plusieurs, mais je ne connais que le clitoridien. Je ressens un immense plaisir quand mon mari me pénètre, mais différent du précédent. Je ne sais pas à quoi il ressemble.
- Oui, mais au moment de l'orgasme je suis incapable de dire ce qui m'a fait jouir, caresse, pénétration...
- Je ne sais pas faire la différence. Au départ, pour le premier, ou par masturbation, oui, mais pas si la pénétration suit le premier ou second orgasme, alors là, bonjour les rafales de toutes parts.
- Je suis très clitoridienne, mais il m'est arrivé, rarement, que la stimulation vaginale engendre un orgasme clitoridien. Je ressens aussi beaucoup de plaisir à la pénétration, avec parfois l'impression qu'un orgasme vaginal pourrait venir, mais je pense que je n'ai eu cela qu'une fois ou deux (orgasme moins « épidermique »). Pour la plupart, c'est essentiellement clitoridien, bien que la sensation soit un peu différente selon qu'une pénétration ait lieu en même temps ou pas.
- Il est vrai qu'un orgasme résultant d'une stimulation purement clitoridienne n'est pas identique à un orgasme provoqué par une pénétration vaginale, mais pour autant j'ai

noté que lorsque l'orgasme dit vaginal survient, le clitoris est très sensible juste après, comme impossible à stimuler de nouveau. C'est une preuve qu'il s'agit de la même zone pouvant être stimulée de plusieurs façons différentes, me semble-t-il.

- Je crois que j'en connais deux mais je ne suis pas sûre.
- Oui j'ai plusieurs orgasmes. En touchant l'anus, je peux avoir un orgasme très fort, délocalisé de tout ; en touchant le clito ; j'en ai par pénétration ; j'ai un mélange d'orgasme vaginal/clitoridien différent du clitoridien mais toutefois lié, je ne comprends pas bien si c'est vaginal ou pas.
- Pour moi l'orgasme vaginal est étroitement lié à l'orgasme clitoridien... mais c'est probablement parce que j'atteins mon plaisir maximum *via* mon clitoris !

Alors que pour d'autres, la distinction est très (ou assez) claire.

- Oui : 1) uniquement par stimulation du clitoris, 2) stimulation du clitoris et pénétration (plus intense avec émission de liquide).
- Oui, clitoridien, vaginal et anal, tout à fait particulier mais bien réel.
- J'ai joui de manière clitoridienne pendant toute une vie, et enfin j'ai découvert l'orgasme vaginal à plus de 60 ans.
- J'ai des orgasmes spontanés qui me réveillent le matin et les sensations sont différentes.
- Je dirais qu'il y en a plusieurs types. En tout cas, il y a des « familles » de sensations. *Grosso modo*, pour moi, il y a l'orgasme « bonbon acidulé » et l'orgasme « gâteau au chocolat ».
- Je pense que mon cerveau en a identifié deux : le clitoridien (seule) et le « cérébro-vaginal » à deux.
- Oui, j'ai plusieurs types d'orgasmes : le clitoridien, le vaginal, le combiné. Je trouve, pour ma part, l'orgasme vaginal seul faiblard.
- Quand mon clitoris est bien stimulé, j'atteins des orgasmes très forts, très intenses, mais très courts (mais qui peuvent se répéter). Par contre, lors de la pénétration sans caresses clitoridiennes, je ressens assez régulièrement mais pas sys-

tématiquement des « orgasmes » beaucoup plus profonds, pendant lesquels j'ai vraiment l'impression de perdre pied... c'est beaucoup plus difficile à expliquer.

- Clitoridiens, vaginaux, seins, le bassin, les cuisses à l'arrière... la lenteur des caresses, la bouche, la langue... l'éloignement voulu de l'autre... insupportable et orgasmique... la stimulation anale et ou sa pénétration... jusqu'à l'insupportable également de jouissance.
- Oui, j'ai des orgasmes clitoridiens et vaginaux séparés, parfois les deux stimulations additionnées, et par la masturbation des orgasmes de l'entrée du vagin et des petites lèvres.
- Oui, clairement clitoridien et vaginal.
- J'ai parfois l'impression qu'ils sont tous différents... je dirais clitoridien, vaginal et un troisième que je ne peux pas décrire, explosif, mais je ne peux pas dire son origine.
- Pour ma part, mes orgasmes sont clitoridiens ET vaginaux ou anaux.
- Oui, au moins quatre types d'orgasmes en ce qui me concerne : clitoridien, vaginal, anal et « ensemble de la région génitale ».
- Oui : clitoridien, vaginal, anal, en réponse aux caresses sans pénétration, en réponse à la voix et au regard.
- Oui, trois : clitoridien, vaginal et stimulation du mont-de-vénus.
- Très distinctement deux.
- Le vaginal ressemble au clitoridien, mais je le préfère, il est plus fusionnel...
- Oui, clitoridien et anal.
- Oui, clitoridien, vaginal et cutané.
- Oui, clitoridien, vaginal et anal.
- Bien plus que un ou deux. L'intensité est parfois différente. L'endroit stimulé à l'intérieur du vagin donne des sensations très différentes. Orgasme anal très différent aussi.
- Pou moi, soit vaginal, soit vaginal-clitoridien, mais rarement clitoridien seul.
- Personnellement, je ressens clitoridien, vaginal, anal et cérébral, et pour moi il faut qu'il y ait au moins le cérébral dans le lot pour être épanouie.

- Oui. 1) J'ai déjà eu des orgasmes avec des baisers dans le cou et aussi quand on me titille les tétons (il faut quand même que ce soit assez long). 2) L'orgasme clitoridien que j'ai découvert vers 10 ans. Que je pratique seule. Qui est plus violent, plus électrique, court. Il m'arrive de le faire sans avoir de désir particulier, uniquement pour calmer les tensions. Je me sens mieux après. 3) L'orgasme vaginal que j'ai découvert à 35 ans. Lors de rapports. Plus voluptueux, moins électrique, plus long. Obtenu *via* la pénétration du vagin ou de l'anus.
- Oui, clitoridien et périnéal. Vaginal uniquement, non, mais je jouis à la fois au niveau clitoridien et profondément, j'ai le sentiment que le vagin en fait partie ainsi que l'anus au début de la jouissance, ensuite c'est le périnée qui continue.
- Oui, très clairement. J'ai connu l'orgasme clitoridien longtemps avant l'orgasme vaginal, au point de croire jusqu'il y a peu de temps que le second n'existait pas.
- Deux pour ma part, mais la stimulation vaginale ne me donne un orgasme que si j'ai également une stimulation clitoridienne en même temps. Je distingue cependant les deux car cela ne me donne pas les mêmes sensations.
- Oui, bien sûr, clitoridien, vaginal et anal, et même par les caresses sur les seins qui gouttent du lait tellement le plaisir est intense, alors que je n'ai jamais eu d'enfant !
- Oui, clitoridien, vaginal et mental.
- L'orgasme lors de la stimulation clitoridienne est parfois plus intense et violent mais moins satisfaisant, l'orgasme coïtal, donc vaginal correspond à quelque chose que je qualifierais de plus doux, plus profond et plus satisfaisant.
- Pour moi, la stimulation vaginale est importante pour la dimension « être pénétrée par l'homme que j'aime » mais ne me procure pas d'orgasme. La stimulation clitoridienne bien faite, oui – mais c'est la combinaison des deux qui me mène à l'orgasme.
- Je connais chez moi deux types d'orgasmes : 1) clitoridien, 2) vaginal et clitoridien à la fois (le meilleur !). Parfois la goutte qui fait déborder le vase, ou déclencheur, est clitoridien et parfois vaginal.

- 1) clitoridien, 2) vaginal, 3) clitoridien et vaginal, 4) clitoridien et anal, 5) cérébral : je peux (res)sentir un orgasme en pensant au plaisir que je viens d'avoir avec un homme. Comme un écho.
- Le vaginal est plus intense et envahit tout le corps pour ma part... tandis que le clitoridien est plus court mais fulgurant.
- Moi personnellement j'ai toujours eu le même type d'orgasme, seule l'intensité varie.
- Oui, pour moi il existe deux types d'orgasmes : clitoridien et vaginal. Le mieux est lorsque les deux plaisirs sont associés.
- Je n'envisage aucun orgasme sans stimulation clitoridienne.
- Tous mes orgasmes me paraissent différents. Mais restent du même type. Je crois ne connaître que l'orgasme clitoridien. Mais la stimulation vaginale aide beaucoup. Les deux semblent donc très liés. Comme les deux bouts du même nerf. Par contre, je n'arrive jamais à l'orgasme rien que par le plaisir vaginal.
- J'ai deux types d'orgasmes clairement distingués. Les autres, je suis curieuse de les connaître.
- Oui, un gros boum et une multitude de petits qui ne s'arrêtent pas.
- Non, je ne connais pas deux types distincts. J'ai déjà eu des orgasmes très différents, mais je ne saurais pas les séparer en deux catégories. Pour ma part, j'ai du mal à jouir sans stimulation clitoridienne, mais je ne peux pas jouir uniquement avec une stimulation du clito... j'ai l'impression que mes orgasmes sont un mélange des deux, clitoridien et vaginal... comme si l'excitation première partait du clito mais ne pouvait aboutir que par stimulation vaginale.
- Je connais deux types d'orgasmes, par stimulation clitoridienne ou clitoridienne et vaginale. Impossibilité d'obtenir un orgasme uniquement par stimulation vaginale, sauf enceinte. Oui, l'orgasme avec pénétration vaginale me semble plus complet, profond et long que celui obtenu par stimulation clitoridienne. Il m'est difficile d'envisager un orgasme sans pénétration, que celle-ci soit effective ou fan-

tasmée (la pénétration est pour moi un besoin symbolique fondamental : besoin de remplir un vide).

- Oui, j'en connais deux types. Un « sexuel » qui donne des sensations seulement au niveau du sexe et un autre « profond » qui donne des sensations dans le corps entier (tête qui tourne, feu d'artifice intérieur, parfois bouche et sexe qui se dessèchent sur le moment). En général, avec la masturbation l'orgasme est juste sexuel. Avec mon partenaire, quand l'excitation et le désir sont maximaux, l'orgasme est très profond.
- Oui, clitoridien, vaginal, puis combinaison des deux et ensuite général (extase).
- Clitoridien, vaginal superficiel, vaginal profond, avec amour, sans amour…
- Oui, je peux jouir par le clitoris, par le vagin, rien que par caresses sur le corps si je suis en forme, par suçons des seins…
- Oui, point G (pour moi ce point se trouve en dehors du vagin), clitoris, vaginal.
- Au moins trois : clitoridien, vaginal, et orgasme global qui est une autre sensation encore (peut-être plus spirituel).
- Je dirais trois : clitoridien, vaginal et la combinaison des deux.
- J'ai deux orgasmes distincts : clitoridien, que j'assimile à une éjaculation masculine, fulgurante et plus restreinte dans le temps ; et vaginal, plus lent, plus sourd, plus long, plus profond, sans être aussi intense. J'ajouterai qu'il m'arrive, après avoir fait l'amour et joui avec mon mari, de me terminer au vibromasseur.
- Trois types d'orgasmes : clitoridien, le plus accessible, anal, et ensuite vaginal.
- Oui, il y a deux types d'orgasmes, l'un plus mécanique qui part du clitoris et un autre que vous appelez vaginal et qui part du clitoris et qui enflamme le vagin puis tout le corps comme un fil conducteur qui s'enflammerait avec des sensations de portes qui s'ouvrent et qui induisent une jouissance de tout le corps.
- Oui, clitoridien, vaginal, les deux ensemble ou aussi à travers le toucher d'autres parties du corps. Ensuite, il y a différents types de sensations lors de l'orgasme, notam-

ment s'il y a éjaculation ou non. Et je parle bien ici d'éjaculation féminine.

- Plusieurs types : clitoridien, vaginal, stimulation des seins, pendant l'allaitement (assez surprenant quand on ne s'y attend pas), en rêve.
- J'en connais trois : clitoridien, vaginal et éjaculatoire.
- L'orgasme clitoridien n'apporte pas du tout les mêmes sensations que le vaginal. Pour moi il y a bien deux orgasmes.
- Oui, clitoridien seul (starter de l'excitation) très localisé, courte durée et clitorido-vaginal les deux ensemble, plus profond et diffus dans le corps, plus long que le premier.
- Pour moi cela dépend des partenaires, de mon taux d'hormones, je peux avoir un orgasme clitoridien ou vaginal ou les deux en même temps ça, c'est le top.
- Je pense que l'orgasme clitoridien est assez précis, le vaginal plus profond, mais qu'il y a moyen d'avoir le tout en même temps pour un orgasme vraiment plus fort et complet.
- Je pense qu'il existe bien deux sortes d'orgasmes, mais le vaginal est rare et plus difficile à obtenir, et surtout c'est une surprise à chaque fois ! Mais très intense, avec larmes et sanglots.
- Oui, clitoridien et vaginal, et même intellectuellement, parfois il y a moyen d'avoir un orgasme juste en rêvant ou lorsqu'on est hyperdétendue.
- Oui, clitoridien, vaginal, et l'orgasme total.
- Clitoridien et vaginal sûrement, rarement anal et peut-être un total.
- Oui je jouis parfois plus profondément ou plus intensivement et ce sont des jouissances différentes.

Certaines font la part des choses entre des ressentis variables, mais autour d'un phénomène unique.

- J'ai déjà eu des orgasmes de différentes sensations, mais je ne pense pas qu'ils sont différents en fonction des organes.
- L'origine de l'orgasme pour moi vient toujours de la stimulation du clitoris, maintenant que cette stimulation soit

accompagnée de pénétration vaginale ou rectale ne change rien mais est souvent très plaisant.

- Il y a deux moyens d'y parvenir, mais un résultat identique, non ?
- Clitoridien et vaginal sont nuancés mais pas fondamentalement différents pour moi.
- De différentes façons mais toujours avec stimulation clitoridienne.
- Je ne fais pas de distinction entre vaginal et clitoridien, mais j'ai déjà eu une belle palette de sensations.
- Je les trouve tous pareils, c'est l'intensité qui varie.
- Je crois que les deux sont liés. Que les spasmes du vagin stimulent mon clitoris.
- Je n'en connais qu'un qui se diffuse plus ou moins (en grande partie cela dépend de la longueur et de la qualité des préliminaires et du niveau d'éveil de mes fantasmes).
- On dit souvent qu'il y a un vaginal en plus du clitoridien. Moi je le perçois comme un clitoridien « profond », comme si à l'orgasme clitoridien venait s'ajouter un plaisir plus intense dans le vagin. Mais je pense que je jouis fondamentalement de la stimulation du clitoris. Je n'ai jamais trouvé le fameux « point G ».
- Je peux jouir en ne me caressant que les seins, ou que le clitoris. Après, bien sûr, je combine, et mon partenaire aussi. C'est ce qui rend mes orgasmes plus « généraux ».
- Oui, mais dans mon cas il ne s'agit pas de les situer physiquement. Je les différencie plutôt en deux catégories : les orgasmes courts, bons mais pas très intenses, qui me semblent un peu « techniques », et ceux, plus enivrants, plus indescriptibles où il me semble vivre à la fois une sensation physique énorme et une grande émotion et qui augmentent mon désir. Ce n'est pas l'« endroit » de la stimulation qui influe sur l'intensité de l'orgasme, enfin je pense. Dans mon cas, je crois que c'est aussi très lié au désir que j'ai de mon partenaire, à l'odeur et au goût de sa peau et à l'intensité du sentiment amoureux.
- C'est le même, mais plus jeune je n'avais pas identifié ni érotisé mon vagin. Plus tard, lorsque j'ai appris à m'en servir, mes orgasmes ont doublé d'amplitude et de résonance.

- Pour moi c'est une seule et même chose, les deux zones sont liées et je le ressens comme tel. Si je stimule le clitoris seul, je jouis. Si je stimule le point G seul, j'y arrive presque mais pas tout à fait. Si je stimule ou si on me stimule les deux en même temps, je jouis plus fort ! J'ai aussi eu quelquefois un orgasme anal en allant aux toilettes, mais jamais lors d'une pénétration anale (pas terrible !). Et aussi, en étant embrassée, saoule, une sensation d'évanouissement jouissif. C'est un peu flippant parce que je n'ai jamais osé me laisser aller complètement de peur de vraiment tomber !
- Pour moi, l'un est indissociable de l'autre... cela fait partie d'un tout.
- Je pense que le clitoris est l'organe du plaisir. Il peut être stimulé de manière intérieure et/ou extérieure et selon le corps de chacune. Il résonne différemment. Mon clitoris est dirigé vers l'extérieur donc mon plaisir est plus intense quand la stimulation est sur l'extérieur. Quand la stimulation est plus interne, la jouissance est plus douce. Et quand il y a les deux stimulations, c'est encore différent.

Certaines réfutent l'idée même de faire des distinctions.

- Je ne catégorise pas. C'est si subtil et cela dépend de chaque femme, de chaque moment précis, de l'alchimie, voire des sentiments amoureux pour son partenaire.
- Je n'aime pas cette distinction parce qu'il n'y a pas de lien direct chez moi entre le lieu de la stimulation et le lieu de l'orgasme, mais il y a des orgasmes que je qualifierais de superficiels, et d'autres profonds qui peuvent être assimilés à vaginaux, et d'autres cosmiques qui vous éclatent complètement la tête, et là on ne sait même plus d'où ça vient ni où ça se passe.
- Je ne suis pas sûre qu'il existe des règles générales...

À la diversité s'ajoute maintenant la confusion la plus grande, confusion forcée par le désir d'établir des catégories artificielles. Artificielles en regard de la diversité des façons de fonctionner, justement. Pour chaque femme, les contrastes entre deux types de ressentis vont être liés à des choses différentes, que ce soit le lieu de la stimulation, l'étendue de la propagation, l'intensité affective... La catégorisation entre orgasmes clitoridiens et vaginaux est une dichotomie des plus pauvres au regard de la palette infinie des ressentis. Comme si l'on voulait mettre toutes les couleurs sous deux noms et pas un de plus. La question n'est pas d'obtenir un orgasme vaginal, la question est, entre autres, de développer la contribution du vagin dans les sensations de plaisir (mais aussi la contribution de toute autre région du corps, que ce soit le cou, le creux du coude ou les orteils). Le vagin a cette particularité d'être le moins connu et le moins « exercé » des lieux du corps. Investi pour la première fois lors du dépucelage, entre 16 et 19 ans en général, il l'est souvent d'une manière monotone qui ne révèle pas toutes les modalités de sa sensibilité. Le seul mouvement de va-et-vient ne donne pas toute sa mesure, pas plus qu'un seul mouvement d'archet ne donne tous les vibratos du violon. Chez certaines, le vagin donne des notes qui font toute la couleur de l'orgasme, chez d'autres il ne s'entend presque pas, mais parfois un jour parce qu'on le sollicite autrement, il chante à l'avant-plan de l'orgasme. Sans compter cette expérience particulière que l'on devrait appeler jouissance plus qu'orgasme, où le vagin procure un plateau durable de plaisir qui ondule et persiste sans véritablement déboucher sur une résolution, sauf s'il se transforme en orgasme.

Selon la contribution des sensations vaginales au moteur central clitoridien, mais aussi des sensations de toutes les autres parties du corps, et selon la contribution du psychisme (en fonction de l'humeur, de la situation, de la relation...), l'orgasme se déploie d'une façon extrêmement différente d'une femme à l'autre, et aussi d'un moment à l'autre dans la vie d'une femme, au point qu'il est souvent difficile de reconnaître l'orgasme dans la description qu'en fait une autre femme, ou dans les souvenirs qu'on a datant de dix ou vingt ans. Une fois pour toutes, il faut admettre que l'orgasme féminin n'a rien d'une plante d'appartement sélectionnée par un horticulteur. Il ne se présente pas sous deux modèles, ni même trois ou cinq. Chacune a le sien, bel animal sauvage qui rue dans les brancards.

COMBIEN DE TEMPS DURE UN ORGASME ?

La durée d'un orgasme est difficile à apprécier. Personne n'a l'œil sur la montre à ce moment. Pourtant, lorsqu'on demande une estimation subjective, les chiffres avancés sont souvent clairs, et étonnamment divergents. De 1 seconde à plusieurs minutes pour les extrêmes. À côté des réponses univoques, c'est-à-dire qui rentrent dans des fourchettes précises que nous avons classées en 5 catégories, certaines femmes font des estimations très élastiques (qui couvrent plus de deux catégories) – nous les avons mises à part. D'autres femmes distinguent entre deux types d'orgasmes et donnent des durées différentes – nous les avons mises à part. Et certaines sont incapables de répondre – nous les avons mises à part.

Les réponses univoques constituent 78 % des réponses. Elles se répartissent entre les catégories : moins de 10 secondes (28 %), 10 à 20 secondes (27 %), 20 à 30 secondes (11 %), 30 secondes à 1 minute (9 %), plusieurs minutes (3 %).

- Ça dépend de la montée en puissance, plus c'est long et intense, plus ça finit vite (ça flashe) et réciproquement. Maximum de l'ordre de 30 secondes.
- Trop court, malheureusement, une vingtaine de secondes.
- 30 secondes à 1 minute de soubresauts dans tout le corps quand c'est un bon.
- Sommet orgasmique : 30 secondes ; état de planage total qui s'ensuit : 30 minutes.
- Plusieurs minutes... jusqu'à plus ou moins 7 minutes.
- 5 secondes. J'ai déjà expérimenté plus long, mais l'intensité est trop importante et devient désagréable.

- 5 à 10 secondes, mais se prolonge dans le bien-être et *via* la succession d'orgasmes.
- Entre 5 et 10 secondes, plus long lorsqu'il est accompagné de longue et profonde respiration et relaxation.
- 5 à 10 secondes mais qui se répercutent longtemps dans tout le corps.
- 5 à 10 secondes, 3 à 4 secousses.
- Je dirais quelque chose comme 5 secondes. Parfois c'est plus long et plus intense, mais c'est souvent très court et du coup un peu décevant.
- Difficile à dire, ça me semble chaque fois si long car intense, et quand c'est en rafale, mais je dirais dans les 5 secondes.
- Plusieurs minutes, tout dépend si mon partenaire continue ou si le coït est fini.
- Dans mon cas, quand le désir devient insoutenable, je ne tiens que quelques secondes (le moment avant est très chouette aussi !).
- En général 5 secondes, mais si plusieurs orgasmes s'enchaînent, ils sont de plus en plus longs.
- 5 secondes pour le climax mais il y a une autre forme de plaisir intense avant et après.
- Quelques secondes seulement chez moi. Mais j'imagine que cela pourrait durer plus.
- Quelques secondes, c'est assez éphémère.
- 5 secondes. C'est court pour parfois beaucoup d'effort avant...
- C'est assez court : 10 secondes pour un bon, 3 pour un bref, moins sympa.

Les estimations très élastiques concernent 5 % des répondantes.

- 5 secondes à 1 minute, je n'ai pas de chrono sous la main quand j'ai un orgasme.
- Ça peut être intense et fulgurant, mais aussi durer plusieurs dizaines de secondes (dans ce cas il faut faire une pause après, impossible d'enchaîner).
- Plusieurs minutes dans les meilleurs cas mais c'est assez rare. 20 secondes en moyenne.

- C'est variable, je dirais de 10 secondes à 1 minute, mais cette minute-là on a l'impression qu'elle dure très longtemps, mais en fait c'est peut-être plus court.
- Entre 10 secondes et 1 minute.
- Entre 5 secondes et 1 minute.
- 1 seconde à 1 minute.
- De 5 à 30 secondes.
- Cela dépend du plaisir que mon mari me procure.
- En ce qui me concerne, c'est vraiment à géométrie variable. Mais plus de 1 minute, je n'ai connu ça qu'avec deux partenaires.
- 30 secondes, mais peut aller jusqu'à presque 2 minutes.
- Ça va de 10 secondes à 1 minute ou 2.
- Plusieurs secondes, mais peut-être moins que 1 minute. Tout dépend de l'atmosphère.

Celles qui disent avoir expérimenté deux types d'orgasmes distinguent également (mais pas toujours) deux durées différentes. Celles qui estiment deux durées différentes pour deux types d'orgasmes différents sont 14 %. Cela recouvre la distinction clitoridien-vaginal pour 10 %. L'orgasme vaginal est souvent estimé plus long (7 %), parfois équivalent (1 %), et parfois plus court (1 %).

- Il me semble que c'est plus long quand c'est vaginal.
- Clitoridien : 10 ou 20 secondes. Vaginal : plusieurs minutes.
- Clitoridien, c'est très court si on considère le moment le plus intense, je dirais 10 secondes maximum en ce qui me concerne. Orgasme vaginal : peut durer plusieurs minutes.
- Orgasme clitoridien : 10 secondes mais très intense. Orgasme vaginal : 1 minute au moins.
- Clito : 5 à 10 secondes. Vaginal : 5 à 10 secondes.
- Un orgasme vaginal peut durer jusqu'à 1 minute avec des paliers.
- 10 secondes pour le sommet de l'orgasme clitoridien, 20 pour le vaginal, plus diffus.
- Clitoridien : je dirais 20 secondes. Vaginal : aucune idée, je perds totalement la notion du temps. Plusieurs minutes, certainement.

- Clitoridien : 10 secondes. Vaginal : 20 secondes.
- Clitoridien : entre 5 et 10 secondes. Vaginal : entre la montée et la descente : plus ou moins 30 secondes.
- Orgasme clitoridien : 5 secondes, ou 10 mais guère plus. Jouissance vaginale : 1 ou 2 minutes, tout le temps où le sexe de l'homme est en complète érection juste avant d'éjaculer.
- Clitoridien : 30 secondes. Vaginal : 1 minute.
- Orgasme clito : 4 secondes ; vaginal 2 minutes.
- 10 à 15 secondes si clitoridien, moins si vaginal.
- 5 secondes pour clitoridien et vaginal.
- Clitoridien : entre 5 et 10 secondes, vaginal : plutôt 50 secondes.
- Clito : 10 à 20 secondes. Vaginal : 30 secondes à 1 minute. Anal : 1 minute.
- L'orgasme clitoridien est le plus court, de quelques secondes à une vingtaine de secondes. L'orgasme vaginal est par contre une musique qui envahit le corps presqu'à notre insu au début. Elle commence par le bas-ventre et irradie partout. On en joue, on la laisse se tapir ou s'épanouir à nouveau et donc cela peut durer très longtemps en fonction de la capacité du partenaire à durer. Plusieurs minutes certainement. Cet orgasme a plusieurs phases différentes.
- Orgasme clitoridien : très bref, quelques secondes ? Orgasme vaginal : peut durer très longtemps, mais je n'ai pas chronométré.
- 5 secondes clitoridien, mais s'ils sont successifs, cela dure autant de fois 5 secondes ! Vaginal, je ne sais pas, fluctuant, variable, doux, lent et bon.
- 5-10 secondes, et plus long (il me semble que c'est vaginal).
- Clitoridien : 5 secondes, éjaculatoire, 10 secondes.
- Clitoridien : 5 secondes, vaginal : jusqu'à 1 minute.
- 5 secondes clitoridien, 20 secondes vaginal.
- Clito est plus bref, vaginal plus long.
- 10 secondes pour l'orgasme vaginal, pour le clitoridien je le trouve plus long, cela dépend de l'attention qu'on y apporte.
- Vaginal : 1 minute. Clitoridien : plusieurs minutes.

Les répondantes distinguent parfois deux types de durées, mais qui ne sont pas reliés à la distinction entre orgasme vaginal et clitoridien.

- Il y en a des longs (plus de 1 minute, c'est très long). Et des courts : quelques secondes intenses.
- Quelques secondes toute seule, environ 1 minute avec partenaire.
- Superficiel ou profond. Dans les deux cas : 5 à 7 secondes.
- 3 secondes/7 secondes.
- Le classique : de 5 à 10 secondes, mais le parfait… 1 minute ou plus.
- 5 à 7 contractions = clitoridien. Ou 15 à 25 contractions = orgasme plus profond.
- Type 1 : 10 secondes. Type 2 : 1 à 2 minutes.
- Clitoridien : 10 à 15 secondes. Mixte (vaginal et clitoridien) : 20 à 60 secondes.
- Avec un orgasme « sexuel », la durée est d'environ une vingtaine de secondes. Avec un orgasme « profond » la durée est plus longue, environ 2 ou 3 minutes.
- Extérieur : 5 secondes. Intérieur : 10 secondes.
- 5 secondes ou 2 minutes.
- 10 secondes ou plusieurs minutes.

Les répondantes qui disent ne pas pouvoir évaluer la durée sont 2 % sur l'ensemble des femmes qui ont répondu à la question.

- Impossible à chiffrer. Espace-temps relatif ! Si je compte la montée, le plateau et l'atterrissage, c'est long !
- Ooops aucune idée.
- Aucune idée, le temps s'arrête.
- Absolument aucune idée. Je perds la notion du temps à ce moment-là.
- Aucune idée, je perds la notion du temps.
- Je suis incapable de répondre à cette question.

Diversité et confusion, de plus en plus. De telles divergences doivent recouvrir soit des expériences très différentes, soit des définitions très différentes de l'orgasme. Comme on peut le mesurer d'après les deux questions précédentes sur les différents types d'orgasmes, les sensations de plaisir vaginal sont parfois qualifiées d'orgasmes, parfois de jouissance, parfois de plaisir. Nous pensons que le plaisir vaginal est une expérience planante et plafonnante, qui peut durer plusieurs minutes, mais qui ne correspond pas au réflexe orgasmique. Il peut lui être associé et déboucher sur lui, il peut aussi s'éteindre doucement, comme il a commencé. Toutefois, les réponses ne se répartissent pas clairement en deux groupes, autour de 10 secondes et plus d'une minute, qui pourraient correspondre à l'orgasme d'une part, et à la jouissance d'autre part. Mais la jouissance n'est pas d'une durée définie, elle dépend du maintien de la stimulation exacte, et elle peut s'enchaîner avec l'orgasme, ce qui donne lieu à toutes les combinaisons possibles... La palette d'expériences est manifestement très vaste, et encore une fois il serait vain de vouloir définir ce qu'est un orgasme « modèle » ou un orgasme type.

DÉCRIRE L'INDESCRIPTIBLE

Impossible de décrire un orgasme, mais quand on essaie quand même, on obtient des images et des descriptions de sensations assez variables. Nous avons demandé aux femmes d'exprimer deux choses : l'intensité de la sensation orgasmique (en la comparant à d'autres sensations violentes), et ensuite la ou les images qui traduiraient le mieux les sensations éprouvées.

À quoi se compare l'intensité d'un orgasme ?

Pour l'intensité, parmi les comparaisons qui étaient proposées, l'estimation qui revient le plus souvent est « plus fort que tout » (68 fois), ensuite « comparable à un coup de poignard » (33), « comparable à une gifle » (21), « à un éternuement » (20), « à une décharge électrique » (11),

« à un accouchement » (9), les autres se déclarent incapables de choisir parmi les comparaisons proposées et font d'autres rapprochements.

- C'est très violent et il m'est arrivé de manquer partir dans les pommes.
- Comme une perte de conscience, une décharge d'adrénaline, mon corps est parcouru de soubresauts comme s'il recevait des décharges électriques mais sans douleur, j'arrive même à sentir les endorphines qui s'écoulent dans ma tête (je soigne d'ailleurs la plupart de mes maux de tête ainsi !).
- Une décharge électrique étourdissante qui fait vibrer l'ensemble du corps.
- Mon corps est en transe complète, il se raidit des doigts de pied aux lèvres.
- Un spasme qui part d'un point et se diffuse dans l'ensemble du corps, aussi fort qu'un éternuement.
- C'est intense, le seul moment qui engage vraiment toute l'énergie de tout mon corps.
- C'est de l'ordre de l'explosion intergalactique.
- Pour moi, ce sont des chocs électriques à répétition.
- Plus fort que tout... ensuite je n'ai plus de jambes et j'ai besoin d'un moment avant de retrouver mes esprits.
- Il y a la montée, là où on sent que si ça continue on va jouir, plus on retarde cette montée, plus l'intensité est forte et profonde, mais il faut se concentrer.
- Une secousse électrique suivie d'une détente totale, jusqu'au cerveau, et d'une vision d'éden : les yeux se brouillent, le corps est en lévitation.
- Impossibilité de respirer suivie de pleurs tellement l'émotion est forte.
- Une rafale chaude qui part du bas-ventre et qui transcende tout le corps.
- Juste exceptionnel, toujours !
- Inattendu, bien qu'on le sente arriver.
- Bouleversement intense dans le corps et la tête.
- Comme une lame de fond, c'est long et c'est doux, mais très intense en même temps.
- Impossible d'ouvrir les yeux... très fort !

- Comme sur l'échelle des chakras, plus il est fort, au plus il monte haut dans le corps, le summum étant quand on ressent une lumière blanche dans le cerveau comme décrit dans le Tao de l'amour, c'est magique.
- On perd tous ses repères.
- Dans ces moments-là je deviens folle... je dois me contrôler pour ne pas lui arracher les cheveux ou le griffer au sang.
- Très gros réchauffement du bout des membres vers le tronc... une vague, une onde de bien-être intense du ventre jusqu'au bout des membres, impression d'une tension très intense de tous les muscles.

D'autres comparaisons sont proposées.

- C'est comme d'avaler une praline.
- Aussi fort qu'être sur un cheval au grand galop qu'on ne contrôle plus.
- Aussi fort qu'un cheval au galop dans la mer un jour de canicule.
- Une coupure.
- Fort comme un cri.
- Une brûlure.
- Aussi intense qu'un saut en parachute ou à l'élastique.
- Comme 20 kilomètres en courant.
- Aussi intense qu'un accouchement, ça chamboule tout, il faut du temps pour redescendre.
- Je comparerais plutôt à une forte émotion fulgurante comme la peur mais qui fait du bien !
- Aussi fort qu'un sang qui se glace et qu'un corps qui se jette dans le vide par abandon et confiance.
- L'intensité de la surprise que l'on ressent lorsque l'on croit s'asseoir et qu'il n'y a pas de chaise.
- Une transe.
- Un plaisir qui dure... comme une crampe douce.
- Une vague d'énergie où le plaisir est le sommet, plus fort que tout.
- Disons quelque chose qui me fait crier sans que je puisse me retenir (ou très difficile).
- Aussi intense qu'un tour sur la foire (Roller-coster, etc.).

- Impossible pour moi de le comparer à une autre sensation en termes d'intensité... très sincèrement, dans le meilleur des cas, ça ressemble à la sensation que je peux éprouver en étant transpercée par une note intense dans un air d'opéra.
- Très forte intensité. Mon expérience est de type plutôt extatique (j'imagine que c'est ce que ressentent les mystiques en lévitation).
- En moyenne, de l'intensité d'un vomissement.
- C'est comme un plongeon.
- Un étourdissement, sensation de chaleur.
- Peut-être qu'un orgasme est aussi bon qu'une crise cardiaque fait mal à la poitrine.
- Plus fort que tout, comme la satisfaction intense de calmer un chatouillement, mais en mille fois plus fort !
- Intensité assimilable à un fou rire dans lequel on est plié en deux.
- J'ai souvent comparé l'éternuement à un mini-orgasme, mais je ne comparerai pas l'orgasme à un éternuement ! C'est beaucoup plus intense et c'est plus dans le sens d'une ascension puisque pour moi cela monte dans le corps – en aucun cas une chute.
- Entre éternuer et vomir, en nettement plus agréable, bien sûr.
- L'orgasme me donne la sensation d'une perte de sensations « parasites », limite comme la sensation qu'on a lorsqu'on s'évanouit.
- J'ai des frissons, je suis en sueur, je ne me contrôle plus, je crie.
- Très forte, elle me laisse sans forces pendant un temps.
- Si fort que l'on oublie où l'on est.
- Comme une fièvre très, très intense qui fait tourner la tête.
- C'est mieux qu'un coton-tige dans l'oreille.
- La mort.

Certaines femmes font la distinction entre deux types d'orgasmes différents.

- Sensations différentes quand c'est clitoridien ou vaginal : plus d'intensité quand c'est vaginal.

- Clitoridien : fulgurant – la foudre. Vaginal : volcanique, plus global (chaleur et rougeur sur le visage, picotements sur les membres...).
- Clitoridien : un soulagement, une détente. Vaginal : plus proche d'une délicieuse perte de connaissance.
- Orgasme clitoridien : une décharge électrique. Orgasme vaginal : un feu qui brûle et qui irradie dans tout le corps.
- Clitoridien : une implosion qui me coupe le souffle. Vaginal : un shoot durable qui me fait complètement déconnecter de la réalité, me coupe la parole, me fait trembler, me coupe les jambes, me fait jusqu'à hurler.
- Clitoridien : violent, comme un choc électrique, une décharge de 100 000 volts. Vaginal : plus difficile à décrire, je dirais plus planant.
- Clitoridien : une vague qui fouette mon corps frontalement. Mixte : un tsunami.
- Clito : brûlure ; vaginal : éternuement.
- Clitoridien et vaginal : monte jusqu'aux seins. Anal et vaginal en même temps : s'évanouir et 5 minutes pour se remettre.
- Un vrai orgasme provoqué par son partenaire est aussi violent qu'un gros coup de poing. Un orgasme provoqué par la masturbation est presque aussi fort qu'une gifle.
- L'orgasme clitoridien est le plus puissant puisqu'à la sensation de chaleur s'ajoutent les contractions spasmodiques puissantes et rapides. Proche en intensité de la sensation de défécation, mais opposé à celle-ci (puisque cela se resserre au lieu de s'ouvrir). L'orgasme vaginal, lui, est plus doux, et chez moi ne s'accompagne pas de contractions spasmodiques, mais en fin d'orgasme vaginal, il m'arrive de pousser presque autant que lors d'un accouchement (toutes proportions gardées) et alors d'émettre un nectar.
- Intérieur : une lame de fond. Extérieur : un éternuement.
- Clitoridien : je ne vois pas plus fort. Éjaculatoire : c'est difficile à dire mais c'est moins fort, plus dans la durée.
- Clitoridien : vif et rapide, explosif. Vaginal : profond, intense, envahissement.
- Vaginal : un grand spasme, une grande vague, une éruption volcanique. Clitoridien : des tremblements, de longs frissons.

Certaines femmes déclarent l'impossibilité de comparer.

- Pas d'image comparative, mais c'est très fort.
- Impossible pour moi de décrire, plus forte que tout sans aucun doute mais... une sorte de contorsion de tout le système...
- Incomparable.
- Difficilement comparable à quelque chose d'autre. C'est un concept en soi.
- Je ne sais pas à quoi cela ressemble. C'est unique.
- Impossible à dire !
- Indescriptible.
- Quelque chose d'incomparable.
- Aucune comparaison possible ! ! !
- C'est une déconnexion du réel – cela me semble décrire une certaine intensité même si ce n'est pas satisfaisant.
- C'est sans comparaison.
- Incomparable.
- Impossible à comparer – très puissant.
- Ce n'est comparable à rien.
- Non comparable avec autre chose, une sensation unique en son genre.
- Pas de comparaison.
- Ça ne me paraît comparable à rien. Ce serait comme une potion de plaisir pur qui nous envahit tout le corps et finalement diffuse même au-delà du corps.
- Impossible de répondre.
- Je trouve que c'est très différent de tout, même si on peut penser à la sensation juste après l'éternuement très fort... mais l'orgasme est bien plus fort que ça.

D'autres mettent l'accent sur la variabilité.

- Intensité variable selon le moment, localisée différemment.
- Parfois c'est très fort (trop fort quelquefois, ça arrive à la limite du désagréable). Parfois c'est crescendo.
- Plus ou moins fort suivant « d'où il vient ».
- Pas toujours de la même intensité.
- Parfois c'est doux, et puis d'autres fois plus fort que tout.
- Pas chaque fois aussi bon, cela peut varier d'une fois à l'autre.

- Très variable. Toutes les nuances existent.
- Ça diffère, des fois plus, des fois moins.
- L'intensité varie très souvent selon les conditions et l'excitation.
- Pas comparable. C'est unique et n'a pas toujours la même intensité.
- Très variable.
- Aucun des orgasmes ne se ressemble en intensité.
- Variable : d'une intensité aussi faible qu'une miction ou qu'un bâillement, jusqu'à l'extase la plus extrême avec perte de contact et sensation de voyage extracorporel.
- Sur une échelle de 1 à 10, je dirais que l'intensité peut varier de 1 à 10 : elle n'est pas à chaque fois identique.
- Intensité très variable selon l'état d'excitation, la fatigue, la consommation éventuelle d'alcool.

Quelle image pourrait le mieux évoquer un orgasme ?

Pour les images proposées pour décrire l'orgasme, celle qui revient le plus souvent est l'explosion (151), ensuite l'ascension (94), puis le tourbillon (57), la chute (48), la vague (18), le relâchement (14). Mais beaucoup d'autres images affluent dans les descriptions.

- Altération de l'espace-temps-matière : voyage sidéral au milieu des étoiles, déconnexion totale et étonnement au moment du « retour » dans le corps, le lieu, etc.
- Ascension (quand je décolle en avion, il y a un petit quelque chose d'orgasmique).
- On n'existe plus dans son corps mais partout.
- Un feu d'artifice.
- Une implosion.
- Ascension puis explosion, petite mort face à laquelle il faut lâcher prise.
- Un tsunami : d'abord la vague, qui est le plaisir, que je ressens sans qu'il y ait de manifestations extérieures, puis le tremblement de terre, cabrement, manifestations sonores, spasmes, mais le plaisir est en phase descendante.

- Un éclair, suivi d'un roulement de tonnerre, un frisson agréablement tétanisant, le peut-être éculé « feu d'artifice » avec montée de la fusée, éclatement en gerbe et pluie de scintillements.
- Feu d'artifice dans le corps qu'on peut, suivant la concentration et l'image qu'on se représente, faire exploser plus fort.
- Une mer démontée et le bris des vagues contre le sol lorsqu'elles s'écrasent sur le sable.
- Un tremblement de terre.
- Des vagues plus ou moins fortes selon les marées.
- Fort comme une absolue liberté.
- On passe dans une autre dimension.
- Un tremblement de terre avec ses répliques.
- Quelque chose qui suspend le temps.
- Une mer démontée, mais sans le son.
- Comme un élastique qu'on tend au maximum et puis qu'on relâche soudainement.
- C'est comme une onde qui provoque un déferlement (genre tsunami).
- Comme une source qui jaillit, ou une source qui gronde.
- Une vague de l'Atlantique, fraîche, haute, qui monte, qui monte pour se jeter brutalement sur la plage et se retirer paisiblement vers la mer.
- Vous roulez très vite : vous pilez ! L'orgasme ressemble à cette sangle qui retient votre ventre et le reste se relâche anarchiquement. En fait une grande stabilité au centre du corps.
- Une vague intense qui vous submerge.
- De la lumière qui bouge à une vitesse extrême.
- Tourbillon qui me permet un lâcher prise qui me donne l'impression de m'échouer sans contrôle mais sans risque.
- Explosion des sens.
- Surf sur la vague.
- Une extase ondulatoire intérieure, une ivresse d'émotion, c'est comme de quitter son corps pour n'être plus que sensations.
- Explosion liée à une perte totale de contrôle.
- Explosion suivie d'une envolée.
- Tension extrême.

- Une chute jusqu'à une explosion dans la tête.
- Ascension au-delà des limites de la courbe de l'espace-temps, expérience métaphysique à chaque fois, sorte de petite mort.
- Être dans le vide avant de plonger... être dans un temps suspendu plutôt, un temps de blanc.
- Le vol d'un oiseau.
- L'explosion d'un volcan. D'abord tout est calme, ensuite ça monte, ça monte. Tout devient brûlant et enfin l'explosion, l'apogée. La libération de la tension et de la pression. Puis de nouveau un calme plat... Mais avec une certaine pesanteur.
- Explosion et submersion par une vague intense.
- Ivresse.
- Un séisme bref.
- Concentration de force et de douceur.
- Une ascension qui explose tout à coup et qui redescend très vite et qui devient embêtante, voire irritante à la fin.
- Un barrage qui craque. Une fleur qui éclôt.
- Embrasement.
- Envahissement, suivi de perte de connaissance.
- Arriver au sommet d'une montagne après avoir grimpé la pente et contempler la vue magnifique.
- Fleurissement.
- Une fusée qui décolle.
- Une sorte de cœur qui bat très intensément au niveau des organes génitaux.
- Un arrêt dans le temps, au niveau physique et mental.
- Toucher le ciel – c'est un état de grâce.
- Comme un volcan quand il crache son feu.
- Une déconnexion du réel qui frôle l'évanouissement, au bord du gouffre.
- Épilepsie jouissive et ensuite petits nuages roses.
- Chatouillement délicieux qui monte et emplit d'un coup tout le corps.
- Irradier. Ne jamais être autant dans son corps et en dehors de soi.
- Un tourbillon dans le ventre qui se propage un peu partout.

- Pour moi c'est comme un saisissement en même temps qu'une explosion. Il y a à la fois la paralysie du tourbillon et le corps déchaîné.
- D'abord une ascension, puis une explosion en vagues successives avec des contractions musculaires au niveau du périnée et une sensation globale d'être ailleurs.
- Perte de contrôle physique et psychique. Le néant.
- Comme une vague de fond. Perte de contact avec la réalité.
- Flottement dans l'air. Une sensation de liberté totale, une énergie énorme qui part.
- Tremblement de terre. Cela vient de plus en plus fort et ça vous laisse chamboulée.
- Une explosion de sensations, une détente intense et brusque de tout le corps, une vague de bien-être.
- Une vague qui arrive, m'emporte au sommet pour redescendre en pente douce.
- Une ascension qui explose en tourbillon chutant vers les nuages.
- Un peu comme un saut en surf réussi où on vole un moment et puis splash.

Certaines distinguent deux types d'orgasmes.

- Clitoridien : explosion. Vaginal : un shoot à l'héro.
- Orgasme clitoridien : ascension rapide, explosion, choc électrique, relâchement rapide. Orgasme vaginal : ascension plus lente, plus progressive, sensation d'arriver à un point de non-retour, abandon, délicieuse sensation de ne pas pouvoir contrôler (surtout si c'est le partenaire qui domine les mouvements), l'impression d'avoir perdu la bataille, la crainte aussi de ce qui nous arrive, de ce qui pourrait nous arriver. Impression de mourir, on ne sait plus quoi faire de son corps, comment respirer, ça nous prend de l'intérieur, et puis et puis... l'indescriptible sensation. Intense. Trou noir parfois. J'ai déjà vu des étoiles. Et après les jambes qui tremblent, l'envie de pleurer, des vraies larmes parfois. Choc émotionnel !
- Pincement dans l'orgasme clitoridien, empoigne dans l'orgasme périnéal.

- Clitoridien : explosion. Mixte : chute ascensionnelle jusque dans les étoiles – décollage en fusée et voyage intergalactique.
- Quand c'est fort, c'est plutôt un feu d'artifice, mais trop souvent ça ressemble à un éternuement.
- Clito : explosion. Vaginal : ascension.
- Clitoridien : explosion. Vaginal : Tourbillon ascendant ou danse du feu.
- Intérieur : tourbillon. Extérieur : explosion.
- Un petit remontant ou une vague enveloppante de plaisir.
- Clitoridien : vertige puis chute. Éjaculatoire : explosion.
- Clitoridien : explosion. Vaginal : ascension jusqu'à décorporation.
- Vaginal : explosion. Clitoridien : tremblement de terre.

Beaucoup de femmes font l'expérience d'un moment de tension de tout le corps, de crispation très forte, suivi d'une décharge, puis d'une relaxation et d'un bien-être qui diffuse dans tout le corps. Mais certaines décrivent au contraire l'orgasme uniquement en termes de relâchement.

- Perte de contrôle, relâchement complet de tout le corps et inondation (quand cela m'arrive, j'ai un jaillissement).
- Relâchement total, expansion.
- Ouverture, épanouissement.
- Sensation de flotter, de ne faire plus qu'un avec l'autre, de perdre toute sensation du temps et de l'espace.
- Abandon, immense bien-être.
- C'est comme une libération... une profondeur intense qui m'apporte tellement. Pour moi c'est une drogue.
- Libération et décontraction.
- Une sensation de bien-être qui ne devrait pas se terminer.
- Ascension, abandon, relâchement, diffusion.
- Éclosion, ouverture.

À nouveau, un orgasme n'est pas l'autre, très loin de là. L'intensité varie du tout au tout, et la façon de le vivre également. Il peut passer par le sommet de la tension, comme par l'extrême de la décontraction. Crise violente ou abandon total. Sensation de décoller ou de tomber.

D'exploser ou d'imploser. De tourbillonner ou de flotter. L'orgasme est peut-être un réflexe au niveau physiologique, il n'en est pas moins une expérience totalement personnelle au niveau cérébral. Pourquoi est-ce si différent d'une femme à l'autre ? Peut-être parce que le cerveau est très différent d'une personne à l'autre. On naît avec un organe déjà personnel, autant que la couleur des cheveux, ou les lignes de la main. Puis on sculpte cet organe par toute une histoire d'interactions avec l'environnement qui installent des câblages entre les différents neurones et modules cérébraux. Au total, votre cerveau devient comme la ville de Paris et celui de votre voisine comme la ville de New York. Pleins de fonctions identiques, mais avec une organisation différente, une cartographie unique, et des réponses différentes à des événements particuliers comme un match de foot ou une panne de courant.

Mais si c'est le cas, pourquoi l'orgasme masculin est-il moins multiforme ? Après tout, les hommes ont aussi un cerveau qui fait son propre bonhomme de chemin. Oui, mais ils ont en plus ce verdict immédiat : si l'orgasme ne fonctionne pas rondement, avec éjaculation au bon moment, leurs gènes sont tout simplement liquidés par manque de descendance. La marge de manœuvre est plus faible. Chez les femmes, quelle que soit la manière dont l'orgasme fonctionne, c'est toujours bon, les gènes passent tant que l'ovulation a lieu. Et on se retrouve avec ce foisonnement de vécus orgasmiques divers et variés.

LES MANIFESTATIONS DE L'ORGASME

Quelles sont les parties du corps impliquées dans un orgasme ?

Dans notre échantillon, 47 % des femmes répondent « tout le corps », 22 % parlent uniquement des parties génitales, 20 % des parties génitales élargies vers les genoux et/ou vers la poitrine, 9 % parlent du sexe et de la tête, 2 % du sexe et de la peau. En dehors des mots qui décrivent les parties génitales (clitoris, vagin, vulve, lèvres, bas-ventre, sexe, périnée...), les mots qui reviennent le plus souvent sont « tête ou cerveau ou visage » (51 fois), seins (39), jambes ou cuisses (30), dos (16), peau (12), pieds (10), fesses (8), anus (7).

On voit souvent apparaître l'orgasme comme quelque chose d'irradiant à partir des parties génitales.

- Tout le corps, avec le bassin pour centre.
- Le sexe puis tous les muscles.
- Du clitoris à la vulve, au vagin, aux jambes, au ventre tout entier au thorax aux bras et à la tête.
- L'ensemble du corps bien que la source soit le clitoris.
- En premier lieu des organes génitaux (en rayonnant), ensuite tout le corps sous forme d'une vague de bien-être.
- Le sexe, mais aussi l'entièreté de mon corps.
- Le plaisir part du centre du bas-ventre et irradie dans tout le corps (jusqu'aux orteils et à la racine des cheveux).
- Tout le corps, mais bien sûr avec un point focal dans le bas-ventre.
- Le sexe, bien sûr, et tout autour, le ventre, les seins se dressent, le dos se cambre, les jambes tremblent, les mains s'agrippent, les lèvres s'entrouvrent, les yeux se ferment.
- Les parties génitales, puis ça diffuse dans tout le corps.
- Ça part du sexe, mais se propage dans tout le corps jusqu'à ses extrémités.
- Le bas-ventre qui explose de chaleur, les secousses dans les jambes et dans le bassin, la bouche avide, les yeux ivres.
- Le corps est en tension totale, se réchauffe et puis se relâche complètement, la zone de plaisir se situant le plus au niveau du vagin.
- Cela part du bas-ventre pour envahir tout le corps.
- Ça prend naissance dans le sexe, pour irradier tout le corps jusqu'à ce qu'il ne soit plus là.
- Les parties génitales, évidemment, mais aussi tout le corps, et dans la tête.

- Les contractions se font au centre du corps, périnée, vagin, anus, mais l'orgasme c'est aussi la tension des seins, la détente des membres, le relâchement.
- Les parties génitales et aussi l'ensemble du corps.
- Le ventre, avec une sensation d'envahissement dans tout le corps.
- Je dirais que c'est à point de départ génital, et ensuite le corps est envahi, puis l'esprit se déconnecte.
- Le sexe avant tout, et puis la poitrine, et finalement tout le corps dans la mesure où je ressens une énergie qui circule de la tête aux pieds.
- Clitoris surtout mais le reste aussi.
- Tension sur tout le corps mais surtout clitoris.
- À l'apogée, toutes les parties du corps sont impliquées, mais évidemment principalement le sexe.
- Le ventre principalement mais le reste du corps également.
- D'abord la zone génitale puis tout le corps.
- Le bas-ventre essentiellement et des frissons dans tout le corps.
- Le bouton « start » se situe entre les jambes et de là l'onde de choc se répand partout, jusque dans les mains, les pieds...
- Le bas-ventre irradie tout le reste.
- La sensation se diffuse du clitoris ou vagin partout de façon radiale, avec perte d'intensité en fonction du chemin parcouru.
- Le sexe, le bas-ventre... puis tout le corps pour l'écho.
- Vagin, bien-être dans tout le corps.
- Toute la zone génitale mais aussi tout le reste du corps, c'est assez global.
- Le vagin et tout le corps sont chauds et tendus.
- Tout le corps avec un épicentre au niveau du sexe.
- Le ventre, puis tout le corps.
- Principalement les organes génitaux, mais tout le reste du corps suit.
- Clito + ventre ou vagin et tout le corps.
- Clitoris, vagin, utérus, puis tous les prolongements physiques dans le corps.

Chez certaines femmes cela reste très localisé. 22 % ne mentionnent aucune autre partie du corps que les parties génitales – mais cela comporte une palette de possibilités.

- Le vagin.
- Clitoris (fort) et vagin (moins fort).
- Vulve et vagin.
- Clitoris et vagin.
- La région clitoridienne.
- Toute la zone clitoris/vagin.
- Vagin et clitoris.
- Le bas-ventre, le pubis.
- Le clitoris.
- Au niveau du ventre et du bassin.
- Tout le bas du ventre, jusqu'au clitoris.
- Le sexe.
- Le vagin.
- Vagin.
- Clitoris et bas du ventre, parfois sensation de contraction vaginale.
- Vagin.
- Toute la région du bas-ventre.
- Bassin.
- Le sexe, qui débranche du cerveau d'ailleurs.
- Le vagin, le clitoris, l'anus souvent.
- Le sexe.
- Le vagin.
- Tout le bas-ventre.
- Clitoris, bas-ventre.
- Le sexe, le ventre.
- Clitoris et vagin.
- Le vagin, le clitoris.
- Le bas-ventre, le vagin et le clitoris.
- Toute la région du bas-ventre.
- Toute la zone génitale + périnée + entrée de l'anus + abdo + diaphragme pelvien.
- Vagin, clitoris, bas du ventre.
- Sexe.

- Le clitoris sur le moment, le vagin qui se contracte (je le sens *a posteriori*, il continue à se contracter après l'orgasme), parfois le bassin qui ondule.
- Le clitoris.
- Le clitoris et le derrière.
- Clitoris, vagin, utérus, seins.
- Clitoris, périnée.
- Le bas-ventre.
- Vagin, clitoris et anus.
- Vagin, clitoris, et bas-ventre.
- Zones génitales.
- Organes génitaux.
- Le bas-ventre.

Chez d'autres cela s'élargit vers le bas, vers le haut, ou les deux en même temps.

- Tout le bas de mon corps.
- Le vagin, le ventre, les fesses, les jambes.
- Le ventre, les jambes.
- Le ventre, les jambes.
- Tout le bas du corps : tout le vagin, du clitoris au bas du dos et l'intérieur des cuisses.
- Mon bassin et mes jambes sont irradiés.
- Vagin, vulve, cuisses.
- Tout le bas du corps.
- Le sexe, le ventre, le bas du dos le long de la colonne.
- Vagin, ventre, système nerveux.
- Clitoris, vagin, frissons dans le dos.
- Essentiellement la zone clitoridienne, le ventre, plus sensation de chaleur diffuse jusqu'au visage.
- Le bassin, le ventre, les seins.
- Le sexe, le bas-ventre, le ventre, le cœur.
- Sexe, vagin, seins, dos, cou.
- Bassin, seins.
- Les organes génitaux, le cœur, la tête, la poitrine.
- Vagin, ventre, seins.
- Clitoris, vagin, seins.
- Le vagin ou clitoris, le bas-ventre (contractions), la colonne vertébrale.

- Clitoris, vagin, lèvres, seins.
- Du vagin aux seins.
- Le vagin, les seins.
- Le corps moins les quatre membres.
- Tout le bas du ventre et le dos.
- Les seins, le clitoris, le vagin.
- Parties génitales, ventre, plexus.
- Ventre, seins, vagin.
- Tout le bassin, le ventre et les reins, les seins, la tête.
- Le bas-ventre, les seins.
- Clitoris, bas-ventre, tronc, tête.
- Le bas-ventre, les seins, le bas du dos.
- Clitoris, vagin, seins, anus.
- Le ventre, la poitrine et les jambes.
- Ça monte jusqu'à la poitrine depuis le sexe et ça descend un peu dans les jambes.
- Je dirais que la sensation s'étend des genoux jusque sous la poitrine. Mais l'effet procure une apnée qui élargit les poumons et se ressent dans la gorge.
- Toute la zone périphérique aux organes génitaux jusqu'aux cuisses et au ventre, et le rythme cardiaque donc le cœur.
- Toute la zone du bassin, mais suivant l'intensité, ou son origine, il se répand dans les jambes (chair de poule) et remonte tout le ventre. La peau de tout le corps est d'une sensibilité extrême.
- Seins, cuisses internes, bas du ventre, hanches.
- Ça part du sexe et ça se diffuse dans les jambes et dans le tronc.
- Pubis, haut des cuisses, cœur.
- Le sexe, le ventre, l'intérieur des cuisses, les jambes et le cou.
- Clitoris, intérieur des cuisses (à l'aine), seins, fesses.
- Le sexe, le ventre, les jambes, parfois des frissons dans le dos.

Chez d'autres cela se connecte directement au cerveau (éventuellement à travers la colonne vertébrale ou la poitrine).

- Fond du vagin et clitoris puis montée en flèche à la tête puis au ciel.
- Explosion dans la tête à partir du détonateur génital.
- Tout le ventre, la tête.
- Principalement le sexe et la tête.
- Vagin, clitoris, seins, tête (sensation de brouillard, ou plutôt l'impression de quitter son corps).
- Tout le bas-ventre, la tête, ainsi que la colonne vertébrale.
- Le sexe et la tête.
- Périnée, vagin, clitoris, ventre, cerveau.
- Au départ c'est le clitoris, mais en surfant sur la vague de départ grâce à la respiration, les sensations sont dans toute la tête, tout le visage et le cerveau.
- Le cerveau, on lâche tout.
- Le ventre et la tête.
- Les seins, la tête dans le sens où j'ai l'impression de perdre un peu conscience, les parties génitales.
- La poitrine, le ventre, le sexe, la tête.
- Ventre, bas-ventre, respiration, tête.
- Ventre, bas-ventre, tête.
- Le sexe, les seins, le cerveau et la bouche
- La partie génitale et la tête.
- Le bas-ventre et la tête.
- Le périnée, le vagin, ensuite il y a comme une énergie qui remonte à travers l'abdomen et le thorax jusqu'au cerveau qui est finalement indispensable à mon sens pour en profiter pleinement.
- Sexe, seins, fesses, tête.
- Le clitoris, le vagin, les seins, la tête, les cinq sens.
- Tête, ventre.
- La tête, le ventre en entier.

On trouve encore d'autres associations.

- Vagin, ventre, dos, jambes, tête.
- Les seins, le clitoris, le vagin, le rectum, la peau.
- Tout le corps, surtout le ventre et les pieds.
- Le sexe et principalement le clitoris + les organes internes de cette zone, toute la peau en général et le visage (voix, mâchoires...).

- Les seins, les cuisses, les fesses, la bouche.
- Le ventre, la chair de poule.
- Poitrine, sexe.
- Surtout le clitoris, les seins, la langue, la peau.
- Le bas-ventre, le dos, les jambes, les bras.
- Clitoris, bouche, pied, main.
- Clitoris, seins.
- Le ventre, les fesses, le cerveau.
- Le bas-ventre, les aisselles et le haut du thorax.
- Sexe, mamelons, orteils.
- Pour moi, le cou, l'intérieur des jambes, le bout des seins.
- Les organes sexuels, les muscles, la vue, l'ouïe, le rythme cardiaque.
- Vagin, fesses.
- Les seins.
- La poitrine, le bas du ventre, le ventre, la peau.
- Ventre, seins, dos, pieds.
- Le bas-ventre, le visage, sensations de chaleur.
- Le sexe, le ventre, toute la peau.
- Ventre/périnée, nez qui se débouche.
- Les oreilles, le cou et le sexe.
- Bas du ventre, utérus, vagin, tête, seins.
- Des cuisses au ventre, et la tête.
- Le sexe, le ventre, la tête, la peau.
- Jambes, ventre, organes sexuels, tête.
- Là se trouve, je crois, ma difficulté : le clitoris, parfois le bout d'un ou des deux seins, et rarement – si je me détends – les orteils. Ridicule, non ?
- Les oreilles, la tête, le sexe, les muscles.
- Le clitoris (hypersensible), les jambes (qui vibrent) et la tête (qui « éclate »).
- Vagin, seins, bouche.
- Vagin, seins, tête, bouche, nez.
- Le clitoris et tout son environnement, les tétons, le creux du cou, le lobe de l'oreille.
- Le dos, les bras, la bouche, les yeux.

Et chez d'autres cela se répand dans tout le corps. Parmi celles-ci certaines mentionnent que cela ne se produit pas toujours, mais seulement dans les « bons » orgasmes.

- Dans les organes génitaux, puis sensation de bien-être partout qui peut même remonter et exploser dans la tête.
- L'orgasme secoue tout le corps. Enfin, ça dépend quel orgasme.
- Si superficiel, uniquement zones génitales, si plus profond, l'ensemble du corps.
- Quand c'est fort, j'ai l'impression que c'est le corps tout entier. Sinon, c'est concentré sur les parties génitales (quand c'est comme un petit éternuement).
- Tout le corps est impliqué si je le laisse « courir »... si on ne m'ennuie pas après. J'ai mis plusieurs années avant d'arriver à le laisser aller jusqu'au bout des doigts.
- Le ventre, le vagin, le clitoris, et parfois tout le corps (tremblements après).
- Tout le corps entier si c'est un bon orgasme intensif.
- Variable : très localisé à très généralisé.
- Parfois uniquement le sexe, le ventre ; d'autres fois le corps entier.
- Le sexe, parfois aussi l'utérus, et quand c'est très bien tout le corps devient sensible.
- Sexe, cœur, tout le ventre, voire tout le corps.
- La sensation peut irradier tout le corps.
- Le corps dans sa totalité quand l'orgasme ne reste pas focalisé sur le clitoris et sa mécanique.

D'autres précisent que l'ampleur dépend du type d'orgasme.

- Dans l'orgasme vaginal : le vagin mais aussi la peau (rougeur, chaleur, picotements).
- Clitoridien : la zone concernée. Vaginal : l'ensemble du corps.
- Type 1 : sexe, dos, jambes, pieds, tête. Type 2 : le corps en entier.
- Clitoridien : essentiellement le sexe, petites et grosses lèvres, vagin et le ventre, spasmes, contractions aiguës. Vaginal : tout le corps avec un épicentre au niveau du vagin mais qui irradie partout.

- Clitoridien : tout le petit bassin, avec accent à la surface de la vulve. Mixte : tout le corps, des pieds à la tête.
- Orgasme clitoridien : comme de la sève qui monte le long de mes jambes, puis une agréable sensation autour du clitoris, des chatouillis dans le bas du ventre et puis l'explosion. L'orgasme vaginal est différent.
- Le périnée en premier lieu, avec quelques zones très précises beaucoup plus sensibles et délectables, puis cela diffuse dans tout le corps. L'orgasme clitoridien diffuse moins (car il est si court).
- Intérieur : bassin, cuisses. Extérieur : bassin.
- Clitoridien : local intense jusqu'à une hypersensibilité. Vaginal : vague de chaleur qui envahit le bassin, remonte le long de la colonne vertébrale et se diffuse dans toutes les parties du corps, explosion dans le cerveau et décorporation.
- 1 : vagin, fesses, cœur. 2 : clitoris, cuisses, tripes.

Certaines mettent l'accent sur l'ensemble du corps.

- Tout le corps vibre me semble-t-il, mais je suis « absente » à ce moment-là.
- Le corps entier vibre, l'esprit aussi.
- Tout le corps, contraction allant parfois jusqu'à la douleur et puis relâchement extrême et frissonnement du corps, surtout les jambes.
- Tout mon corps se tend.
- Tout le corps... mais surtout à partir du cou... et la tête en arrière qui va dans tous les sens.
- Tout le corps... la peau... les muscles qui ont des spasmes.
- Tout le corps, y compris l'esprit.
- Le corps complet, une crispation totale.
- Le corps complet est sollicité : l'orgasme provoque une transpiration qui monte, les jambes qui tremblent, le cœur qui s'affole, la tête qui semble s'approcher de l'explosion.
- Je crois que je tétanise de partout.
- Je suis secouée jusque dans les extrémités de mes pieds.
- Unité de sensation dans tout le corps.
- Tout le corps. Chaque parcelle de peau devient sensible.
- Tout le corps tremble.

- Tout le corps et l'esprit.
- Des neurones à la pointe des orteils.
- Tout le corps se libère.
- Cela se diffuse dans toutes les parties.

Variabilité, encore et toujours. Certaines voient s'embraser le centre du corps, d'autres tout le bas du corps, d'autres tout le haut du corps, d'autres le corps entier, d'autres des zones disjointes, comme des catadioptres disposés çà et là. La tête éclate ou ne participe pas. La peau devient hypersensible ou n'est pas mentionnée. Les seins, le cou, la bouche, les oreilles, le nez, les fesses, l'anus, le dos, les cuisses, les orteils... peuvent être aux premières loges ou bien inexistants. Chaque cartographie est différente et se modifie au cours du temps.

Quelle est la position type adoptée au moment de l'orgasme ?

Sur l'ensemble des répondantes, 12 % disent qu'elles ne peuvent pas identifier une position type et/ou qu'elle est variable. Pour 88 %, il y a au moins quelques constantes qu'elles peuvent identifier. Les critères qui reviennent le plus souvent concernent la contraction des muscles (161 fois), la position des jambes (152 fois), l'extension du corps (151 fois), la position du bassin (147 fois), la position de la tête (133 fois), puis la position des bras (64 fois).

Par rapport au total des répondantes sur chaque critère, les répartitions sont les suivantes : muscles contractés (84 %) ou relâchés (16 %). Jambes écartées (75 %) ou jambes serrées (25 %). Corps en extension (85 %) ou bien replié (15 %). Bassin basculé vers l'avant pour 80 %, basculé vers l'arrière pour 20 %. Tête basculée en arrière (78 %) ou tête penchée vers l'avant (22 %). Bras tendus (58 %) ou pliés (42 %).

- Souvent corps tendu, jambes serrées, mais pas toujours, en fait il n'y a pas de position type sauf quand je me masturbe et là c'est pour que cela arrive plus vite.

- Jambes ouvertes généralement en couple, jambes fermées uniquement quand je suis seule.
- Le corps tendu et les doigts des pieds et des mains écartés.
- Je jouis en missionnaire. Tout mon corps se contracte. Bassin vers l'avant, jambes écartées mais qui se rassemblent autour de celles de mon partenaire (c'est même parfois difficile pour lui de rester en moi tant la contraction est forte), je tire avec ma main gauche sur quelque chose (bras du partenaire, barreau, coussin...) et ma tête se redresse et parfois se tourne vers la gauche.
- Mon corps se replie et se resserre pour coller à mon partenaire, le serrer avec mes bras et mes jambes, tous mes muscles se contractent, bassin vers l'avant, tête en arrière.
- Pas de position type, mais muscles toujours contractés.
- À califourchon, corps replié sur le partenaire.
- Impossible de le dire, nombreuses sont les positions qui peuvent mener à l'orgasme.
- Jambes écartées, un bras replié sur les yeux.
- Corps tendu, jambes tendues et serrées, bassin vers l'avant, muscles très contractés, tête vers l'arrière. Même position prise lors de l'accouchement de mon fils, au grand regret de l'accoucheuse. Mon fils est sorti en « boulet de canon », quasi sans poussée.
- Semi-couchée, jambes écartées le plus vite possible, le ventre se contracte comme pour faire des abdos, la tête vers l'avant. Un peu comme pour pousser.
- Étant donné qu'il est clitoridien, n'importe quelle position.
- Juste avant : tendu, muscles contractés, tête vers l'arrière. Au moment de l'orgasme : repli, jambes qui se serrent (quand c'est possible), bassin vers l'avant.
- Corps tendu, jambes écartées, bassin en avant, super contractée... pire qu'une séance d'abdos.
- Pendant la montée, corps tendu, bassin vers l'arrière, tête en arrière. Et juste avant l'orgasme, le corps se replie sur lui-même vers le bassin.
- Tendu, cambré (bassin vers le haut, tête vers l'arrière). Aucune idée de la position de mes jambes et de mes bras car je gesticule dans tous les sens !

- Pas d'orgasme, ou beaucoup moins intense, si j'ai les jambes ouvertes.

Le cas particulier des jambes serrées peut paraître étonnant. C'est une constante des enquêtes sur la sexualité. Déjà en 1974, l'enquête de Shere Hite avait montré que 30 % des femmes avaient besoin de serrer les jambes pour parvenir à l'orgasme. Est-ce que cela dépend des insertions musculaires de la région génitale ? De l'anatomie interne de chacune ? Des expériences de masturbation qui induiraient une position plutôt qu'une autre ? Personne n'en sait rien. C'est simplement un fait qu'il faut accepter. Mais le passage vers d'autres positions par le biais d'exercices de masturbation n'est pas à négliger. Si l'on a envie d'apprendre à jouir en écartant les jambes, on peut s'y entraîner toute seule, quitte à endurer quelques moments de frustration au début.

La plupart des femmes insistent sur la très grande contraction des muscles de tout le corps, mais une minorité insiste sur exactement le contraire : un relâchement total.

- Je n'y arrive quasiment qu'en étant au-dessus, en appui sur mes bras, les jambes allongées de chaque côté des jambes de mon partenaire. L'orgasme arrive dans la décontraction, et pendant que je jouis, j'apprécie que mon amant reprenne le rôle moteur.
- Couchée sur le dos, le corps entier est relâché et décontracté.
- Lorsque je jouis très fort (fontaine), je me sens totalement relâchée et je regarde mon homme droit dans les yeux.
- La position n'a pas d'importance tant qu'elle permet un relâchement total.
- Pas de position type mais plutôt relâchée.
- Muscles relâchés complètement mais des tremblements incontrôlés du corps.
- Jambes écartées, muscles relâchés, tête de côté.
- Les jambes écartées et légèrement relevées, le corps totalement relâché, « ouvert », tête vers l'arrière.

- Détendue, tous les membres du corps sont complètement relâchés.
- Complètement relaxée.
- Je n'ai pas de position préférée, je dois être détendue corps et âme.

L'apparente contradiction entre muscles contractés et muscles relâchés s'éclaire (ou non) par l'expérience de certaines qui décrivent les deux.

- Jambes écartées, bassin vers l'arrière, muscles contractés (pendant longtemps, je ne pouvais jouir que comme cela : en contractant. Maintenant, je peux jouir en lâchant prise, en décontractant tout).
- Tendu, jambes serrées la plupart du temps (cela accélère mon orgasme), muscles contractés, tête vers l'arrière. Deux ou trois fois j'ai pu expérimenter un orgasme dans une hyperdétente (après une soirée arrosée) et là je ne peux plus décrire l'état de mon corps au moment de l'orgasme mais je peux en revanche me souvenir que c'était plus que tout, intense comme jamais, et long... bien plus long que d'habitude. Je me suis surprise à pousser des cris de plaisir. C'étaient des cris assez intenses, sans contrôle, et dans un laisser-aller extraordinaire.
- Les jambes plutôt écartées, avec le bassin en avant, bras tendus. Quant aux muscles, ils peuvent être contractés ou relâchés, cela dépend.
- Corps tendu, jambes serrées, bassin vers l'arrière, muscles contractés ET relâchés (difficile).
- En Andromaque, tête en arrière, hyperlordose et détendue.
- Tendu et en même temps relâché.
- Pendant vingt ans, j'ai joui avec tous les muscles de mon corps hypercontractés, que ce soit de façon purement clitoridienne ou bien clitoridienne et vaginale combinée. Récemment, j'ai essayé de me masturber en utilisant un gode en plus du vibromasseur sur le clitoris. Et il m'est arrivé trois ou quatre fois de jouir d'une manière différente. Quand le gode a buté de nombreuses fois sur le fond de mon vagin, je sens monter un orgasme très puis-

sant, qui arrive comme une vague de dilatation, et pas de contraction. J'ai l'impression que mon vagin s'ouvre comme une bouche. Je sens une pulsation à l'intérieur, comme si mon utérus était un cœur battant lentement, et tout le reste est dilaté, totalement ouvert. C'est un orgasme très étonnant.

D'autres témoignages mettent l'accent sur l'alternance des deux, dans un sens ou dans l'autre.

- Il y a contraction et puis décontraction. Il faut lâcher prise pour passer le cap. Juste avant, c'est tendu, puis tout se relâche.
- Tout se relâche, mouvements, muscles... et par après se recontracte.
- Corps tendu, jambes écartées, bassin vers l'avant, crispation qui se relâche.
- Bassin vers l'avant, jambes tendues, muscles relâchés puis tendus, tête vers l'arrière, bras détendus.
- Moi sur lui vers l'avant, sur mes bras, tous mes muscles se tendent et puis se détendent en un coup. J'essaie de bouger le plus lentement possible.
- Jambes tendues et repliées, une alternance de contractions et de relâchements volontaires avant l'orgasme.

Certaines décrivent deux positions en fonction de deux types d'orgasmes.

- Seule : jambes serrées et tendues. En couple : jambes écartées, muscles contractés.
- Type 1 : corps replié, jambes écartées, bassin vers l'avant, muscles contractés, tête vers l'arrière, bras repliés. Type 2 : corps tendu, jambes serrées, bassin vers l'arrière, muscles relâchés, tête vers l'avant, bras tendus.
- Orgasme clitoridien : corps tendu jambes légèrement repliées. Orgasme vaginal : allongée sur le ventre, jambes serrées.
- Clitoridien : corps replié légèrement, jambes un peu serrées, muscles contractés, tête en arrière. Vaginal : corps étendu, jambes écartées, beaucoup plus relâchée, tête vers l'avant, bras en croix.

- Orgasme vaginal : toutes les positions. Avec une prédilection pour la position où je suis couchée sur le ventre, jambes l'une contre l'autre, et mon partenaire accroupi sur moi. Et mieux encore s'il met ses mains sur ma nuque ou me tire les cheveux ! Et le meilleur : en levrette et sodomisée. Détail : je ne suis jamais parvenue à l'orgasme vaginal seule, en me masturbant. Orgasme clitoridien : par contre là, c'est le contraire, j'ai des difficultés à y arriver si c'est quelqu'un d'autre qui me masturbe. Pour jouir clitoridiennement, je dois être debout ou couchée sur le dos, mais surtout avoir les jambes très tendues, les muscles de mes jambes et de mes fesses doivent être très contractés sinon je n'y arrive pas, et pousser mon bassin vers l'avant.
- Clitoridien : plutôt tendu vers l'objectif final. Vaginal : plutôt détendu, prêt à recevoir le bonheur de l'instant.
- Clitoridien : sur le dos, jambes écartées, cambrée, pour les muscles je ne sais pas trop, tête vers l'avant. Éjaculatoire : sur le dos ou presque assise, jambes écartées, pas cambrée, les muscles relâchés, tête en arrière.
- Deux attitudes peuvent survenir : 1) tendue, muscles très contractés, jambes serrées, bassin tendu en avant ; ça n'en est pas nécessairement moins bien ; 2) ouverte, relâchée, jambes écartées, bas-ventre plutôt rentré, bouche ouverte.
- Avec mon partenaire : jambes écartées, je suis plutôt ouverte, très accrochée à lui, tête relevée vers lui, souvent en dessous, lui au-dessus. Orgasme par l'anus : je ne peux rien faire, ça vient tout seul, dans n'importe quelle position, c'est rigolo. Seule, je suis très tendue des muscles, jambes écartées aussi.

Si 88 % des répondantes identifient des constantes dans leur position au moment de l'orgasme, elles sont loin de se ressembler. On peut néanmoins repérer quelques positions qui reviennent régulièrement, comme celle de l'arc (que l'on qualifiait d'arc hystérique) : tout le corps tendu, bassin poussé en avant, tête en arrière, comme dans le saut de l'ange, jambes ouvertes ou fermées. Louise Bourgeois a sculpté une version exacerbée de cette position avec son *Arch of Hysteria,* où le pubis est le point le plus haut du corps qui forme un pont très arqué. Une deuxième position montre le corps tendu également, bassin poussé en avant, et la tête est ramenée vers l'avant sur la poitrine, les omoplates étant en appui au sol, l'axe du corps formant un S, jambes ouvertes ou fermées. Une troisième position où le bassin est ramené vers l'arrière, tête toujours en avant, les épaules légèrement soulevées, la colonne vertébrale formant une courbure concave inverse de celle de l'arc, proche de la position de l'accouchement, jambes ouvertes ou fermées. Une dernière position dans cette série, où le haut du corps est nettement soulevé en appui sur les coudes ou les mains, et tout le corps replié en position semi-assise, la tête étant rejetée en arrière ou bien repliée sur la poitrine, et les jambes à demi pliées. Puis la position à califourchon, jambes repliées, dos courbé, tête en avant ou en arrière. Voilà pour quelques grandes lignes parmi les positions adoptées au moment de l'orgasme. Quant à l'activité musculaire, on peut s'étonner des contrastes rencontrés. Pour la majorité des répondantes, les muscles *doivent* être extrêmement contractés, à la limite des possibilités, pour que l'orgasme survienne. Pour une minorité, les muscles *doivent* être totalement relâchés. Et pour certaines, il y a possibilité des deux, ou alternance des deux, ou simultanéité des deux ! C'est assez déconcertant. Si l'on n'est pas une femme, il semble impossible d'y rien comprendre, et si l'on est une femme... à peu près tout autant. Chacune fonctionne différemment, c'est de plus en plus patent. On peut faire l'hypothèse que l'expérience de la décontraction recouvre deux choses distinctes, d'une part la jouissance vaginale, plaisir plafonnant que nous avons décrit, et d'autre part l'orgasme profond, qui est un réflexe orgasmique déclenché par un certain type de stimulation vaginale et qui se manifeste par un comportement inverse de l'orgasme habituel : dilatation de l'entrée du vagin et resserrement du fond avec descente de l'utérus. Cette hypothèse reste à confirmer lors de recherches à venir.

Et les yeux ?

Les yeux sont fermés pour 70 % des répondantes, ouverts pour 9 %, et chez 21 % ils peuvent être ouverts ou fermés.

- Yeux fermés (la lumière me fait mal aux yeux pendant l'orgasme).
- Les yeux fermés pour profiter pleinement des sensations.
- J'ai essayé de garder les yeux ouverts : impossible.
- Les yeux fermés. Cela aide à plonger dans les sensations.
- Les yeux fermés pour la concentration.
- Les yeux fermés bien sûr.
- Plutôt les yeux fermés (j'ai besoin d'une certaine concentration).
- Les yeux fermés ou ouverts, cela dépend si je fantasme ou pas.
- Yeux souvent fermés je pense, quoique j'aime le regarder, voir son visage, ses traits, ses grimaces à lui...
- Les yeux des fois fermés mais souvent je cherche à regarder mon copain dans les yeux si la position le permet.
- Souvent fermés, sauf pour voir le désir et les efforts et mouvements de l'autre.
- Yeux fermés ou ouverts pour regarder mon partenaire dans les yeux.
- Mes yeux sont ouverts pour communiquer avec mon partenaire, fermés si je veux me concentrer sur moi.
- Yeux fermés, que j'essaie d'ouvrir parce que j'aime regarder mon homme et lui montrer le plaisir dans mes yeux.
- Yeux fermés la plupart du temps et ouverts quand je veux que mon homme me regarde dans les yeux.
- En général j'ai les yeux fermés, mais s'il s'agit d'un rapport en missionnaire j'adore regarder mon partenaire dans les yeux et jouir en même temps que lui.
- Yeux souvent fermés, mais récemment ouverts.
- Yeux – dépend du partenaire.
- Yeux fermés quand je suis seule. Quand je suis avec un partenaire, ça dépend. Ça peut être très excitant d'avoir un orgasme avec le regard rivé dans celui de l'autre.

- Yeux ouverts quand je suis face à mon partenaire, fermés sinon.
- Yeux ouverts ou fermés suivant position.
- Au moment de l'orgasme, souvent je regarde profondément mon partenaire et je crie.
- Les yeux sont alternativement fermés et ouverts.

Et la voix ?

8 % des répondantes déclarent jouir en silence, 72 % émettre des râles, soupirs ou gémissements, 46 % pousser des cris, 11 % prononcer des mots articulés (ces trois dernières catégories sont cumulables). Le silence est une habitude pour certaines.

- Aucun bruit et les yeux fermés pour bien me concentrer.
- Je suis plutôt silencieuse (une habitude du pensionnat ?).
- Je fais peu de bruit mais je pense qu'avec un autre partenaire je me lâcherais plus. C'est parce que mon partenaire actuel est très silencieux et qu'il trouve les bruits de l'amour vaguement ridicules (et puis qu'il y a les enfants) que j'ai appris à mettre la sourdine...
- Les yeux fermés, un soupir et puis sans bruit.
- Je ne suis pas bruyante mais mes halètements excitent beaucoup mon partenaire.
- Moi qui suis assez bruyante lorsque j'ai du plaisir, je suis quasiment muette si j'ai un orgasme.
- J'aime le silence du souffle coupé.
- Aucun bruit.
- Je peux émettre un soupir mais les circonstances m'ont appris à jouir en silence (j'ai vécu avec mon compagnon chez ses parents et puis rapidement présence des enfants dans une maison avec pièces mal isolées).
- Non, pas spécialement de bruit.
- Je ne suis pas très bruyante.
- Pas de bruit, ou à la rigueur des soupirs.

Les cris sont courants pour d'autres.

- Je mords les oreillers depuis que j'ai des enfants sinon je hurle !
- Je dois faire du bruit car ça a gêné la plupart de mes partenaires qui m'ont demandé de me taire... mais en fait ça m'échappe si je me laisse aller au plaisir.
- Cris incontrôlables.
- Grands cris jusqu'à la tête qui tourne.
- Plus l'orgasme est fort, plus je crie (embêtant pour les voisins).
- Je hurle un long cri.
- Avant jamais ou presque jamais, maintenant que je connais l'orgasme vaginal, je partage mon bonheur volontiers par des râles de bonheur.
- Soupirs (si des gens peuvent entendre), sinon un long cri.
- Oui, je fais du bruit : halètements, miaulements, cris...
- Pour l'intensité des bruits, tout dépend de là où on est, mais c'est plus fort quand je fais du bruit.
- Cris qui peuvent être assez stridents !

D'autres commentaires.

- Assez discret, petits gémissements, surtout quand je sens qu'il vient.
- Parfois beaucoup (cris), parfois aucun (suspension de la respiration ; tout s'arrête).
- Je fais du bruit pour faire plaisir à mon partenaire qui me caresse et pour lui indiquer si c'est meilleur ou moins bon... sinon ce n'est pas nécessaire !
- Oui, mon compagnon m'a apporté cela et c'est vrai que ça apporte un mieux (halètements, soupirs, mais peu de mots...). Justement, il me demande parfois de dire pendant l'acte ce que je ressens : impossibilité absolue ! Cette demande peut anéantir tout simplement mon accès au plaisir.
- Oui, j'aime exprimer que j'ai bon.

À propos des mots articulés.

- Cris, halètements, râles soupirs, jappements, mots articulés (mais je ne suis pas consciente de ce que je dis car je serais incapable de répéter ce que j'ai dit ou fait).

- Il m'arrive d'articuler des mots d'amour vers la fin de l'orgasme.
- J'aime dire que je vais « partir ».
- Pendant l'orgasme, je pousse un grand cri qui part souvent du mot « oui ».
- Souvent je lui précise « ça vient » pour qu'il ne s'arrête surtout pas.
- Un cri et « non », je crois.
- Cris (mots articulés quand il faut être discret).
- Je souffle le nom de mon amoureux.
- Soupirs, halètements, mots excitants.
- Je crie, je souffle, je sors des mots.
- Mots : oui, j'aime.

Les manifestations physiques au cours de l'orgasme sont très diversifiées, y compris dans l'intensité sonore ou l'envie de regarder l'autre. Ces deux derniers points sont manifestement peu liés à la mécanique de l'orgasme lui-même, ils ne participent pas des stimulations des nerfs qui réalisent le réflexe orgasmique, mais ils sont tout autant variables et parfois déterminants que les stimulations premières. On peut être empêchée de jouir si on doit ouvrir les yeux alors qu'on voudrait les fermer, ou si l'on doit s'exprimer alors qu'on voudrait se concentrer, ou au contraire si l'on doit se retenir alors qu'on voudrait éclater. Il y a un scénario du plaisir qui inclut jusqu'à ces manifestations annexes et qui peut se montrer souple, mais seulement jusqu'à un certain point. Les types de soupirs, halètements ou grognements eux-mêmes sont caractéristiques d'une personne et de sa façon de monter au plaisir. À cet égard, les hommes possèdent sans doute un répertoire aussi étendu que les femmes, car les vocalisations ne conditionnent pas l'éjaculation et n'ont pas été sélectionnées par l'évolution. À celles qui ont connu beaucoup d'hommes, il a été donné d'entendre toutes sortes de sérénades, et chacune reconnaît presque à coup sûr la séquence respiratoire et sonore qui annonce l'approche de l'orgasme chez son partenaire.

LA VOIE D'ACCÈS

Quelle est la voie privilégiée d'accès à l'orgasme ?

Comme une montagne, l'orgasme peut s'aborder par la face nord, la vallée sud ou le passage du nord-ouest. Une majorité des femmes de notre enquête ont une voie d'accès privilégiée (79 %), le reste déclarant deux ou trois modes d'accès possibles de façon habituelle (21 %). La voie d'accès préférentielle est dans 53 % des cas clitoridienne pure, dans 14 % des cas clitoridienne combinée avec une stimulation vaginale, dans 4 % clitoridienne combinée avec une stimulation des seins ou anale, dans 6 % des cas vaginale pure. Quand il y a plusieurs voies d'accès possibles de façon habituelle, c'est dans 11 % des cas vaginale ou clitoridienne et dans 10 % des cas vaginale ou clitoridienne ou anale.

- Ce qui marche le mieux, c'est le cunnilingus. Le top, c'est cunnilingus plus toucher anal plus doigts dans le vagin.
- Pénétration profonde et lente.
- Une stimulation clitoridienne et caresse des seins, ça marche à tous les coups.
- Ce qui marche le mieux : le clitoris et l'anus.
- Clitoridienne et vaginale en même temps, c'est là que c'est le plus fort.
- Stimulation clitoridienne, mais accompagnée ou plutôt précédée par une stimulation douce du bout des seins (les deux symétriquement, un seul ça ne marche pas).
- Stimulation clitoridienne + doigt stimulant le point G. Moi je crois maintenant qu'il existe, n'en déplaise aux études scientifiques.
- D'abord une forte stimulation clitoridienne suivie d'un frottement intense sur le point G avec trois doigts en appuyant sur le bas-ventre et en me pinçant le bout des seins.
- La stimulation clitoridienne est *sine qua non* chez moi. Elle peut suffire. Mais, en général, le plus fréquent et le

plus « efficace » est quand il y a en même temps stimulation vaginale (parfois avec stimulation des mamelons, ce qui accélère la venue de l'orgasme, et plus rarement avec stimulation anale, mais ces deux-là sont facultatives).

- Stimulation clitoridienne d'abord et ensuite vaginale, tout en continuant de stimuler le clitoris. Hors du clitoris point de salut.
- Stimulation clitoridienne en grande partie, mais avec un peu de stimulation vaginale et anale.
- Clitoridienne, mais s'il y a pénétration en même temps (qui peut être fantasmée) cela accélère fort l'orgasme car cela oblige à la décontraction.
- Stimulation clitoridienne et vessie pleine.
- La plus efficace : stimulation clitoridienne et vaginale en même temps.
- Stimulation clitoridienne, mais si elle est accompagnée de plein d'autres stimulations (vaginale, anale, des seins, etc.) l'orgasme arrive d'autant plus vite.
- Je me frotte avec mon sexe sur son sexe, juste en dessous du clitoris, avec une stimulation surtout au sein droit. Cela peut se passer une fois que l'éjaculation a eu lieu et que le pénis est encore dur, ou bien avant l'éjaculation.
- Morsures légères des tétons, baisers dans le cou ou dans l'oreille suivis ou simultanés à une stimulation clitoridienne.
- Un orgasme ne peut pas se déclencher par l'anus. Starter clitoridien puis diffusion conductrice vaginale (le clitoris enserre le vagin comme une broche, n'est visible que la pointe au-dessus du méat urinaire).
- Stimulation clitoridienne + mamelons + éventuellement vaginale en même temps.
- Que l'orgasme soit purement clitoridien ou non, c'est toujours le clitoris qui est au centre de l'orgasme, la seule différente est que cela peut être une stimulation externe ou interne du clitoris. Ma stimulation type est clitoridienne et début de pénétration (frottement des lèvres).
- Vaginale, et très rapidement quand je suis sur le partenaire et qu'il vient buter au fond du vagin.

- En couple, la position du missionnaire m'y a amenée, mais celle où je suis sur mon partenaire est quasiment garantie à chaque fois.
- Toujours clitoridienne (mais il se déclenche plus vite avec une stimulation anale en même temps, où quand j'ai regardé du porno avant).
- Clitorido-vaginal est celui que je préfère.
- Stimulation clitoridienne, vaginale aussi, et parfois stimulation anale.
- Spasmes vaginaux... et apparemment mon dernier amant n'avait jamais ressenti cela.
- Souvent avec des gestes tendres, une stimulation clitoridienne d'abord, et ensuite lors de la pénétration, j'explose.
- Stimulation clitoridienne, vaginale, caresses générales et succion des seins.
- Stimulation clitoridienne par cunnilingus quand je suis sur lui.
- En couple, il me faut les deux à la fois, clitoridienne et vaginale.
- Avec mon partenaire, tout commence par une stimulation clitoridienne, puis les zones érogènes, les seins, puis une pénétration avec frottement clitoridien, attouchement anal, stimulation fantasmagorique : on se raconte des trucs qui nous excitent et c'est gagné.
- Stimulation clitoridienne et vaginale, c'est l'idéal.

Est-ce une voie unique ?

On peut avoir une voie d'accès privilégiée et en utiliser d'autres occasionnellement par ailleurs. Mais on peut aussi n'accéder à l'orgasme que par cette seule voie. Pour 37 % des répondantes qui ont une voie privilégiée, cette voie d'accès est unique, tandis que pour 63 % il y a plus d'une voie d'accès possible. La voie unique est souvent considérée comme provisoire.

- C'est la seule méthode, pour atteindre l'orgasme je dois toujours en passer par le clitoris.

- C'est la seule... mais on verra, la trentaine est très intéressante de ce point de vue... Affaire à suivre.
- C'est la seule jusqu'à présent.
- La seule découverte jusqu'à présent.
- La seule à ce stade.
- Je dirais que c'est la seule (mon orgasme anal à 28 ans était on va dire un mini-orgasme comparé aux orgasmes clitoridiens).
- Pour le moment clitoridienne (pas encore d'autre orgasme).
- C'est la seule, je n'ai aucune sensibilité vaginale.
- Ça passe toujours par une stimulation clitoridienne.
- C'est la seule.
- C'est possible seulement par la stimulation clitoridienne.
- La seule, pour l'instant du moins.
- Pour le moment, c'est la seule (je compte bien que ce ne sera pas toujours le cas !).
- La stimulation clitoridienne est indispensable, associée ou non à d'autres.
- Pas d'orgasme si le clitoris n'est pas stimulé en même temps que d'autres parties du corps.

Un autre accès est parfois possible mais moins facile.

- Je peux dire aussi voie vaginale, mais alors tout dépend des proportions du corps introduit : pas trop gros ; je dois le sentir de partout, pas trop long pour ne pas titiller les amygdales à vomir, juste une stimulation du col ou du cul-de-sac postérieur.
- Je peux jouir lors d'une pénétration si mon clitoris est stimulé par mes doigts ou ceux de mon partenaire, ou par le frottement de son corps.
- Voie vaginale : avec un homme avec un sexe bien grand j'y arrive sans souci. Les petits sexes ne me font strictement aucun effet, désolée.
- Vaginale quand je suis en forme.
- Rarement vaginal, mais d'abord stimulation clitoris nécessaire. *Idem* pour anal.
- Ça arrive que cela soit vaginal mais c'est plus rare.
- Vaginal, mais beaucoup plus difficile.

- La stimulation vaginale par doigté est possible aussi.
- Aussi avec un gode.
- Une fois de temps en temps (rare) pendant la pénétration vaginale.
- Il y a d'autres façons, mais c'est du travail.
- Vaginale aussi, mais plus rare.
- Clitoridien, c'est pratiquement à tous les coups, vaginal, parfois plus difficile, mais je préfère.
- Avec pénétration, mais il faut que le sexe soit dur et gros. Avec un gode aussi.
- Par stimulation clitoridienne seulement, SAUF si je fantasme ou suis très stimulée par des préliminaires qui excitent mon clitoris sans stimulation directe, je peux alors jouir par pénétration directement.
- Rarement vaginale.
- Très rarement stimulation vaginale.
- Vaginale aussi de temps en temps mais ça demande plus d'efforts et de temps.
- La stimulation clitoridienne est de loin la principale et la plus efficace.
- Parfois, c'est vaginal, rarement anal mais c'est arrivé (en même temps que vaginal).
- Clitoridienne, anale, rarement vaginale.
- Analement et clitoridiennement sont aussi possibles, mais à condition que je sois mentalement prête et disponible (ce qui n'est pas toujours le cas).
- C'est possible par pénétration, mais je dois chercher avec mon corps pour que son pénis stimule mon clitoris par l'intérieur (plus compliqué car il est plus petit à l'intérieur).
- La stimulation anale peut également faire son effet (quand je n'ai pas d'irritation à ce niveau-là !).
- Vaginale parfois seulement, mais plus difficile.
- Vaginal très rarement.
- J'ai eu deux orgasmes vaginaux dans ma vie. Une fois, mon partenaire s'est endormi alors que je le chevauchais et cela m'a flanquée en rage ! J'ai continué et j'ai joui. La deuxième fois (autre partenaire), ça durait si longtemps et j'avais déjà fait semblant, je me sentais sans obligation vis-à-vis de lui et c'est venu... Je n'ai plus su répéter cet exploit.

Ou bien cet autre accès est moins satisfaisant.

- Aussi par caresse clitoridienne, mais c'est moins fort.
- Vaginal aussi, mais c'est moins intense.
- Je peux jouir avec stimulation clitoridienne seule également, mais c'est moins bon.

Certaines soulignent une évolution.

- Depuis toujours *via* le clitoris, mais mes deux derniers amants ont éveillé le plaisir vaginal (enfin).
- Pour le moment : en étant stimulée à plusieurs endroits en même temps (bout des seins et clitoris en même temps que pénétration).
- Stimulation clitoridienne principalement, progressivement vaginale (depuis peu), jamais anale, je n'aime pas du tout.
- Clitoridienne avant et depuis deux ou trois ans vaginale.
- Cela a évolué au long des années en dehors de la zone vaginale, les seins sont très importants, ils pourraient à eux seuls déclencher l'orgasme.

Puis viennent celles (21 %) qui ont plus d'une voie d'accès possible de façon habituelle.

- Vaginale, ou vaginale + clitoridienne (très efficace) ou vaginale + anale (gros gros orgasme en vue alors) ou anale tout court.
- Vaginale quand c'est en couple, clitoridienne quand je me masturbe.
- Souvent vaginale, mais tout déclenche.
- Après un orgasme clitoridien, j'atteins plus facilement un orgasme vaginal.
- De diverses façons ; tout est possible selon les circonstances, les partenaires, le fait de faire l'amour avec un homme ou une femme, d'avoir un ou plusieurs partenaires simultanément, etc.
- Plusieurs façons : visuelle, tactile, orale, anale... tout, c'est un état d'esprit.
- Par masturbation aussi, bien sûr, et pénétration aussi. La sodomie, c'est pas pareil mais agréable dans son genre.

Mais en fait c'est imprévisible, et c'est ça qui est chouette, j'ai encore la possibilité de découvrir plein d'autres façons.

- Découverte il y a environ un an et demi d'un VÉRITABLE orgasme anal (*via* un rapport « fortuit » avec mon partenaire) et depuis, assez fascinée par sa puissance.
- Les trois, mon capitaine.
- Clitoridienne/clitoridienne-vaginale/vaginale-anale.
- Oui, clitoridienne seule, vaginale seule, vaginale et anale.
- Clitoridienne l'orgasme est moins fort et plus doux. Vaginale et clitoridienne l'orgasme est plus fort. Vaginale, clitoridienne et anale une autre jouissance douce et forte.
- Tout dépend de la position. Quand je suis en Andromaque, la stimulation est entièrement vaginale. En levrette, la stimulation est clitoridienne et vaginale.
- Possible clitoridienne pure, clitorido-anale, vagino-anale.
- Clitoridienne, vaginale, anale, bout des seins, tout est possible ensemble ou séparément.

Par ailleurs, l'orgasme dépend aussi du contexte.

- Vaginale + les mots susurrés à l'oreille, plus l'imagination.
- Par stimulation clitoridienne généralement. Les préliminaires jouent également un rôle très important.
- Généralement stimulation clitoridienne et/ou anale, mais le mental et les fantasmes jouent beaucoup.
- Stimulation clitoridienne ou vaginale, jamais anale, contexte de caresses et de confiance avant d'arriver à être moins « cérébrale » sont un atout pour que j'arrive à l'orgasme.
- Stimulation vaginale après caresses et tendresse.
- Une stimulation clitoridienne soutenue et une stimulation cérébrale particulière, je suis plus dans la projection que dans le concret.
- La stimulation cérébrale est aussi très importante.
- La situation dans laquelle se passe la relation sexuelle joue beaucoup (lieu, circonstances...).
- Pour moi c'est lié au rythme et à la progression rythmique des mouvements des corps, s'il y a synchronisation ou pas.
- La pénétration tactile fait partie du déclenchement de l'orgasme.

- Stimulation clitoridienne et de préférence situation où je me sens plus en position dominée (rien d'extravagant pour autant, j'aime sentir que je suis dans les bras d'un homme et qu'il est plus fort que moi).
- L'imaginaire joue un rôle important.
- Anale quand il y a un très fort degré d'excitation dans les préliminaires.
- Stimulation vaginale et/ou clitoridienne, ET tendresse : baisers, caresses et mots doux.
- Possibilité d'être surprise durant l'acte (lieux insolites...).

La diversité des scénarios parle d'elle-même. Déjà, il peut y en avoir un ou plusieurs, et même quand il y en a un seul qui marche bien, cela recouvre une foule d'approches très différentes. Votre façon d'accéder à l'orgasme ne ressemble pas à celle de votre voisine, c'est à peu près sûr et certain. Il faut donc s'en remettre à soi-même pour découvrir comment on fonctionne, et non à un quelconque modèle. On comprend mieux que, par rapport aux hommes, les femmes doivent souvent en passer par tout un parcours de découverte et d'apprentissage. L'orgasme est rarement donné. Il va se cueillir comme une fleur dont on ignore le biotope. Quand on l'a découvert, compris, maîtrisé, on peut, comme le disaient certaines femmes à propos de leur fréquence orgasmique au début de l'enquête, aller le chercher quel que soit le partenaire. Soit qu'on lui demande les bons gestes, soit qu'on se procure naturellement les bonnes stimulations en adoptant les positions ou les gestes favorables soi-même. Il faudrait toutefois nuancer cette « indépendance » en précisant deux choses. Premièrement, un partenaire expérimenté et attentionné peut accélérer l'apprentissage en proposant des scénarios, des gestes, des configurations auxquels on n'aurait pas pensé soi-même, ou que l'on aurait pas osés ou pas eu envie d'essayer, et qui apportent des découvertes, voire des révélations. Deuxièmement, un partenaire qui éveille, du seul fait de sa personne, une fièvre érotique intense (cette alchimie des sens qui ne s'explique pas) accroît fortement les chances de déclenchement orgasmique. Mourir de désir est le meilleur aphrodisiaque connu à ce jour. L'autonomie orgasmique des femmes dans la relation sexuelle est une possibilité, mais il serait dommage de sous-estimer les pouvoirs d'embrasement d'un compagnon bien choisi…

L'orgasme sans sexe ?

L'orgasme sans stimulation génitale est rare. 68 % des répondantes n'en ont jamais connu. Dans les 32 % qui en ont déjà eu, ce phénomène est rare ou très rare pour la plupart (24 %) et il passe par une stimulation des seins dans le tiers des cas (11 %).

- Surtout les seins (hypersensibles) : c'est fréquent. Et si je n'ai pas de désir sexuel, il suffit de me titiller les mamelons pour que je devienne excitée (ce qui n'est pas spécialement le cas avec le clitoris ou le vagin).
- Oui, par des caresses des seins, une seule fois avec un partenaire extraconjugal.
- Oui, sur les seins. Mais ce qui est vraiment rare, c'est de tomber sur un homme que ça intéresse !
- Oui, mamelons et faces internes des cuisses.
- Seins, fréquent, suis très sensible.
- Seins, parfois, après un premier orgasme.

Dans les autres cas, on trouve diverses parties du corps, parfois étonnantes.

- Oui, par les mains ou les hanches, rarement.
- Oui, par des caresses sur tout le corps, c'est rare.
- Oui, plutôt rare, avec des caresses sur les hanches, le dos, nuque, tête, oreilles. Pas du tout la poitrine…
- Oui, les seins (partie importante de mon corps lors des relations sexuelles), la bouche, le cou… et absolument pas les oreilles (effet désagréable).
- Avec un de mes derniers partenaires, mon orgasme se déclenchait en même temps que le sien quand je pratiquais sur lui une fellation, et parfois même je devais l'attendre.

L'abnégation à ce point-là, je n'y crois toujours pas, mais ça a marché pendant plus d'un an !

- Deux fois j'ai été sur le point de jouir lors d'une danse style samba, avec contexte de soirée et d'amour (je dansais avec un amoureux).
- Seins, bouche, oreilles, c'est régulier.
- Régulièrement, lorsque je fais une fellation et que le plaisir du partenaire est contagieux.
- Juste par effleurements autour du sexe sans le toucher du tout, mais rarement plus d'une fois.
- Oui, la nuque, souvent.
- Aussi en prodiguant une fellation sans me toucher, simplement en donnant.
- Parfois juste pendant un massage, je jouis sans avoir été pénétrée.
- Oui, par des caresses sur toutes les parties du corps avant la pénétration.
- Oui, mais rare, parce que mes partenaires n'ont pas trop insisté. Mais si mon partenaire me « chauffe », je peux jouir sans stimulation génitale. Ça m'est arrivé quelques fois.
- Par un baiser très sensuel et long qui fait gonfler le plaisir.
- Oui, pendant des stimulations au toucher, en titillant les cinq sens.
- Oui, mais c'est presque une torture s'il n'y a pas de stimulation génitale, tant l'excitation peut devenir insupportable.
- Oui, rarement, par le baiser.
- Oui, c'est arrivé, mais le partenaire préfère jouer avec les autres zones, donc ce n'est pas arrivé souvent.
- Seins, entre-fesses, régulièrement.
- En ayant les seins caressés, et un jour lors d'un shampooing chez le coiffeur... Ce sont des orgasmes très courts (une contraction).
- Ah... le poing dans le creux du genou et l'avant-bras de mon dernier amant le long de ma colonne vertébrale... dommage qu'il soit parti celui-là ! ! !

Certaines soulignent une évolution dans le temps.

- Seins, oreilles, bouche, mais c'est plus rare aujourd'hui.
- Oui, mais c'est seulement depuis que je suis avec mon nouveau partenaire, qui embrasse vraiment bien dans la zone du cou.
- Oui, régulier avec mon dernier partenaire.
- Cou, très rare, une époque révolue.
- Oui, fréquent, et seulement avec mon compagnon actuel.
- Quand j'avais 16 ans, mon copain me touchait le bras et je montais au septième ciel.
- Quand j'étais très jeune et très excitée, avec les seins.

L'innervation des seins possède un rapport direct avec celle des parties génitales. Il n'est donc pas très étonnant que l'excitation des seins, maintenue suffisamment longtemps, puisse déclencher le réflexe orgasmique par contagion nerveuse. Pour les autres parties du corps, il s'agit d'une contagion plus improbable, qui nécessite une forte dose d'excitation et de suggestion, un état où l'orgasme n'est pas loin d'être spontané et où une faible dose de stimulation physique suffit à l'atteindre.

L'orgasme sans les mains ?

L'orgasme sans stimulation aucune existe aussi. 60 % des répondantes en ont déjà connu (mais seulement 9 % de façon régulière). Dans plus de deux tiers des cas, cela se passe en rêve (44 %). Pour 11 % cela passe par l'autosuggestion. Il y a aussi des cas d'orgasmes spontanés dus aux vibrations ambiantes, ou à un état de stress particulier.

En rêve.

- Oui, en rêve, je me réveille en pleine jouissance.
- Je fais des rêves qui me procurent des orgasmes quand je n'ai plus fait l'amour pendant un certain temps (15 jours à 3 semaines).

- Il m'est arrivé un orgasme seule en voiture en été en pensant à ce que je pourrais faire avec lui et en rêvant à des actes érotiques. Orgasme qui vous réveille garanti !
- Il m'est arrivé durant des périodes de célibat d'avoir des orgasmes en dormant, comme si le corps décidait lui-même que le temps est trop long et de régler la tension.
- En rêve. L'orgasme est différent mais difficilement caractérisable.
- Oui, rêves érotiques ou orgasmes spontanés qui me réveillent le matin. Je me frotte un peu le sexe et j'ai un nouvel orgasme... Assez fréquent.
- Oui, en rêve, c'est rare et ça réveille. Pas de souvenir d'un rêve d'orgasme m'ayant gardée endormie.
- En rêve (souvent en période d'abstinence).
- Oui, ça m'est déjà arrivé surtout quand je suis en manque de rapports sexuels.
- Oui, en rêve, c'est rare et ça me réveille toujours. Au réveil, si je touche la zone génitale, elle n'est pas du tout excitée, alors que le périnée ressent encore l'effet des contractions.
- En rêve, oui, mais c'est assez rare et cela me surprend toujours, je me réveille en souriant.
- En rêve, oui, quelquefois, mais c'est rare et moins intense qu'en vrai.
- Oui, en rêve, mais comme c'est du rêve je ne sais pas si la jouissance fut physiquement réelle.
- Quelquefois en rêve, je me réveille avec des contractions vaginales.
- Parfois simplement en rêve j'arrive à de vrais orgasmes.
- Oui, rêves quand ma sexualité réelle est au point mort.
- Orgasme très court en rêvant éveillée.

Suggestion, autosuggestion.

- Une bonne lecture ou une discussion osée dans une bonne atmosphère peuvent me donner un orgasme.
- *Via* le rêve et l'hypnose.
- Rare, mais ça arrive par des paroles ou juste de la concentration – ou dans les moments d'hormones actives, il suffit d'un rien !

- Oui, pas rare mais pas régulier non plus, en réponse à la voix et au regard.
- Film ou lecture.
- Rarement, lorsque je libère mon corps de ses tensions (balnéo par exemple) et que je retrouve ma capacité à fantasmer, en ayant du temps devant moi.
- Par suggestion (occasionnellement sur Internet).
- Oui par des suggestions, des mots crus, des situations, une forte excitation.
- Oui, suggestion, fantasme, par des mots, c'est rare.
- Par excitation mentale (films, images dans ma tête) et devant des films pornos.
- Très rare, par suggestion hypnotique en yoga.
- Lorsque je pense au plaisir que j'ai eu la veille avec un homme, j'ai l'écho de cette jouissance qui se répand dans mon ventre. Malheureusement c'est une peau de chagrin, et au bout de cinq ou six fois je n'ai presque plus de réminiscences.
- Par suggestion, occasionnellement (plus particulièrement en blocus, ou assise à mon bureau).
- En fantasmant. C'est plutôt rare.
- Une fois, en fantasmant sur une liaison qui était sur le point de commencer.
- Cela peut arriver par la force de la pensée, du fantasme.
- Par l'imagination.
- En voyant des images ou moments érotiques dans un film. Aussi en fantasmant sur un homme qui m'attire très fort.
- En visualisant (imaginant) des caresses (contacts).
- Rare, mais parfois je pense, je serre les jambes, et ouahh !
- Par suggestion, rarement et légèrement.
- Oui, c'est ce que j'appelle des souvenirs. Ce sont des retours d'excitation et de jouissance qui viennent après un moment fort avec un partenaire (ça peut revenir pendant une semaine après le rapport, comme un prolongement).
- Par suggestion, jeu de paroles.
- Une fois, rien qu'en imaginant, sans rien toucher, pour voir si ça fonctionne.
- En lisant de la littérature érotique ou certains passages évocateurs de romans divers (rarement assez bien écrits pour cela !).
- J'ai joui une fois en état d'hypnose.

D'autres orgasmes sans attouchements.

- Ça m'est arrivé quelquefois dans des situations quotidiennes (vibrations de transport).
- Oui, j'ai joui une fois dans un concert de Massive Attack, juste en me laissant emporter par la musique. Ce n'était pas l'orgasme le plus intense de ma vie, mais l'expérience la plus intense en revanche. Je ne m'en suis jamais vraiment remise !
- Parfois dans des situations de stress, voire de panique.
- En voiture.
- Une fois dans un bus.
- Vers 21 ans, suite à une forte dispute, orgasme dans le métro. Aussi dû au stress : examen de dessin quand j'avais 16 ans et hop, orgasme sur ma chaise. Autant dire que la concentration était ailleurs que sur ma feuille de dessin. J'ai d'abord profité du cadeau inattendu puis je me suis reconcentrée et j'ai réussi !
- Par contractions vaginales.
- En faisant du sport, en faisant des abdos avec un pantalon moulant et serrant.
- Une fois dans un train (dû au mouvement + stimulation mentale).
- En rêve, au téléphone, et une fois en faisant du shopping (assez effrayant, hein, heureusement que le questionnaire est anonyme).

L'orgasme est un réflexe qui, comme on l'a vu dans le chapitre 5, peut se déclencher par d'autres moyens que l'« allumage normal ». Un influx électrique directement imprimé dans la moelle épinière ou dans la zone septale du cerveau le déclenche directement. Mais d'autres techniques plus « naturelles » fonctionnent également, quoique très rarement. Il n'est pas prévu qu'un orgasme se déclenche en prenant le métro ou en allant au concert, mais ça peut arriver. Un état mental particulier, une légère vibration, et hop, le processus s'enclenche, c'est-à-dire que le seuil est atteint sans que la stimulation s'accumule par les voies nerveuses génitales ou cutanées, mais directement dans les zones du cerveau où ces voies arrivent. C'est un art du court-circuit, qui économise le génital pour démarrer au mental. On peut chercher à le cultiver. Par l'autosuggestion, l'hypnose ou les conversations cochonnes, l'excitation peut être poussée assez loin, parfois aussi loin qu'on veut. Un certain entraînement est possible, voire une pratique d'exercices progressifs, comme dans certaines méthodes de yoga tantrique qui visent explicitement à activer l'énergie sexuelle, et ce jusqu'à l'orgasme. Il existe même des cours d'orgasmes « énergétiques » où l'on se réunit à trente femmes dans un local pour arriver à jouir chacune sur sa chaise mais sans le moindre attouchement – la respiration, la musique et l'émulation aidant. Il paraît que la moitié de la salle décolle.

LA TECHNIQUE

Comme en alpinisme, chaque voie d'accès peut s'aborder de plusieurs façons différentes. À mains nues, au piolet, aux crampons, en rappel... Quelles sont les techniques les plus efficaces pratiquées en couple ? Étudions d'abord le mode de stimulation. Est-il différent d'être caressée par les doigts, le sexe, la bouche ou un objet ? Est-on particulièrement réactive à une seule technique ou à plusieurs ?

Quelle est la meilleure stimulation clitoridienne ?

Pour celles qui pratiquent la voie clitoridienne (97 % de notre échantillon), les répondantes citent comme techniques efficaces les caresses manuelles (71 %), les caresses buccales (59 %), les caresses avec le sexe du partenaire (30 %), le vibromasseur (17 %), le frottement sur le corps du partenaire (3 %).

Pour 46 % d'entre elles, il y a une seule technique qui marche vraiment bien, et c'est dans 22 % des cas les caresses manuelles, dans 18 % des cas les caresses buccales. Pour 54 %, il y a plus d'une technique qui marche bien.

- Caresse buccale, mais aussi manuelle mais aussi sur le sexe de mon mari. Il répond à toutes mes attentes. Il sait ce que j'aime...
- Manuelle ou buccale si le partenaire sait s'y prendre. Je considère qu'en ce qui concerne mon clitoris, personne ne connaît mieux son fonctionnement que moi-même.
- Caresses manuelles ou avec son sexe... les caresses buccales produisent des orgasmes TROP violents.
- Vibromasseur, puissance maxi.
- Vibromasseur, sans hésiter.
- Nous les pratiquons toutes, pour que ça ne devienne pas routinier.
- Caresse manuelle, caresse buccale si elle est bien prodiguée...
- Ce qui fonctionne le mieux : caresse manuelle (rarement buccale) accompagnée de la stimulation des seins.
- Buccale ET pénétration digitale en même temps.
- La caresse manuelle fonctionne très bien, mais c'est surtout dans une caresse par frottement du corps à corps lors d'une pénétration que je jouis avec mon partenaire. Je n'aime pas la caresse buccale car je suis trop sensible du clitoris, ça me fait mal.
- Très sensible chez moi, caresse buccale et caresse manuelle avec beaucoup de délicatesse et d'écoute de la part du partenaire, sinon irritation et cystite le lendemain.
- Les caresses manuelles ou buccales de mon partenaire fonctionnent bien, mais je ne les tolère pas toujours facilement. Parfois ça me chatouille, m'agace ou m'irrite. À deux, le vibromasseur parfois, mais pas dans une majorité de cas. Pourtant, j'atteins l'orgasme avec à tout coup. Par contre, je souhaiterais ne pas en avoir besoin.
- Tous, c'est plutôt l'état d'esprit qui compte, relâcher les pensées.
- Caresse manuelle et vibromasseur, c'est ce que nous pratiquons surtout. Parfois, il tente une caresse buccale, mais j'aime moins, c'est moins précis, moins efficace.

- Manuelle avec un partenaire, lorsqu'il sait s'y prendre. Sinon, je « participe ».
- Ce qui fonctionne le mieux pour le clitoris, c'est la caresse manuelle : soit il me caresse, soit moi je me caresse pendant qu'il me pénètre (le plus fréquent).
- Caresse manuelle… avec MA main.
- Caresse buccale, mais perd en effet si on le fait trop souvent.
- Surtout les caresses manuelles, mais aussi buccales, avec son sexe, avec un objet (que lui utilise).
- Mon partenaire me fait toujours jouir en cunnilingus avant pénétration.
- En général, l'orgasme vient quand je me touche en même temps qu'il me pénètre. J'aime aussi qu'il me pince le bout des seins pendant la pénétration.
- Vibro, ou frottement du tissu des draps ou du corps de mon partenaire.
- Avec mon partenaire je pratique un peu tout. J'aime bien changer selon l'humeur du moment.
- Caresses manuelles et avec le sexe de mon partenaire. Les caresses buccales me mettent parfois mal à l'aise et n'apportent pas la sensation de pression suffisante. Le vibromasseur apporte un orgasme trop rapide et parfois désagréable.
- Caresse buccale et manuelle alternée.
- J'aime tout ou presque… j'aime la variété.
- Toutes les formes de stimulation clitoridienne : cunni, caresses manuelles, caresse avec le sexe du partenaire, vibro, caresse avec d'autres parties du corps du partenaire, caresse avec le pubis du partenaire pendant une relation sexuelle. Je les pratique toutes et je les aime toutes.
- La caresse manuelle est la meilleure, mais la buccale ou avec le sexe du partenaire est possible si l'excitation est à son paroxysme.
- Avec le partenaire, surtout caresse manuelle. Celle-ci est de mon choix car le cunni ne m'amène pas à l'orgasme, la langue est trop molle et trop mouillée.
- Pas une caresse qui supplante les autres. Cela dépend du contexte, du partenaire, du type d'envie. J'aime plutôt bien me masturber sur les fesses de mon partenaire, mais seulement si ça lui plaît aussi, sinon ça me coupe mon plaisir.

- Caresse avec le pubis du partenaire, pendant la pénétration. C'est comme ça que je préfère.
- Caresse buccale, quand le partenaire est à la hauteur.
- Caresses manuelles et caresses avec le sexe de mon partenaire, parfois caresses buccales. Ou lorsque mon clitoris frotte sur son ventre.
- La stimulation clitoridienne allant jusqu'à l'orgasme, cela peut se faire avec le partenaire, ou alors contrôlé avec un vibromasseur. Merci la série *Sex and the City* !
- Ce qui fonctionne le mieux, c'est surtout d'avoir très fort envie. Dès lors tout marche très rapidement.
- Caresses buccales et/ou manuelles, ou avec le sexe de mon partenaire. Je préfère l'effet combiné bouche/doigts.
- Caresses buccales lentes et très peu appuyées (difficile à obtenir du partenaire).
- Tout fonctionne mais je préfère les caresses avec les doigts ou avec un objet. Je pratique donc celles-là, plus d'autres pour varier.
- Les caresses buccales, j'adore, mais avec les mains c'est très bien aussi.
- Caresse manuelle, mais il m'est très difficile de jouir comme cela si ce n'est pas moi qui le fais.
- La caresse buccale est la plus stimulante, mais tout le reste est parfait tant qu'il y a stimulation clitoridienne.
- La caresse manuelle marche très bien. La caresse buccale a aussi très bien marché avec d'autres partenaires, mais moins avec celui-là. Il n'est pas très à l'aise avec ça, je crois.
- Caresses buccales (si elles sont faites avec délicatesse et que mon partenaire est bien rasé !). En général, nous pratiquons plutôt les caresses manuelles. Mon conjoint doit encore apprendre la « technique » qui me convient pour les caresses buccales.

Certaines expriment des réserves sur la stimulation clitoridienne.

- En fait, je n'aime pas tellement ça. Quand il y a eu, c'étaient les doigts d'un partenaire, mais je n'aime pas trop cet orgasme-là. Je le trouve énervant.

- Chez moi, la stimulation clitoridienne seule, sans pénétration vaginale, ne va pas jusqu'à l'orgasme.
- La main de mon partenaire, et son sexe, mais je n'aime pas aller jusqu'à l'orgasme, je préfère qu'il me pénètre.

Certaines expriment des souhaits qu'elles ne réalisent pas.

- Caresses manuelles de mon partenaire, mais je serais tentée d'essayer d'autres moyens, notamment des objets durs et lisses (style galets).
- J'aimerais bien plus souvent la caresse buccale.
- J'aimerais davantage de caresses buccales !
- Il me caresse, mais je préfère le cunnilingus, rare.
- Avec mon partenaire, c'est surtout buccal, mais j'aimerais qu'on joue un peu plus avec un vibro.
- J'aimerais qu'il accepte de jouer avec un vibromasseur.
- Caresse manuelle, et si le partenaire le veut bien sa verge, mais ça, c'est un ou deux passages, ensuite ils ne veulent plus, ils veulent pénétrer.
- J'aimerais bien un vibro, mais je l'utilise plutôt seule.
- Le cunnilingus j'adooooore, mais parfois le partenaire arrête juste trop tôt pour atteindre le nirvana ! !
- Je pratique surtout la caresse manuelle avec mon partenaire, parfois précédée d'une caresse buccale, l'orgasme se déclenchant facilement avec une petite aide : une caresse à l'entrée du vagin (ou de l'anus), le plus souvent manuelle, mais je rêve beaucoup d'un vibromasseur que je m'enfoncerais pendant que mon partenaire me caresserait le clitoris.
- On pratique surtout caresse manuelle, mais je préfère caresse buccale.
- Une fois j'ai joui grâce à la bouche et à la patience d'un homme. Une fois.
- Souhaiterais caresses buccales plus fréquentes.
- J'ai rarement essayé avec un objet mais cela me tente.
- Pas encore essayé le vibro, mais j'y songe sérieusement !
- Je découvre le plaisir de la caresse buccale depuis seulement quelques jours. Avec mon nouvel amoureux. Jusqu'ici, tous me faisaient mal. Ils allaient du bas (vagin)

vers le haut (clito) et de ce fait découvraient de suite la peau qui se trouve par-dessus le clitoris. Ce qui me fait personnellement très mal... Ne sachant trop comment m'y prendre pour le dire, je m'arrangeais pour ne pas avoir de cunnilingus. J'ai pu en parler très ouvertement avec mon partenaire actuel et il a trouvé une façon de faire qui me procure beaucoup de plaisir en allant du haut vers le bas. Je n'ai pas encore eu d'orgasme comme ça mais j'ai bon espoir. Pour les autres, caresses manuelles et avec vibromasseur. C'est le plus souvent la caresse manuelle (pendant la pénétration) que je pratique pour parvenir à l'orgasme. Deux stimulations que je souhaiterais plus que tout pour me mener à l'orgasme seraient le cunnilingus et pouvoir jouir dans une autre position que le missionnaire, seulement par les caresses et la pénétration de mon partenaire. En fait, de pouvoir jouir sans intervenir...

- J'aimerais caresse buccale.
- Caresses manuelles. Celles que je souhaiterais : caresses buccales.
- Je n'ai jamais essayé avec un objet, ce serait peut-être bien...

Pour stimuler le clitoris, il y a beaucoup de techniques différentes. En moyenne, celle qui fonctionne le mieux en couple est la caresse manuelle. Le cunnilingus est aussi très apprécié. Dans les deux cas, il est très important que la stimulation soit *juste* : ni trop légère ni trop appuyée, ni trop rapide ni trop lente, ni trop large ni trop focalisée, ni trop plate ni trop vibrante... Le problème est que la notion de justesse ne connaît pas de référent. Seule chaque femme sait ce qui lui convient. Mais elle n'a pas toujours le cran de demander ce qu'elle voudrait, et elle attend que la stimulation juste se présente. Tout dépendra alors de l'étendue du répertoire du partenaire. On se heurte ici à l'un des paradoxes les plus troublants de la sexualité dans notre culture. Elle est valorisée au-delà de tout ce qui a jamais été le cas sur le plan des représentations et des médias, mais, dans la réalité des pratiques, les compétences et l'imagination sont à un niveau très bas.

Tout le monde est invité à être une bête de sexe, personne n'apprend comment « travailler » son talent. Pour un pianiste ou un mathématicien, nul ne doute qu'il faut travailler. Pour un amant ou une amante, la compétence devrait être là par don du ciel. Or elle n'y est pas. Caresser un clitoris, des petites lèvres, l'entrée d'un vagin, ça ne tombe pas du ciel, c'est tout un chapitre de l'art du sexe. Il y a mille façons de le faire, c'est de l'enluminure, de l'orfèvrerie, de la dentelle, de la chorégraphie, et il est rare de rencontrer de véritables artistes. Les caresses sont limitées, stéréotypées, elles manquent de patience, ou d'assurance ou de douceur. Pourquoi ne pas reconnaître qu'il y a des gestes à apprendre, des contacts à essayer, selon la position, selon le nombre de doigts utilisés, la partie du doigt, le type de mouvement, de glissement, de pression ? Comme dans le massage de la main, de l'oreille ou de la plante du pied, le massage du sexe féminin peut faire l'objet d'apprentissages sophistiqués. Il doit en tout cas s'adapter aux préférences de la partenaire. D'un point de vue statistique, si tant est que cela puisse être utile, l'enquête réalisée sur le site aufeminin.com auprès de 27 000 femmes nous apprend que 48 % préfèrent des caresses clitoridiennes directes et douces, 25 % préfèrent des caresses directes et appuyées et 26 % préfèrent des caresses indirectes.

Quant au cunnilingus, il est encore plus rare qu'il soit *juste*, tant l'agilité de la langue est quelque chose de peu couramment pratiqué dans la vie quotidienne. La langue est souvent l'une des meilleures sensations pour le sexe d'une femme, sauf si elle est trop tendue, sauf si elle est trop molle, sauf si elle est trop plate, sauf si elle est trop pointue, sauf si elle est trop passive, sauf si elle est trop active... en cette matière, l'enfer et l'ennui côtoient de près le paradis. Faut-il prendre des cours pour autant ? Ne rêvons pas, il n'y en a pas. Non, il faut se former ensemble, se former l'un avec l'autre, l'un à l'autre, surtout et d'abord en multipliant les possibilités. Inutile de lécher toujours de la même façon si cela ne produit aucun effet. Il est possible que l'entrée du temple se trouve bien là, mais il y a beaucoup de façons de frapper à la porte. Seule la bonne formule produira son effet. Une femme qui se connaît bien peut l'expliquer si elle veut épargner de longs essais et erreurs à son amant, et une femme qui ne se connaît pas bien peut partager ce qu'elle ressent, quand c'est très bon, quand c'est moins bon, quand elle a besoin d'un changement, d'un complément ou d'une pause.

La caresse du clitoris avec le pénis, plus rarement mentionnée, est aussi une ressource merveilleuse. Elle porte plus naturellement la femme à prendre les commandes de la caresse, c'est-à-dire à se frotter elle-même sur le membre de son partenaire, au rythme et avec la pression qui lui conviennent. Et le partenaire profite également de l'opération. Quant au vibromasseur, il est capable de performances inégalables et est infatigable. S'il peut être intégré dans les ébats en couple, il offre un élargissement évident. L'obstacle ici vient des réticences psychologiques éventuelles. Certaines femmes, comme certains hommes, sont mal à l'aise à l'idée d'introduire un « outil » dans leur rapport sexuel. Ils ont le sentiment d'une forme de trahison, d'insuffisance ou de vulgarité qui viendrait amoindrir la relation. Pour d'autres, c'est tout le contraire, l'instrument est une ressource supplémentaire, une occasion de plaisir multiplié, comme peut l'être un dîner aux chandelles, un bandeau sur les yeux ou une lingerie sophistiquée. La sexualité s'est toujours augmentée d'excitants divers, pourquoi pas l'électricité ? Les femmes qui aimeraient bien l'essayer ne sont pas rares, en tout cas, de même que celles qui souhaiteraient davantage de stimulations par le cunnilingus. La langue et la vibration font rêver les dames, qu'il ne soit pas possible aux messieurs de dire qu'ils ne le savaient pas.

Quelle est la meilleure stimulation vaginale ?

Pour celles qui pratiquent la voie vaginale (76 % de notre échantillon), les répondantes citent comme techniques efficaces la pénétration par le sexe (85 %), la pénétration par les doigts (47 %), la pénétration par un vibromasseur, godemiché ou autre objet (20 %).

Pour 57 % d'entre elles, il y a une seule technique qui marche vraiment bien, et c'est dans 45 % des cas la pénétration par le sexe, dans 10 % la pénétration par les doigts. Pour 43 %, il y a plus d'une technique qui marche bien.

- Le doigt, mais aussi le sexe, parfois un gode (sexe de black, mon fantasme), toujours en présence de mon mari.
- Les doigts de mon partenaire, puis la pénétration. C'est tellement fort avec ses doigts que parfois je lui demande d'arrêter parce que c'est trop, puis j'apprécie la pénétration, le fait qu'il entre en moi, partager cette intimité.
- Sexe, mais seulement s'il est grand.
- Sexe, et longtemps, mais pas trop.
- Vibro ou doigt de mon partenaire. Préférence pour l'alternance.
- Sexe, doigts si le partenaire est attentionné et à l'écoute.
- Ses doigts me mènent au ciel.
- Les doigts. Le fist.
- Combinaison entre les doigts et le sexe, l'un après l'autre.
- Doigts, mais les partenaires vraiment doués sont rares de ce côté-là.
- Un vibro, un pénis en bois, un vrai pénis dur et gros. Mon partenaire actuel a un petit pénis qui bande plutôt mou et je ne ressens rien en pénétration. Avec ses doigts, il arrive à exciter mon point G, heureusement.
- Ce qui fonctionne le mieux est la pénétration avec un godemiché (assez long et non vibrant, en verre). Souvent, on commence par les préliminaires de caresses et baisers, puis quand il est prêt et moi aussi il me pénètre, mais souvent il vient trop vite pour moi, alors après son plaisir il continue à me pénétrer avec le godemiché et c'est 7 fois sur 10 ainsi que je jouis.
- Avec les doigts, ou un objet. Ainsi, je suis plus sereine ; je me fais moins de soucis pour mon partenaire.
- Le sexe qui a exactement les bonnes dimensions.
- Je n'ai jamais eu d'orgasme vaginal avec un partenaire. Je souhaiterais que cela puisse se produire uniquement par la pénétration... Mais si cela ne m'est pas encore arrivé...

j'ai peu d'espoir, j'imagine. Disons que c'est un rêve. Sinon, toute seule avec un vibro, ça marche.

- Pénétration vaginale après un orgasme clitoridien peut redéclencher orgasme vaginal. Certains hommes m'ont donné un plaisir immense avec les doigts.
- Sexe/objet (flacon de déodorant par exemple).
- On pratique avec les doigts, le sexe et un vibro, mais le mieux reste le sexe.
- Sexe ou doigt mais je préfère le pénis.
- Sexe ou objet (peu importe tant qu'il est rond, froid et gros).
- Sexe et doigt. Si c'est bien fait, tant le sexe que le doigt sont importants.
- Le sexe de mon mari : dimensions parfaites pour mon vagin.
- Les doigts, moins souvent le sexe.
- C'est à géométrie variable. C'est différent s'il y a eu ou non orgasme clitoridien avant. Et cela dépend vraiment du partenaire. Toute seule, je ne vais jamais très au-delà de l'entrée du vagin, mais avec un bon partenaire je peux avoir des orgasmes vaginaux presque plus intenses que les clitoridiens.
- Les doigts, mais je souhaiterais que ça marche aussi avec le sexe !
- Surtout avec le sexe, mais difficulté pour arriver de cette manière à l'orgasme, la qualité d'érection du partenaire (on n'a plus 20 ans) n'étant pas toujours suffisante.
- Plutôt sexe, même si parfois les doigts me font jouir grave.
- Je refuse de laisser entrer autre chose que le sexe de mon partenaire ; les doigts me font mal. Quant au reste... pour quoi faire puisque ça marche sans !
- Le ou les deux doigts, rien d'autre.
- Je préfère le sexe lorsqu'il s'agit de mon vagin.
- Doigt, sexe, objet (concombre, carotte, courgette). Le changement me va, mais je laisse souvent l'initiative...
- Le vibro est le plus rapide, j'aime tout, on pratique autant l'un que l'autre.
- Pour l'orgasme vaginal, les rares fois où je l'ai ressenti, c'était avec les doigts de mon partenaire.

Certaines femmes aimeraient d'autres pratiques.

- Sexe, doigt. Ça me va comme ça mais je serais curieuse d'essayer autre chose.
- J'expérimenterais qui sait l'utilisation du vibro avec mon mec. Mais pas sûr. Je garde précieusement Vibroman pour mon jardin secret.
- Je n'ai jamais utilisé de vibromasseur mais j'aimerais bien. J'utilise seulement les caresses ou un objet (le manche d'un fouet de cuisine, une bouteille).

Certaines femmes qui ne jouissent pas vaginalement font des commentaires.

- Stimulation vaginale seule ne fonctionne pas.
- Je n'ai pas d'orgasme s'il n'y a que des stimulations vaginales.
- Jamais eu d'orgasme par stimulation vaginale uniquement.
- Pas d'orgasme vaginal pour l'instant. Mais je ne désespère pas.
- La pénétration vaginale doit être jumelée à une stimulation clitoridienne, doigt, vibro, ou juste contact avec le pubis de mon partenaire.
- Rien ne fonctionne au niveau vaginal. J'ai un grand plaisir à l'entrée du vagin, mais le reste je ne ressens rien.
- Stimulation vaginale seule n'est pas suffisante.
- Pénétration plus doigt sur clito.
- Pas d'orgasme vaginal.
- Quelle que soit la stimulation vaginale, c'est mieux qu'elle soit accompagnée d'une stimulation clitoridienne.
- Je ne peux pas dire car je jouis clitoridiennement.
- Pas d'orgasme si stimulation uniquement vaginale.

La stimulation vaginale, contrairement à ce qu'on pourrait croire, ne consiste pas seulement à se faire pénétrer par le sexe de son partenaire. La moitié des femmes « vaginales » trouvent aussi le plaisir par les doigts – et 10 % accèdent au plaisir uniquement par les doigts. 20 % aiment aussi jouir grâce à un objet. La pénétration n'est pas seulement le coït, et c'est une heureuse nouvelle pour les hommes qui s'inquiètent de leur endurance. Il y a des façons de prendre le relais. Certaines femmes souhaiteraient d'ailleurs ajouter le vibromasseur à leurs ébats, et à nouveau, et plus encore que dans la stimulation clitoridienne, ce désir peut se heurter à une forme de fierté masculine. Mais la stimulation manuelle n'est-elle pas alors déjà une forme de « tricherie » ? Soyons au clair avec l'artifice. Il n'y a rien de plus artificiel que la sexualité humaine. De A à Z, le sexe hédoniste est une invention de la culture et s'entoure de rituels et pratiques parfaitement artificiels. L'orgasme féminin dans sa totalité est artificiel, au sens où il n'est pas nécessaire, pas utile, pas automatique, bref pas naturel. Lécher délicatement un clitoris est le summum de l'artifice. Faire jouir un vagin aussi, puisqu'il n'est pas prévu pour ça et que cela demande toute une phase de *recherche et développement*. Le vibromasseur et les doigts de la main présentent l'immense avantage de pouvoir rechercher très précisément et très longuement l'endroit de la paroi vaginale qui va procurer du plaisir. Ce plaisir s'éveille lentement, et pas au premier chef par un mouvement de va-et-vient, mais surtout par un mouvement de pression-friction bien appuyé sur cette zone sensible. Le doigt et le vibro sont les méthodes idéales pour apprendre à connaître son vagin, soit en couple parce qu'on peut se laisser faire et profiter pleinement des sensations, mais aussi en solitaire, ce qui permet d'y aller librement en contrôlant le stimulus d'après la réponse. Mais la stimulation par les doigts suppose, comme dans le cas de la stimulation clitoridienne, que le partenaire soit capable d'explorer un éventail de positions et de mouvements différents. Il ne s'agit pas d'y aller comme avec un petit pénis, il s'agit de profiter de toutes les possibilités offertes par le doigt, appuyer, plier, agiter, tourner, aller chercher toutes les zones accessibles du vagin et les tester une par une. Un partenaire « vraiment doué de ce côté-là », comme dit une répondante, c'est un partenaire qui se sert de son doigt comme d'une baguette magique. C'est parfois après ce détour par l'« artifice » que la stimulation pénienne devient la plus intéressante, dans la mesure où l'on peut essayer de retrouver ce que l'on sait avoir déjà éprouvé comme sensibilité vaginale. Là encore, l'étendue du répertoire fait toute la différence. Entre une pénétration à la hussarde et une pénétration sophistiquée, il y a un monde de différences, un millier de nuances, une collection de mouvements distincts et d'enchaînements variés, un éventail d'angles et de profondeurs. Certaines femmes réagiront le plus aux mouvements très lents et réguliers, d'autres aux tressautements saccadés, d'autres aux contractions sans mouvement, d'autres à un crescendo musclé, d'autres à un rythme qu'elles doivent imprimer elles-mêmes. Sans oublier que le basculement vers l'orgasme pourra venir de la stimulation clitoridienne, à imprimer en même temps. Cela peut sembler compliqué à certains. Ça l'est, comme jouer du violoncelle est compliqué. Il y a plusieurs cordes et une infinité de mouvements de doigts ou d'archet. La musique est à ce prix.

Quelle est la meilleure stimulation anale ?

Pour celles qui pratiquent la voie anale (31 % de notre échantillon), les répondantes citent comme techniques efficaces la pénétration par le doigt (62 %), la pénétration par le sexe (60 %), la stimulation par un vibromasseur, godemiché ou autre objet (11 %), la stimulation par la langue (2 %).

Pour 72 % d'entre elles, il y a une seule technique qui marche vraiment bien, et c'est dans 36 % des cas la pénétration par le doigt, dans 33 % la pénétration par le sexe. Pour 27 %, il y a plus d'une technique possible.

- Les doigts et un vibro, c'est ce que je pratique avec mon partenaire. En fait, nous explorons lentement mais sûrement cette pratique... vers la sodomie.
- Doigts (le sexe, c'est un peu trop volumineux et cela devient douloureux).
- Doigt ou sexe de mon partenaire. Dans les deux cas, la pénétration est plus agréable si pas trop profonde.

- Sexe tout en douceur.
- Vous allez sourire... mais ma découverte de l'orgasme anal l'a été grâce à un petit sex-toy dont j'ignore la nature... yeux bandés et mon partenaire a gardé le secret... pour que je revienne.
- Sexe. Pratique bien moins régulière, je dois vraiment être décontractée pour y arriver.
- Surtout le sexe d'un homme, ça fait partie d'un tout : le mouvement, la sensation d'être dominée, ses mains qui s'agrippent à mes hanches pour les amener vers lui. Il y a aussi pas mal de mental !
- Un doigt. J'ai souvent envie d'une pénétration anale mais en général, ce que je préfère, c'est quand son sexe reste très au bord, cela me stimule plus, et puis aussi quand ça va un peu plus loin ça me fait mal.
- Doigt, je n'accepte rien d'autre.
- Avec mon partenaire, surtout le sexe, mais je préfère avec le doigt.
- Ce qui marche le mieux : le sexe de mon mari et son fantasme à me sodomiser.
- Les doigts. J'essaierai volontiers le sexe.
- Vibro et sexe (je déteste les doigts).
- Le plus pratiqué : doigts, quelquefois sexe.
- Cela ne va jamais jusqu'à l'orgasme, mais le plaisir est intense donc on le fait. Avec le doigt ou le sexe. Je préfère avec le doigt car comme ça, je sais que ça ne fait jamais mal et que c'est toujours bon.
- Stimulation seulement par le sexe. Je n'en voudrais pas d'autre.
- Les doigts. Le sexe, c'est trop gros.

La stimulation anale est parfois l'accélérateur d'un orgasme, mais pas son déclencheur.

- Pénétration anale avec des caresses clitoridiennes.
- La stimulation anale ne m'a jamais fait jouir. Mais a parfois servi à accélérer les choses.
- Sans stimulation clitoridienne simultanée, je n'ai jamais eu d'orgasme « anal ».

- Chez moi, pénétration anale + masturbation clitoridienne = orgasme garanti à 100 % et je ne sais pas pourquoi c'est le plus rapide de tous.
- Ça ne marche que s'il y a stimulation clitoridienne en même temps.
- Le sexe, s'il y a également stimulation clitoridienne.
- La stimulation anale avec le doigt ou le sexe peut accélérer l'orgasme mais pas le déclencher seule.
- La sodomie est toujours plus « préparée ». Il y a de bonnes probabilités que je jouisse assez vite et lui aussi. Et puis je me caresse toujours le clitoris dans ce cas.
- Doigt, si stimulation clitoridienne. Impossible d'avoir un orgasme anal pur.
- Je ne jouis pas analement, même si cela fait monter l'excitation très fort, mais jamais jusqu'à l'orgasme. En revanche, me faire jouir clitoridiennement pendant pénétration anale = jouissance cosmique.
- En cas de pénétration anale, orgasme possible si stimulation clitoridienne.
- Pour moi, l'orgasme anal s'est pratiquement toujours accompagné d'une stimulation clitoridienne ou vaginale.

Un certain nombre de femmes qui ne sont pas sensibles à la stimulation anale font des commentaires.

- Aucune stimulation anale ne mène à l'orgasme.
- Stimulation anale seule ne fonctionne pas.
- Pas pratique.
- Je n'ai pas d'orgasme s'il n'y a que des stimulations anales, mais j'ai du plaisir quand mon partenaire me sodomise.
- Déjà fait mais pas agréable.
- Pas d'orgasme en cas de stimulation anale.
- Je ne la pratique pas.
- J'ai juste tenté une fois, ce n'est pas mon truc.
- Je ne pratique pas la stimulation anale.
- Je n'aime pas trop ça, ça me fait plus mal qu'autre chose.
- Je ne pratique pas ça.
- Pas très fan de la stimulation anale.
- Pas de stimulation anale avec mon partenaire.
- Pas de pratique anale.

- Je n'aime pas du tout la sodomie. Mais une fois l'excitation atteinte, le doigt ou la stimulation superficielle anale deviennent très excitants...
- Je n'apprécie pas beaucoup cette stimulation. Il faut que je sois vraiment « déchaînée ».
- Je ne l'ai fait que deux ou trois fois, je n'aime pas.
- Jamais anale.
- Je ne pratique plus.
- Pas de pratique anale.
- Rien.
- Jamais de plaisir anal.
- Pas encore connu d'orgasme d'origine anale.
- Je ne pratique pas, et si c'était le cas je préférerais le sexe de mon partenaire.
- Pas d'anal.
- Pas essayé.
- Cela ne marche plus trop chez moi. Mais bien quand j'étais enfant et ado.
- Il fut un temps avec d'autres partenaires où j'ai eu une sexualité anale avec le sexe.
- Je ne pratique pas beaucoup. Déjà essayé pénétration anale, mais sans orgasme à la clé.
- Doigt uniquement, et seulement comme une caresse supplémentaire, rien d'autre.
- Je n'ai jamais éprouvé d'orgasme avec une stimulation anale. Je l'ai acceptée pour faire plaisir. À présent, j'ai des hémorroïdes, donc je m'en dispense.
- Je n'aime pas les rapports anaux parce qu'ils sont toujours trop « violents » à mon goût.
- Je ne suis pas très sensible à ce style de caresse.
- Je n'aime pas trop la stimulation anale. C'est quand je suis très très excitée que j'en demande, sinon c'est vraiment très rare.
- Je ne parviens jamais à l'orgasme par la pénétration anale. Comme c'est relativement inconfortable, je ne la pratique pas.
- Il n'y a pas eu d'orgasme comme cela.
- Je n'ai jamais pratiqué la stimulation anale.

Parfois, il s'agit d'un refus net.

- Je ne le souhaite pas.
- Je n'aime pas que l'on me touche le cul, c'est privé.
- Je ne suis pas très portée sur l'anal.
- Jamais, je ne souhaite pas tout ce qui est anal.
- Jamais, trop douloureux chez moi.
- Je déteste ça et n'en souhaite pas.
- Pas de stimulation anale, je n'aime pas cette pratique.
- Extrêmement rare, je n'aime pas beaucoup ça.
- Je n'apprécie pas la stimulation anale.
- Niet.
- Jamais de stimulation anale ! Je n'aime pas et je ne peux pas puisque j'ai des hémorroïdes.
- Je déteste ça.
- Je ne supporte pas l'idée.
- Ça ne me branche pas.
- Ça, je n'aime pas !
- Je n'aime pas la stimulation anale.
- Hémorroïdes contre-indicatrices !

D'autres sont au contraire curieuses ou frustrées de ne pas y avoir accès.

- Je n'ai pas cette pratique avec mon partenaire actuel, mais je la souhaiterais parfois.
- Par le sexe. Mais ça m'arrive très rarement. Hélas.
- C'est arrivé trop rarement pour donner un avis. Je souhaiterais que mon actuel partenaire ne soit pas dégoûté par cette pratique.
- À découvrir...
- Mes explorations en solo (manche de pinceau à maquillage) m'ont renseignée sur le fait que c'est une bonne source de plaisir, mais les rares fois où j'ai pratiqué ça à deux, c'était le plus souvent par pénétration avec des partenaires fort jeunes et surtout parce que je ne prenais pas de contraception. Et donc, c'était plutôt brutal et douloureux pour moi. Mon partenaire actuel n'a pas envie d'explorer ça, mais ça me plairait de rencontrer quelqu'un qui me donnerait du plaisir ainsi.

- Stimulation anale est très rare, mais si oui alors avec le sexe ou avec le doigt, je n'aimerais pas avec un objet, mais j'aimerais quand même essayer un peu plus souvent, le problème est qu'il faut que je sois très, très excitée, ce qui devient de plus en plus rare.

La sexualité anale est nettement plus polémique que la sexualité clitoridienne ou la sexualité vaginale. Certaines femmes l'adorent, beaucoup de femmes la détestent ou n'y trouvent aucun intérêt. Il faut en tout cas distinguer deux situations. Lorsque la sodomie est pratiquée pour le plaisir de l'homme, elle implique une pénétration et un mouvement qui peuvent facilement être ressentis comme douloureux ou inconfortables. Mais il y a une autre approche de la sodomie, celle qui vise à donner du plaisir à la femme. La pénétration n'est plus nécessairement sexuelle, elle peut se faire avec le doigt ou un objet, voire la langue. Pour 62 % des répondantes qui pratiquent la sodomie, la pénétration par le doigt apporte du plaisir, et pour 36 % c'est la seule méthode qui en apporte (alors qu'elles sont 60 et 33 % pour la pénétration par le sexe). La sodomie n'est pas nécessairement ce qu'on croit. Quant à l'origine physiologique du plaisir ressenti... difficile de se prononcer car il n'existe aucune étude scientifique sur le sujet. On suppose que le rectum peut contribuer aux sensations génitales dans la mesure où il est relié au nerf pelvien qui se ramifie dans tous les organes génitaux. Par conformation ou par apprentissage, cette forme de stimulation dudit nerf pelvien serait très fortement ressentie chez certaines femmes et pourrait envoyer un signal aussi fort au cerveau que lorsqu'il est stimulé par un autre point de départ. D'autre part, il peut y avoir l'apport d'une excitation fantasmatique particulière liée à une forme de transgression, qui permet d'abaisser le seuil de déclenchement orgasmique. À noter que, dans les enquêtes quantitatives récentes, 37 % des femmes déclarent avoir déjà pratiqué la pénétration anale (contre 14 % en 1970).

Avec ou sans outils ?

Enfin, rassemblons ici quelques commentaires sur les sex-toys, faits en passant par celles qui ne les utilisent pas.

- Suis pas très gadget, plutôt écolo.
- Surtout pas de vibromasseur, quelle horreur !
- Sex-toys bof !
- Pas de vibro, je n'aime pas le fait d'avoir un corps étranger qui n'appartient à personne dans mon vagin.
- On n'a jamais essayé des objets, mais je n'aimerais pas trop faire entrer quelque chose dans mon vagin.
- J'aime tout, mais pas les objets.
- Je suis pour la stimulation la plus naturelle, avec le sexe de l'homme.
- Pas d'objet à l'intérieur de moi, surtout pas.
- J'aimerais essayer un vibromasseur.

On a le sentiment de se trouver à une époque charnière, où les sex-toys ne sont pas encore entrés dans les mœurs de façon généralisée, mais bien dans certaines couches sociales et culturelles. À une époque où ils sont devenus disponibles un peu partout, où on en parle dans les magazines et dans les séries télé, toute une catégorie de femmes a sauté le pas et trouve les sex-toys parfaitement acceptables, y compris dans la vie de couple. D'après une enquête du magazine féminin *Elle*, 27 % des femmes auraient déjà utilisé un sex-toy. Nous pensons que c'est l'un des moyens, parmi d'autres, d'explorer sa sensibilité et de faire progresser sa sexualité de couple. De couple, oui, car les sex-toys s'utilisent aussi bien à deux qu'en solitaire. Dans une enquête réalisée en 2009 par SexyAvenue, 75 % des répondants (hommes et femmes) pensent que les sex-toys servent avant tout à augmenter le plaisir à deux, et 25 % qu'ils sont faits pour le plaisir solitaire. Contrairement à tout ce qu'on a pu invoquer pour discréditer les sex-toys, ceux-ci ne renforcent pas l'égoïsme sexuel mais permettent au contraire de tisser davantage de liens et de renforcer la sexualité à deux.

La question du temps

Étudions maintenant la durée de la stimulation. Lorsque l'orgasme se déclenche, faut-il maintenir la stimulation ou l'arrêter ? Les désirs à ce niveau sont à la fois diversifiés et tranchés. Pour 58 % des répondantes, la stimulation doit continuer – mais 8 % précisent qu'elle doit continuer brièvement, le temps d'arriver à la fin de l'orgasme, et puis s'arrêter, et 8 % qu'elle doit continuer de manière atténuée. Pour 28 % des répondantes, la stimulation doit s'arrêter dès que l'orgasme se déclenche – mais 3 % demandent qu'elle reprenne très rapidement après. Pour 8 % des répondantes les deux cas de figure sont possibles, et 5 autres % précisent que cela dépend du type d'orgasme.

Voyons les desiderata sur la prolongation de la stimulation.

- Qu'elle continue avec plus d'intensité ! !
- Qu'elle continue mais pas trop longtemps (quelques secondes).
- La stimulation doit continuer mais avec moins de pression, moins de vitesse, et des mouvements plus amples qui ralentissent doucement.
- Que ça continue, surtout ! ! ! !
- Qu'elle continue, c'est douloureux d'arrêter en cours de route.
- Qu'elle continue, bien sûr.
- Qu'elle continue quelques secondes et s'interrompe absolument, au grand dam de mon partenaire que je dois repousser.
- Continue ! ! !
- Continue, mais moins intensément.
- Continue, mais sur un autre rythme.
- Qu'elle continue sans arrêt.
- Elle peut continuer le temps de l'orgasme, mais doit s'interrompre juste après.
- Continue pendant plus ou moins une minute, puis s'interrompe, mais pour parfois recommencer tout de suite après.

- Qu'elle continue, mais plus lente et plus douce.
- Qu'elle continue !
- Continue un peu et stoppe ensuite. Pour mieux recommencer...
- Continue un temps mais pas trop.
- Je souhaite que la stimulation se poursuive jusqu'au « bout » de l'orgasme, puis je me sens vide et très sensible du sexe et il faut que la stimulation s'arrête.
- Que la stimulation continue. J'aurais peur qu'il se déclenche et s'arrête aussitôt.
- Continue, mais seulement quelques secondes. Après, c'est insupportable, trop sensible.
- Qu'elle décroisse progressivement, je n'aime pas l'arrêt brutal.
- Qu'elle continue, d'où le multiorgasme.
- Qu'elle continue, évidemment. Mais une fois atteint, qu'il s'interrompe (du moins un court instant)... surtout pour le clitoris qui devient hypersensible, ça en est même désagréable... Pas toucher pendant 1 ou 2 minutes, après on peut recommencer.
- Qu'elle continue, absolument ! ! !
- Qu'elle continue, en restant bien appuyée pendant tout le temps de l'orgasme.
- Qu'elle continue... mais qu'elle décélère et s'apaise en même temps que l'orgasme dépasse son pic et retombe peu à peu.
- Surtout qu'elle continue, éventuellement plus légèrement et plus lente, mais qu'elle continue.
- Qu'elle continue car elle intensifie l'orgasme.
- Elle doit devenir plus lente et plus douce et puis s'arrêter, sinon ça devient douloureux.
- J'aimerais qu'elle continue de la même façon.
- Qu'elle continue puis s'interrompe à la fin de l'orgasme.
- Qu'elle continue sans trop de mouvement.
- Qu'elle continue, mais parfois j'interromps, comme si je n'arrivais pas à aller au bout du plaisir. Je m'interdis parfois... J'ai l'impression que je ne sais pas où ça m'amène, une sensation inconnue, du coup je me bloque.
- Qu'elle continue quelques instants, mais elle doit s'interrompre à un moment donné.

- Que ça continue, et parfois on peut arrêter un peu avant et reprendre pour que le plaisir dure.
- Dans un premier temps, je souhaite qu'elle continue, mais après un orgasme multiple, je demande qu'elle s'arrête.
- Qu'elle se stabilise.
- Dès le moment où l'orgasme s'est produit, continuer la stimulation est très désagréable, voire douloureux (trop sensible). Mais si la stimulation s'arrête juste un peu trop tôt, l'orgasme est beaucoup moins intense. Donc, j'informe mon partenaire.
- Qu'elle continue. Sauf parfois quand je n'en peux plus. Dans le cas d'orgasmes prolongés, il y a parfois un moment où cela devient difficilement supportable, et là je demande d'interrompre.
- Qu'elle continue quelques secondes, puis s'interrompe.
- Continue en s'amenuisant.
- Qu'elle continue, bien sûr.
- Qu'elle continue plus légèrement, ou par à-coups. Mais parfois il ne faut plus rien toucher car ça en devient douloureux. Trop électrique.
- Qu'elle continue en beaucoup plus léger, sinon c'est douloureux.
- Que ça continue encore un peu, mais doucement.
- Qu'elle continue, mais soudain je ne le supporte plus. Parfois mon compagnon s'arrête un peu trop tôt, ou un cheveu trop tard. J'essaie de faire sentir les choses.
- Ça doit continuer.
- Qu'elle diminue d'intensité.
- Qu'elle continue quelques secondes. Puis qu'elle s'arrête, mais que la main ou la bouche reste.
- Continue ! ! !

Et maintenant les desiderata sur l'arrêt de la stimulation.

- Qu'elle s'interrompe sans perdre le contact.
- Stop !
- Non, je préfère ne plus être touchée... mais tenue avec force par les épaules et une main hypertendue...
- S'interrompe, c'est trop fort.

- Qu'elle s'arrête et se continue par des caresses et des baisers.
- Elle doit s'arrêter très peu de temps après, sinon cela me fait mal.
- S'arrête !
- Je fais tout pour la stopper, mais au fond de moi je désirerais qu'elle continue.
- Mon clitoris devient trop sensible et je ne supporte plus de stimulation.
- Que le mouvement s'interrompe, mais que le contact physique continue.
- Stop !
- Il faut cesser la stimulation quand l'orgasme est là.
- S'interrompe totalement.
- Qu'elle s'interrompe car cela devient insupportable (de plaisir).
- Le doigt reste sur le clito mais ne bouge pas.
- S'interrompe, mais juste pour un moment.
- S'interrompe, si elle continue c'est trop fort. Ou alors très, très, très light. Il a intérêt à bien doser ! J'ai d'ailleurs tendance à fermer les jambes juste après pour l'empêcher de restimuler.
- Qu'elle s'interrompe brièvement.
- Qu'elle s'interrompe quelques secondes puis continue.
- Qu'elle s'interrompe là où elle est, de préférence en pressant quelque chose sur le pubis.
- Qu'elle s'arrête mais... au BON MOMENT !
- Je préfère qu'elle s'interrompe pour mieux ressentir.
- Qu'elle s'interrompe un moment pour reprendre ensuite.
- Qu'elle s'interrompe et qu'elle reprenne juste après.
- En général ça me dérange si la stimulation continue.

Celles pour qui les deux sont possibles.

- Parfois oui, parfois non. Mais à partir d'un certain moment, ça devient « électrique ».
- Ça dépend, c'est différent chaque fois.
- Ça dépend. L'un ou l'autre indifféremment, ça dépend beaucoup du temps consacré à faire l'amour auparavant.

- Cela dépend, je veux que ça continue, mais après je voudrais que ça s'arrête tellement c'est fort, ensuite je voudrais que cela reprenne !
- Qu'elle continue, sauf en cas de trop forte intensité, ce qui dépend des positions.
- Continue +++ mais parfois que ça s'arrête car la sensation peut devenir désagréable.
- Cela dépend, mais le plus souvent je demande une petite pause... quitte à recommencer très vite ensuite.
- Cela dépend de l'intensité, parfois si fort que je tremble et il faut laisser mon corps seul.
- Elle n'est plus nécessaire mais souvent agréable.
- Ça dépend des fois, et ça change. Avant, je préférais souvent que ça s'arrête. Maintenant, j'aime plus souvent que ça continue.
- Parfois qu'elle continue, parfois qu'elle s'arrête parce que trop intense.

Quand ça dépend du type d'orgasme ou du type de stimulation.

- Qu'elle continue dans le cadre d'un orgasme vaginal, qu'elle s'interrompe quelques minutes avant de reprendre pour la clitoridienne.
- Stopper la stimulation clitoridienne, poursuivre la stimulation vaginale.
- Pour l'orgasme clitoridien : interruption, le contraire pour l'orgasme vaginal.
- Clito : elle doit continuer et s'atténuer légèrement, vaginal : continuer.
- Stimulation avec la verge : qu'elle continue... mais en général les hommes arrêtent et je ne peux jouir jusqu'au bout. Simulation clitoridienne : il faut arrêter sinon ça fait mal.
- Que la stimulation manuelle s'interrompe (trop grande sensibilité). Que le mouvement dans le vagin, s'il y en a, continue.
- Ça dépend de la durée de la stimulation. Si l'orgasme se déclenche vite, j'aime que la stimulation se poursuive, mais pas trop longtemps tout de même. Et si la stimulation

est longue, j'aime qu'elle s'interrompe car cela me « chatouille ».

- Que la stimulation clitoridienne s'arrête vite, mais que la stimulation vaginale continue longtemps !
- Après l'orgasme clitoridien, il faut que la stimulation clitoridienne cesse. Pour l'orgasme vaginal, elle peut continuer longtemps encore.
- Ça dépend. Si c'est clitoridien, je préfère que ça s'arrête.
- Cela dépend de l'orgasme. Par moments, mon vagin se gonfle tellement que la stimulation doit s'interrompre car cela fait comme des décharges électriques, désagréables. À d'autres moments, ce gonflement serre le pénis de mon homme et la stimulation peut continuer et est très agréable.
- Qu'elle s'interrompe si c'est un doigt. Qu'elle continue si c'est un sexe pendant la pénétration.
- Ça dépend des fois. Parfois j'aime que la stimulation continue pour prolonger le plaisir (mais elle doit être extrêmement légère) et parfois il ne faut absolument plus me toucher.

On voit très bien avec cette question combien les desiderata peuvent être précis et impératifs pour qu'un orgasme soit réussi. S'arrêter quelques secondes trop tôt ou quelques secondes trop tard peut tout compromettre. Mais on ne voit pas comment l'on pourrait établir une recette générale. Chacune a la sienne. Et on ne voit pas non plus comment un homme pourrait deviner la bonne formule, ou la trouver rapidement, si on ne lui donne pas des signes ou des conseils explicites pour lui permettre de faire ce qu'il faut. Il faudrait être un véritable devin pour tomber juste tout de suite ou même rapidement. Aborder une nouvelle femme, c'est aborder un nouveau continent. Face à cette imprévisibilité, l'un des gages d'une relation accomplie est tout simplement de se donner le temps. Une sexualité épanouie peut mettre des mois ou des années à se déployer, en explorant tranquillement, et non frénétiquement, toutes les rubriques d'un immense catalogue et surtout en apprenant à communiquer. Liberté et complicité sont les maîtres mots d'une relation qui évolue.

Avec ou sans occupation ?

Voyons enfin la question de la pénétration pendant l'orgasme. Est-il plus ou moins agréable ou impératif que le sexe du partenaire se trouve introduit dans le vagin au moment où l'orgasme se déclenche ? Les avis sont également partagés et tranchés. 21 % des femmes préfèrent jouir sans pénétration – mais parmi elles 15 % apprécient que leur partenaire les pénètre juste après l'orgasme. 9 % sont indifférentes à la question de la pénétration pendant l'orgasme. 69 % des femmes préfèrent jouir avec pénétration. 33 % souhaitent que leur partenaire les pénètre avant le début de l'orgasme, 13 % préfèrent qu'il s'introduise juste au moment où l'orgasme commence, les autres aiment plusieurs scénarios.

Celles qui n'aiment pas être pénétrées pendant l'orgasme expliquent.

- Non. Je suis trop tendue pour qu'il reste à l'intérieur.
- Je préfère l'orgasme sans sexe en moi.
- Je préfère qu'il ne me pénètre pas du tout, s'il n'y est pas déjà.
- Au moment de l'orgasme, le sexe de mon partenaire n'est jamais dans mon vagin.
- C'est moins fort s'il est en moi, mais après l'orgasme j'ai une envie irrépressible d'être pénétrée.
- Je préfère qu'il ne s'y trouve pas.
- Non, j'aime mieux bien profiter.
- J'aime être pénétrée juste après avoir joui.
- Surtout qu'il reste bien là où il est... Et puis, c'est si bon pour lui aussi à ce moment-là, d'après ce que j'ai pu les entendre dire...
- Non, pas pour les orgasmes « explosifs ».

Celles qui aiment être pénétrées pendant l'orgasme expliquent.

- J'aime beaucoup quand mon partenaire est en moi quand je jouis car j'ai l'impression que mon vagin se contracte et fait des vagues, un peu comme si les parois de mon vagin se transformaient en tôle ondulée et mon orgasme est d'autant plus fort. Maintenant, que la pénétration se fasse avant, pendant ou après ne change pas grand-chose.

- Oui, j'aime qu'il soit dans mon vagin, déjà pendant l'orgasme clitoridien (les muscles sont plus serrés) et ensuite pour déclencher l'orgasme vaginal (ça peut aussi se faire dans l'ordre inverse).
- Avant, pour qu'il me sente jouir.
- Souvent, il suffit qu'il me pénètre pour que je jouisse.
- Oui, sinon orgasme raté.
- Oui, j'aime qu'il soit en moi avant, pendant, et encore après si je suis amoureuse.
- Oui, c'est être remplie qui me fait monter.
- Si je me masturbe, j'aime qu'il me pénètre au moment de la jouissance.
- Avant oui, surtout pas pendant, après OK.
- Juste au début, et juste après, ça, c'est génial.
- Juste au début serait parfait. Dans la réalité, c'est souvent juste après pour son plaisir.
- Quand je me masturbe devant mon partenaire, je lui demande de me pénétrer avec son doigt au moment où je jouis et de l'enfoncer loin et avec des mouvements très, très rapides… et là c'est le top de la jouissance (clitoridienne + vaginale).
- C'est bien meilleur qu'il soit dans le vagin, qu'il pénètre avant, ça stimule au fond et j'aimerais bien qu'il continue à pousser après, mais en général ça s'arrête…
- J'aime qu'il me pénètre juste au début, mais souvent la contraction de l'orgasme est tellement forte que j'éjecte son pénis.
- Je préfère qu'il me pénètre juste au début puis qu'il se retire.
- J'adore jouir quand mon amoureux est en moi.
- Je préfère qu'il me pénètre avant l'orgasme, ou alors pendant, mais pas après.
- Oui, qu'il me pénètre avant ou pendant ou juste après, mais le plus proche de l'orgasme.
- Juste au début, merveilleux.

- Oui, j'aime qu'il soit en moi pendant la stimulation clitoridienne, et pendant l'orgasme.
- Je préfère qu'il soit dans mon vagin pour qu'il ressente le moment de mon orgasme.
- Oui (quand c'est un homme).
- J'aime qu'il pénètre avant, mais c'est bien aussi s'il pénètre après.
- Oui, avant ou au début, pas après.
- Oui, avant, pendant ou après, les trois variantes donnent du plaisir.
- Oui, son sexe à l'intérieur avant, pendant et après. J'adore sentir être possédée.
- Oui, dans le vagin pour un orgasme déclenché pendant la pénétration car la bascule du bassin permet la stimulation intravaginale.
- Oh oui, juste au début pour que l'orgasme continue le plus longtemps possible.
- Soit au début, soit juste après. S'il me pénètre avant, je stimule moi-même le clitoris pendant le coït.
- Oui, c'est souvent par la pénétration que je jouis.
- Oui, j'aime qu'il y reste longtemps après.
- Oui, pendant, et qu'il y ait une légère stimulation juste après.
- Je peux aimer avoir le sexe de mon partenaire dans mon vagin. Ai vécu avec certains partenaires quelquefois mon orgasme puis le sien à quelques secondes près, c'est rare mais génial.
- Oui, j'aime que la pénétration ait lieu juste au début.
- Du peu de mon expérience (c'est arrivé 4 ou 5 fois), c'était avec le sexe de mon partenaire dans mon vagin et c'était très bon.

Celles qui n'ont pas de préférence expliquent.

- Cela varie très fort d'une fois à l'autre, c'est peut-être ce qui fait durer notre histoire depuis vingt-cinq ans.
- L'orgasme est toujours pour moi une sensation solitaire, alors que le sexe soit dedans ou dehors, c'est surtout pour lui que ça fait une différence.

- Bah, il a plutôt intérêt à être là, si je jouis c'est entre autres grâce à sa présence.
- Si l'orgasme vient avant la pénétration... je préfère attendre un peu avant la pénétration, mais si l'orgasme se produit « étant pénétrée », il n'y a pas de problème.
- Je peux en avoir envie, mais pas toujours. Juste avant ou juste après.
- Peu importe, car j'expérimente.
- Peu importe, tout est bon, c'est vraiment selon les circonstances.
- J'aime qu'il soit en moi pendant la stimulation clitoridienne et pendant l'orgasme. J'aime aussi qu'il me pénètre juste après une jouissance clitoridienne.
- J'aimerais qu'il soit dedans, c'est un acte à sentir à deux, et jusqu'à l'orgasme c'est encore mieux. Mais bon, je ne sais pas puisque ça ne m'arrive pas.
- J'aime que le sexe de mon partenaire soit en moi, mais ce n'est pas toujours le cas au moment de l'orgasme.
- Je ne sais pas trop.
- Je ne sais pas, ça arrive rarement.

Ici encore, tout est possible, et les scénarios illimités. Une préférence qui émerge à plusieurs reprises, c'est d'être amenée jusqu'au bord de l'orgasme par une stimulation clitoridienne, puis d'être pénétrée en même temps ou juste avant que l'orgasme commence. Cela permet à l'homme de pouvoir jouir assez rapidement après la pénétration, plutôt que de devoir tenir très longtemps en essayant de provoquer l'orgasme par la pénétration. Mais bien d'autres configurations sont possibles.

Au final, comment peut-on dire que les femmes jouissent lors du rapport sexuel ? De trente-six mille façons. Certaines avec un répertoire assez étroit de positions et de gestes efficaces. D'autres avec un répertoire plus large. Il y a des recettes qui reviennent plus souvent que d'autres, des recettes plus rares, une infinité de variantes personnelles. Autant que la diversité, il faut noter l'évolution et la maturation de la sexualité féminine. L'accès au plaisir ne reste pas identique au cours du temps. Il se transforme, se transmute, s'enrichit par l'expérience. La qualité de l'expérience sexuelle dépend beaucoup de certaines données brutes à 20 ans : l'anatomie, l'éducation. À 40 ans, ce point de départ est largement oublié et transfiguré par le parcours effectué. En fonction des rencontres, des expériences, des recherches personnelles, le corps devient progressivement un autre genre d'instrument, plus souple, plus dense, plus résonant, plus apte au plaisir.

LA MASTURBATION

Combien de femmes se masturbent ?

Dans notre échantillon, 95 %. Sans que la question ait été posée, 12 % précisent que c'est rare.

- Très, très, très souvent car je suis une inassouvie sexuelle. Je voudrais au moins du sexe 3 à 4 fois par semaine et dois me contenter d'une fois par mois, parfois encore moins.
- Presque tous les jours.
- Oui, mais pas très plaisant.
- Non, plus depuis que j'ai des rapports sexuels (c'est-à-dire 13 ans).
- Oui, devant mon partenaire.
- Oui, souvent. Pas toujours pour répondre à une excitation sexuelle, parfois juste de façon compulsive, pour diminuer mes tensions internes, pour me donner la pêche, parce que c'est bon ! Parfois aussi lors des préliminaires, avant l'acte sexuel, car j'ai constaté que l'orgasme vaginal venait plus facilement et de façon plus intense quand j'avais joui avant du clitoris.
- Peu, je n'aime pas seule, ou alors à deux.
- Oui, trois à quatre fois par semaine.
- Quand j'étais célibataire, oui, en couple, non.
- Oui, bien sûr.
- Cela m'est déjà arrivé, mais plus maintenant.

- De temps en temps, cela excite mon mari.
- Oui, et c'est important !
- Plus du tout.
- Seulement si je suis seule.
- Ça m'arrive lorsque je suis en dispute avec mon partenaire ou que je n'en ai pas.

Voilà l'une des rares questions qui provoquent un quasi-consensus. Presque toutes les répondantes ont déjà pratiqué la masturbation. Toutefois, le rythme, l'importance et le résultat sont très différents d'une femme à l'autre, comme on va le constater.

À quel âge a-t-on commencé à se masturber pour la première fois ?

4 % des répondantes ne savent plus, 27 % avant 12 ans, 36 % entre 12 et 15 ans, 14 % entre 16 et 19 ans, 8 % entre 20 et 24 ans, 11 % après 25 ans.

- Je crois que je me suis toujours masturbée (enfant, c'était de la découverte corporelle, adolescente, parce que cela me procurait un certain plaisir, et puis vers 25 ans pour atteindre l'orgasme).
- J'ai essayé quelquefois sans succès, et enfin à 40 ans, grâce à un vibro miracle offert par une amie, ça marche à tous les coups !
- À 36 ans (quelle découverte !). Enfin, adolescente, je me caressais, mais j'ai découvert l'orgasme clitoridien à 36 ans.
- Premier souvenir vers 5 ans.
- Je me suis masturbée le plus souvent quand les pulsions ont commencé et que j'étais toujours vierge : de 13 à 18 ans.
- Premières sensations sans en connaître la signification, vers 10-12 ans, avec la selle du vélo.
- Tard. À 23 ans. Et grâce à la masturbation, j'ai découvert l'orgasme.
- Dès la maternelle, je dirais.
- Toute petite. Depuis toujours je pense.

- À 18 ans, après y avoir été encouragée par mon partenaire.
- À 4 ou 5 ans, sans comprendre, puis 13 ou 14 ans, sans très bien comprendre non plus...
- Vers 10 ans, de façon accidentelle, en jouant sur une rampe d'escalier. Après, j'ai continué à reproduire cette sensation en jouant discrètement sur toutes les rampes d'escalier. Finalement, j'ai découvert que je pouvais le faire manuellement, c'était quand même plus pratique.
- Après mes premières relations sexuelles, vers 20 ans, ce fut une révélation et j'ai toujours pensé qu'il faudrait apprendre cela très tôt et que seule la masturbation permettait de bien connaître son corps et d'ensuite mieux guider son partenaire.
- Vers 12 ans, j'ai essayé, mais j'ai vite compris que j'ai besoin du contact avec quelqu'un pour m'exciter.
- Je le faisais déjà petite, selon ma mère.
- Je me suis masturbée comme toutes les petites filles je suppose.
- J'ai des souvenirs à partir de 7 ans, mais j'ai aussi des images de moi me masturbant (par frottement), couchée sur le siège arrière de la voiture et ma mère me disant d'arrêter. Là, il me semble que ça devait être vers 3 ou 4 ans.
- Oh !... à 30 ans ? Après mon quatrième bébé, peut-être.
- Très tard. Je devais avoir plus de 40 ans.
- À la maternelle.
- 6 ans et sans doute avant aussi sans bien comprendre ce que je faisais.
- Une fois quand j'étais ado, cela m'a surprise et culpabilisée, puis beaucoup plus tard, et maintenant quand je veux.
- Tard, autour de la trentaine, après une séparation.
- Depuis que j'ai des souvenirs, ça a toujours fait partie de ma vie. Y compris touche-pipi avec les garçons. On se frottait le sexe avec mon premier amoureux chez qui j'allais dormir quand j'étais en maternelle.
- 10 ans, donc involontairement. Je pense que la première masturbation volontaire devait être vers 12 ou 13 ans.
- Quand j'ai découvert l'orgasme, vers 20 ans.
- À 20 ans, puis une longue période sans. J'ai repris il y a trois ans environ, sans besoin, juste pour le plaisir.

- À 15 ans, après avoir connu l'orgasme avec mon partenaire de l'époque.

La masturbation est une pratique que certaines connaissent depuis la plus tendre enfance, parce qu'elles l'ont cherchée ou découverte par hasard ; d'autres ne s'y essaient qu'à plus de 40 ans. Certaines s'y adonnent plusieurs fois par semaine ; d'autres exceptionnellement. Ici, comme il s'agit d'un comportement qui n'est pas soumis au regard d'autrui, on a une indication de la diversité du rapport à la pulsion sexuelle strictement individuelle. Il est tout aussi variable que le rapport au plaisir dans le couple. Pour peu que l'interdit moral et médical ait disparu, ce qui commence à être le cas, on constate que certaines femmes ont une très grande pratique de la masturbation, tandis que d'autres ne sont pas intéressées du tout. Indépendamment des sollicitations d'un partenaire, chaque femme a son propre type de moteur sexuel, pétaradant, bon travailleur ou tout petit ronron.

Quelle est l'efficacité de la masturbation ?

70 % des répondantes qui se masturbent parviennent toujours ou quasi toujours à l'orgasme, 10 % souvent, 6 % régulièrement, 10 % parfois, 4 % jamais.

- Toujours (avec la masturbation, on connaît mieux son corps, donc forcément on sait ce qui fait plaisir).
- Très souvent, voire toujours. Deux-trois doigts sur le clito, un ou deux dans le vagin.
- Quasi toujours (sauf quand déconcentration ou prise de tête subite).
- Cela m'est arrivé, mais pas souvent essayé.
- Parfois, plus régulièrement ces derniers temps, mais frustrant, car pas de plaisir cérébral.
- Toujours ! Et je peux le faire plusieurs fois d'affilée (bien sûr, je dois attendre 1 minute entre chaque jouissance, parce que le clitoris est très sensible).
- Toujours, mais j'utilise un vibromasseur.

- Presque toujours, mais moins souvent qu'avant.
- C'est autre chose que quand il y a mon partenaire, mais j'arrive à quelque chose.
- Si je décide de me masturber, j'atteins l'orgasme, si je fais l'amour, j'atteins l'orgasme, sinon je prends un livre !
- Toujours. Je sais ce que je fais, sinon à quoi bon ?
- Régulièrement (mais je n'ai jamais eu d'orgasme en me masturbant avant d'en avoir avec un partenaire).

80 % des femmes de cet échantillon parviennent facilement à l'orgasme lorsqu'elles sont seules, alors qu'elles sont 44 % à répondre « souvent » ou « toujours » pour l'accès à l'orgasme lors des rapports sexuels. Le fossé est immense. Il peut recouvrir des manques de technique ou de bonne volonté du côté des partenaires, comme il peut recouvrir des obstacles psychologiques dus au regard de l'autre. En tout cas, quelque chose se passe, lors de l'intervention d'un partenaire, qui réduit de moitié la facilité d'accès à l'orgasme.

Mais il y a aussi 4 % de femmes pour qui la masturbation ne fonctionne pas.

- Aucun orgasme en me masturbant. J'ai besoin du désir de l'autre.
- Incapable d'y trouver du plaisir malgré de nombreux essais.
- J'ai déjà essayé, cela ne fonctionne pas. Pour moi le sexe n'a d'intérêt que dans la rencontre et le partage.
- J'ai besoin d'être avec mon copain pour m'exciter. Toute seule ça ne me fait rien. Mais j'aime bien le faire auprès de lui.
- Je n'arrive pas à l'orgasme en me masturbant. C'est très frustrant. Je vais essayer avec un vibro pour voir ce que ça donne.
- Je ne suis jamais parvenue à me faire jouir moi-même, ça me laisse un goût de trop peu, donc je ne pratique pas seule. J'ai joui une fois il y a quelques mois en me caressant moi-même tout en étant pénétrée par mon partenaire.
- Un soulagement, mais pas un orgasme.

Ici, à l'inverse, il semblerait que l'absence du regard de l'autre soit un obstacle au plaisir. On ne peut pas jouir si c'est pour soi seule.

Les orgasmes que l'on connaît sont-ils plus souvent le fruit de la masturbation ou bien des rapports sexuels ?

Pour 24 % des répondantes, c'est environ moitié-moitié, pour 46 % c'est plus souvent lors des rapports sexuels et pour 30 % c'est plus souvent par la masturbation.

- Cela dépend des périodes, si je suis en couple ou pas. Quand je n'ai pas de compagnon, il m'arrive de me masturber tous les jours, et puis je peux aussi rester des semaines sans ou jusqu'à ce qu'un rêve érotique me procure un orgasme. J'estime que l'orgasme (c'est-à-dire le but d'une activité sexuelle satisfaisante) est pour moi aussi vital que manger, boire et dormir, mais la fréquence est variable.
- Il y a toujours masturbation pendant les rapports sexuels.
- L'un ne va pas sans l'autre.
- Orgasmes clitoridiens : tous par masturbation. Orgasmes vaginaux : tous par pénétration lors des rapports.
- Tous viennent de la masturbation, sauf un en 33 ans par rapport sexuel.
- Tous mes orgasmes proviennent de la masturbation. Si je ne me masturbe pas pendant le rapport sexuel, je ne parviens pas à l'orgasme.
- Tous de la masturbation, par moi ou mon partenaire.

Pour certaines, la fréquence de l'orgasme par masturbation est due à un manque de relations sexuelles.

- Moitié-moitié, mais c'est parce que je ne vois pas mon amant plus d'une ou deux fois par semaine. Sinon, je ne me masturberais pas.
- 9-1 (je ne vis pas avec mon compagnon).
- 10 (pas de partenaire).
- 9-1 (suis célibataire).

- Actuellement tous sont dus à la masturbation. Lorsque j'étais en couple, je ne me masturbais qu'occasionnellement car j'avais en moyenne deux rapports par jour.
- Tout dépend des périodes (partenaire sexuel sous la main ou pas).

Certaines soulignent une évolution dans le temps.

- Avant 2005 = 1-9. Depuis : 6-4.
- Maintenant, 98 % viennent des rapports sexuels.
- Actuellement très peu. Ma vie sexuelle avec mon partenaire est très épanouissante. Nous faisons l'amour très, très souvent (en moyenne plus d'une fois par jour) et je me sens comblée. Avec mon précédent partenaire, je n'atteignais l'orgasme qu'en me masturbant.
- 8 masturbations pour 2 rapports actuellement. L'inverse il y a vingt ans.
- Avant : 1 masturbation pour 9 rapports. Actuellement 5-5.
- Aujourd'hui 95 sur 100 avec un partenaire.

L'importance de la masturbation dans le vécu orgasmique des répondantes ressort ici de façon quantitative. Le fait qu'il y ait souvent masturbation pendant les rapports sexuels brouille un peu la question, car un orgasme obtenu par les caresses du partenaire peut être considéré comme une masturbation ou comme un rapport sexuel. Quand on se caresse soi-même devant son partenaire, en revanche, on dira souvent qu'il y a masturbation plutôt que rapport.

Quelle est la zone stimulée lorsqu'on se masturbe ?

97 % des répondantes citent le clitoris, 25 % citent le vagin, 9 % citent l'anus, 10 % citent les seins, 5 % d'autres zones (lèvres, entrée du vagin, cuisses, fesses...). 64 % des répondantes ne mentionnent qu'une seule zone stimulée lorsqu'elles se masturbent, et parmi elles, 97 % citent le clitoris et 3 % le vagin. Nous citons seulement quelques réponses caractéristiques ou atypiques.

- Clitoris (mais les seins sont déclencheurs).
- Dans un lit, « frottement » général, pas localisé, contre le drap de lit.
- 2 doigts, 2 zones à la fois : de meilleurs orgasmes, ou intensité décuplée.
- Clitoris, urètre.
- Très rarement uniquement le clitoris, très vite « trop » et même dérangeant (et orgasme plus « fulgurant » mais moins intense).
- Clitoris, et depuis peu clitoris d'une main et le vagin dans un mouvement de va-et-vient de caresses.
- D'abord juste clito puis ensuite vagin, puis les deux ensemble.
- Clitoris, mais aussi clitoris + vagin en même temps.
- Clitoris, entrée du vagin, mamelon et rarement anus.
- Clitoris et vagin en même temps.
- Clitoris et vagin après.
- Clitoris, seins, parfois vagin avec un objet.
- Clitoris et lèvres.
- Clitoris – seins – vagin dans l'ordre.
- Clitoris et parfois anus.
- Clitoris d'abord en starter et vagin après.
- Clitoris surtout, ou anus-clitoris

De toutes les questions, c'est celle qui rassemble le plus grand consensus. 97 % des répondantes ont besoin de stimuler leur clitoris lorsqu'elles se masturbent. Il n'y a donc pas de règles dans la sexualité féminine, sauf une.

Quelle est la méthode utilisée pour se masturber ?

80 % des répondantes citent la main ou le(s) doigt(s), 36 % citent le vibromasseur ou un autre objet, 25 % citent le jet d'eau de la douche, 7 % citent d'autres techniques. 61 % des répondantes ne mentionnent qu'une seule technique utilisée pour se masturber, et parmi elles 74 % citent la main, 15 % le vibromasseur, 8 % la douche.

- Quand je le fais seule, ce qui marche le mieux c'est la caresse manuelle combinée avec la caresse des seins et de l'anus. Un vibromasseur aussi c'est pas mal, combiné de la même manière.
- Main, et parfois la douche, je me surprends à chercher ce plaisir.
- Main et gode ou vibro (j'ai les deux, cadeaux de mon amoureux !).
- Main, mais je préfère un Dildo si j'ai le temps.
- Main (mais désir d'essayer vibro).
- Pas de réponse. N'ai pas encore trouvé de quoi me satisfaire seule.
- Main (pas encore essayé autre chose).
- Main ou autre, tant qu'une forte pression est exercée sur le clitoris.
- Main (je n'ai jamais rien essayé d'autre).
- Douche essentiellement utilisée quand j'étais plus jeune.
- Main et huile.
- Main au départ et vibro ensuite.

D'autres techniques sont citées.

- Main, vibro ou autre objet (manche en bois d'un ustensile de cuisine).
- Frottement contre un tissu.
- Frottement/caresse sur le ventre, contre un drap, un pli de drap, une peluche, une matière douce.
- Main avec ou sans vibro (pour l'anus) et/ou brosse à maquillage pour l'anus et douche.
- Main. La douche ne me fait rien. Vibro pas essayé. Un autre objet peut être possible, mais si j'utilise un objet je ressens beaucoup plus le manque d'un homme et le but qui est d'avoir du plaisir n'est pas atteint.
- Ma couette.
- Main ou tissu.
- Main avec une petite boule de tissu (couverture, pantalon ou autre).
- Si habillée, avec un marqueur à travers les vêtements. Si nue, les doigts.
- Un oreiller ou la main.

- Vibro et bain à bulles.
- Frottements.
- Je peux aussi le déclencher comme je le faisais enfant : contractions musculaires sans me déshabiller et sans me toucher.

On peut avoir une voie d'accès identique au plaisir solitaire, il n'en reste pas moins que les méthodes utilisées sont multiples. Et dire que 80 % des répondantes utilisent souvent la main ou les doigts, ce n'est pas dire qu'elles font la même chose. Il faudrait pouvoir filmer les mille façons dont une femme peut se caresser elle-même. En dehors des classiques, l'imagination va bon train pour trouver la technique qui va mener au septième ciel.

Quelle est la qualité d'un orgasme obtenu par masturbation ?

Pour 50 % des répondantes, il est équivalent en force et en durée à un orgasme obtenu avec un partenaire, pour 30 % il est moins fort et moins long, pour 20 % il est plus fort et plus long. Quant à la difficulté d'obtention, pour 69 % des répondantes il est plus facile à obtenir par masturbation, pour 17 % il est plus difficile, et pour 14 % c'est équivalent.

Commentaires sur l'intensité.

- Plus fort seule, et différent (plus mécanique, je sais où je vais).
- Équivalent, je pense, mais il répond juste à une pulsion, alors qu'en couple il répond à l'amour.
- Plus fort car savouré dans la solitude (pas de pensées parasites).
- Plus excitant parfois avant de venir, mais pendant et juste après moins agréable et moins fort.
- Moins fort. C'est un palliatif.
- Plus fort si je me suis bien concentrée.
- Moins fort, plus répétitif.

- Moins fort en solitaire car purement physique. En couple, idéalement se rajoute une dimension émotionnelle.
- Mieux car on peut doser plus facilement.
- C'est juste un plaisir, ça n'arrive quasiment pas à l'orgasme.
- L'orgasme ne se réduit pas à un truc physique de force. Il y a des émotions et du plaisir et ils seront là si on a un partenaire... c'est la force d'être à deux.
- Cela dépend des partenaires. Un seul de mes partenaires, avec qui j'ai vécu quinze ans, a réussi à dépasser l'intensité de mes orgasmes solitaires.
- Parfois plus fort, mais alors plus local. En couple il est plus complet dans les sensations corporelles et émotionnelles.
- Cela dépend du partenaire, évidemment. Je suis restée sans partenaire pendant un an environ et mes orgasmes me paraissaient plus forts, plus longs qu'en couple (précédemment) et plus faciles à obtenir. Maintenant, j'ai rencontré un excellent partenaire avec qui je connais à chaque fois de magnifiques orgasmes, les meilleurs que j'aie jamais connus.
- L'orgasme avec le partenaire est plus puissant et devient parfois douloureux.
- L'orgasme solitaire, avec mes partenaires précédents, était toujours beaucoup plus fort qu'en couple. Mais aujourd'hui j'ai l'immense chance de pouvoir dire le contraire : c'est cinq fois plus fort avec l'homme que j'aime que seule. Parce que nous avons aboli les tabous et que j'ose prendre soin de mon plaisir en me caressant en même temps ou en lui demandant de me caresser : cela a tout changé. L'orgasme en couple est donc plus fort, plus long, mais reste plus difficile à obtenir.
- Plus intense physiologiquement, mais ne procure pas autant de satisfaction et de plaisir mental et physique qu'un bon orgasme en couple.
- Plaisir plus mécanique.
- Plus précis et condensé mais moins intense.
- Moins fort, cela n'a aucun rapport.
- Si désir il y a (avant une rencontre ou par simple fantasme), l'orgasme solitaire est beaucoup plus fort.

- Moins fort, j'ai souvent un certain goût de manque. Ce n'est jamais ni aussi bien ni aussi fort que quand un homme est à mes côtés. Je dois vraiment me creuser les méninges pour fantasmer et arriver à l'orgasme... avec un homme jamais.

Sur la durée.

- Plus court, mais plus précis.
- Plus long car je sais doser – comment arrêter la stimulation au bord de l'orgasme, ce qui le prolonge.

Commentaires sur la difficulté.

- Plus facile à obtenir qu'en couple car il est plus facile de faire appel à ses fantasmes et de diriger soi-même ses caresses.
- Un peu trop facile à obtenir.
- Infiniment plus facile à obtenir.
- Peut arriver en quelques secondes.
- Plus rapide à obtenir car je me masturbe lorsque j'en ai vraiment « envie » et l'orgasme arrive très vite.
- Plus facile à obtenir parce que je sais dans quel état je suis. Je choisis mon moment.
- J'atteins l'orgasme systématiquement.
- Plus facile car plus mécanique.
- C'est plus difficile et plus long à obtenir quand on est à deux, mais ça fait partie du jeu de l'amour et dans ce cas ça n'a rien à voir avec le plus facile ou difficile.
- Plus facile à obtenir car je connais ma lenteur pour y arriver. Ensuite, la porte aux multiples orgasmes s'enclenche.
- Il est plus facile à obtenir, on sent ce que l'on fait, on dirige seule... il arrive donc plus facilement.
- Plus facile à obtenir puisqu'il dépend de soi de poursuivre la stimulation jusqu'à obtention du résultat, ce qu'il n'est pas toujours facile de demander (et d'obtenir !) d'autrui.
- Pas possible de l'obtenir.
- La stimulation solitaire n'a jamais abouti à l'orgasme que je viens de rencontrer il y a peu.
- Clitoridien : plus fort et plus facile à obtenir. Éjaculatoire : je n'arrive pas à le faire toute seule.

- Plus facile car je me connais par cœur.
- Beaucoup plus facile à obtenir.
- Plus facile à obtenir car si je me masturbe c'est que je suis excitée et que j'ai besoin de décompresser.
- De moins en moins facile à obtenir à mesure que celui avec le partenaire l'est de plus en plus.
- Plus facile à obtenir car je vais droit au but.

La masturbation elle aussi est multiforme, et s'accompagne de ressentis très variables. Il n'y a pas de règles pour l'orgasme à deux, et pas non plus pour l'orgasme en solitaire, si ce n'est que la stimulation clitoridienne est extrêmement répandue. Mais la technique sera différente d'une femme à l'autre, et le ressenti le sera encore plus, depuis un orgasme bien plus facile et puissant qu'en couple, jusqu'à l'extrême inverse, un orgasme qui n'est qu'une pâle copie de l'orgasme vécu à deux.

L'ÉJACULATION FÉMININE

Combien de femmes ont déjà été femme-fontaine ?

Dans notre échantillon, 43 % l'ont déjà été (dont 24 % précisent que c'est rare ou exceptionnel, 15 % que c'est fréquent ou régulier), 54 % jamais, 3 % ne savent pas.

- Pas très fréquent et... cela dépend du partenaire.
- Oui : c'est assez particulier ça ! Ça m'est arrivé pour la première fois il y a quatre mois (à 42 ans) lors de rapports particulièrement ardents avec mon mari (suite à un climat particulier dans le couple après une aventure extraconjugale). Nous nous sommes retrouvés sexuellement – entre autres – et cela a déclenché chez moi ce phénomène, quelquefois. Cela ne m'est plus arrivé depuis mais ça m'interpelle et vraiment, avec un peu de technique je suis convaincue que ça peut revenir.
- Oui, uniquement avec mon partenaire, environ 1 fois sur 3.

- Oui, sans non plus que cela donne l'impression d'avoir fait pipi ! Plutôt au moment de l'ovulation.
- Oui, deux fois, lors d'un orgasme dû à une masturbation avec vibro.
- Oui, quand je me lâche complètement.
- Oui, mon premier orgasme en couple. Il est d'ailleurs possible, même si je suis maintenant au fait de ce qu'est une éjaculation féminine, que je sois bloquée à cause de ça.
- Oui, c'est devenu rare. Avec mon premier partenaire de vie, c'était régulier.
- Oui, une fois. Presque deux.
- Oui, quelquefois, avec un partenaire extrêmement habile dans la stimulation de toutes les zones érogènes de mon corps, de façon assez vive (mais pas agressive !).
- Oui, chaque fois avec un partenaire particulier, jamais avant lui, et jamais plus après.
- Oui, rare, et sûrement pas un objectif à tout prix !
- Oui. Quelle expérience ! Fréquente si bien stimulée.
- Oui, par périodes c'est très fréquent, et puis il y a des périodes plus calmes.
- Oui, c'est régulier avec mon partenaire actuel. Situation récente : moins de deux ans.
- Oui, depuis peu (38 ans). La première fois par pénétration digitale. L'homme savait ce qu'il faisait. Il appuyait à un certain endroit, puis agitait frénétiquement les doigts, puis réappuyait, et ainsi de suite ! Ensuite, ça m'est arrivé plusieurs fois, avec d'autres partenaires. Toujours par stimulation digitale (mouvements rapides, très rapides, et appuyés, profonds, et longtemps...). De plus, quand je commence à jouir, ils n'arrêtent pas, au contraire, ils accélèrent jusqu'à l'écoulement). Si en plus je me titille le clitoris en même temps, c'est encore plus violent ! Les quantités sont variables. Parfois une énorme quantité. Parfois sous forme d'écoulement, parfois sous forme de jet. Je me souviens avoir eu un jour un jet qui est parti à plus d'un mètre de moi ! Il m'est arrivé aussi deux ou trois fois de l'être lors du coït avec mon partenaire. Et lors de la pénétration, je le ressens encore plus fort, je m'écoule plus facilement. Ce n'est pas régulier. Un rapport sur quatre ou cinq. Par contre j'ai constaté que je l'étais lorsque j'étais

très, très excitée, lorsque mes différentes zones érogènes (seins, clitoris, vagin, etc.) avaient été bien titillées auparavant, et lorsque la situation, l'atmosphère, mon désir, mon état d'esprit se prêtaient à une grande excitation.

- Oui, au début de ma vie sexuelle.
- Deux ou trois fois, mais avec substances illicites... relâchement total et absolu.
- Une fois ou deux, mais je ne sais ni comment ni pourquoi.
- Il me semble qu'au début, vers 32 ans, j'ai eu une émission que j'ai prise pour de l'urine et je me suis débrouillée pour que ça cesse. Je crois que quand l'arc orgasmique arrive, je pousse violemment sur le périnée pour faire monter la sensation à la tête et c'est normal d'uriner si on ne contrôle pas la différence périnée/vessie.
- Oui, à chaque rapport sexuel, et beaucoup plus aujourd'hui qu'avant.
- Oui, très fréquent, à chaque fois avec mon partenaire.
- Une fois seulement lors de mon seul orgasme.
- Oui, entre 20 et 45 ans.
- Parfois, après le rapport.
- Oui, régulièrement, lorsque la stimulation est très forte.
- Ça m'est arrivé avec un amant, une dizaine de fois, il y a dix ans.
- Oui, régulièrement, mais l'écoulement ne s'effectue pas en jet mais en nappe plutôt.
- Oui, rarement. Régulièrement avec un de mes partenaires.
- Oui, c'est fréquent maintenant. Cela fait partie des transformations récentes.
- Oui, cela le fut pendant de nombreuses années. À présent, à 62 ans passés, je ne l'ai plus connu.
- À chaque fois que je suis bien stimulée sur le point G.
- Depuis la découverte tardive de l'orgasme (à 63 ans), oui, et fréquemment.
- Oui, une ou deux fois.
- Oui, par périodes et rencontres.
- Oui, une fois.
- Une fois ou deux, mais pas trop de liquide quand même.
- Oui, ça aussi... ça leur fait un peu peur aux hommes ce truc, non ?

- Oui, une fois, c'était incroyable, je ne savais pas que ça pouvait arriver.
- Oui, la moitié du temps.
- Il semblerait que oui, c'est extrêmement rare.

Celles qui ne le connaissent pas font parfois des commentaires.

- Jamais obtenu, ni recherché.
- Doux Jésus, non.
- Non, mais je ne désespère pas.
- Je ne crois pas, ou très peu mais j'aimerais. Je sens parfois que ça pourrait arriver.
- Connais pas ce souci.
- Non, et je dois dire que j'attends ça avec curiosité !
- Non, mais j'aimerais bien y parvenir un jour.

Expérience mythique et inaccessible pour beaucoup de femmes, l'éjaculation est une réalité certaine ou même courante pour d'autres. Les enquêtes statistiques récentes montrent que l'éjaculation est une expérience courante pour 6 à 10 % des femmes, une expérience occasionnelle pour 10 à 15 %, et une expérience exceptionnelle pour 20 %. Elle s'accompagne de vécus assez variables, depuis l'inimitable jusqu'au rien-de-spécial. Le rapport entre éjaculation et orgasme est d'ailleurs des plus curieux.

Est-ce que l'éjaculation est systématiquement associée à l'orgasme ?

Pour 58 % des femmes-fontaines oui, toujours, pour 30 % parfois, et pour 12 % jamais.

Celles pour qui c'est lié à l'orgasme.

- Je pense, oui, lorsque l'orgasme est très fort, mais je ne peux parler qu'en mon nom.
- Toujours. Et des orgasmes très intenses.
- À chaque fois un orgasme très fort.
- Toujours, mais peut commencer avant l'orgasme.

- Je dirais que oui.
- Toujours, c'est indescriptible.
- Ça l'a été les deux fois.
- Cette fois-là j'ai eu l'orgasme aussi.

Celles pour qui ce n'est pas ou pas toujours lié à l'orgasme.

- Non, c'est lié à un frottement du pénis dans le vagin.
- Pas chaque fois. Et c'est même lassant de salir des draps ! Au début, on est un peu gênée et émerveillée, puis si cela devient systématique, moi ça m'embêtait.
- Non, c'est lié à la stimulation.
- Parfois oui, parfois c'est lié à une très grande excitation.
- Non, lié au plaisir. Je ne sais pas très bien.
- Non, pas seulement lié à l'orgasme mais au plaisir.
- Lié à la stimulation du point G.
- Jamais me semble-t-il : cela se passe avant, pendant les préliminaires, avec des caresses manuelles vaginales.
- Non, ce phénomène peut apparaître au moment où l'excitation est très forte.
- Très souvent lors d'un orgasme vaginal et jamais avec un orgasme clitoridien.
- Très rarement.
- C'est plutôt lié à l'excitation et aux jeux de mon partenaire.
- Je l'ai toujours quand il y a orgasme, mais aussi en dehors de ce moment fort.
- Non, pas forcément lié à l'orgasme.
- C'est lié au désir, avant l'orgasme.
- Lié à l'excitation.
- Non.
- Non, mais lié à l'excitation.

L'éjaculation est un phénomène souvent associé à l'orgasme mais pas nécessairement. Nous avons eu, dans les femmes anorgasmiques, le cas d'une femme qui a régulièrement des éjaculations, pour peu que la stimulation soit précisément sur un point du vagin, sans que cela lui procure un quelconque plaisir. La réaction d'éjaculation ressemble à un phénomène réflexe présent chez certaines femmes et pas chez d'autres, parfois très agréable et parfois pas. S'il se déroule en même temps que le réflexe orgasmique, il peut l'amplifier nettement.

LES FEMMES ANORGASMIQUES

Les femmes anorgasmiques représentent 5 % de notre échantillon (16 répondantes). Elles ont entre 18 et 53 ans mais la moitié ont moins de 30 ans. Elles ont connu moins de partenaires en moyenne que les autres, mais c'est un effet dû à la répartition des âges. Elles se sont toutes masturbées à un âge moyen pas plus tardif que les autres (12 à 15 ans). 4 sur 16 ont tenté de trouver l'orgasme en multipliant le nombre de partenaires. 7 sur 16 ont multiplié les essais de masturbation. 7 sur 16 ont multiplié les tentatives de s'informer auprès de sources compétentes. 9 sur 16 sont convaincues que le problème n'est pas définitif et qu'elles découvriront l'orgasme un jour ou l'autre. 9 sur 16 en ont parlé clairement soit avec leur(s) partenaire(s), soit avec des amies autour d'elles.

On peut dire que dans l'ensemble elles sont plutôt actives et pas résignées. Plusieurs soulignent qu'elles ont du plaisir par ailleurs.

- Je ne fais plus d'essais de masturbation parce que venant de moi ça n'a aucun impact. Je ne sais pas me prodiguer du plaisir de la sorte.
- J'ai du plaisir que je qualifie de jouissance, mais ce n'est pas l'orgasme... Ou alors l'orgasme n'est pas le nirvana dont on m'avait parlé.
- Je me masturbe tous les jours avant de dormir (quand je dors seule) et le matin avant de sortir du lit si j'ai le temps. Mais ça ne marche pas.
- Je m'informe surtout en parlant avec mes partenaires sexuels.
- L'éducation rigide que j'ai reçue m'a très longtemps empêchée de m'informer. Maintenant que je suis intellectuellement prête à des réponses... je n'éprouve plus le besoin de trouver le « plaisir » !

- Je me dis qu'il faut se relaxer et explorer quand l'occasion se présente. J'y vais petit à petit. Je m'y suis mise sur le tard.
- Je me dis que ça viendra le jour où j'aurai une parfaite maîtrise des sensations de mon corps.
- Ça m'est arrivé très souvent de penser que j'étais frigide et qu'il n'y avait rien à faire.
- Je ne me considère pas comme frigide. Il y a une différence entre jouir et avoir un orgasme.
- Actuellement, je me suis résignée à cette particularité sans éprouver de véritable souffrance. Je ne suis plus dans la recherche du plaisir absolu. De surcroît, la ménopause n'arrange rien côté libido !
- J'en ai parlé avec mon partenaire le plus récent mais je n'arrive pas à le dire clairement.
- Je n'en ai jamais parlé à personne.
- La plupart de mes partenaires ont été informés de ma particularité. Peu s'en sont réellement émus. Actuellement, cette recherche n'a plus trop de sens. Si j'ai effectué une recherche dans cette direction, c'est surtout pour tenter de satisfaire mon partenaire actuel qui s'en inquiète beaucoup et pour essayer de trouver une harmonie dans le couple.
- J'en ai parlé au partenaire le plus récent, à mes proches amies aussi.
- Je dis à mes partenaires que j'ai du plaisir, que je jouis certainement, mais que je n'ai pas encore eu d'orgasme.
- J'en ai parlé à mon partenaire et mes amies proches.
- Je n'en ai parlé qu'à ma meilleure amie.
- Oui, je l'ai dit mais ça n'évolue par pour autant.

Deux femmes qui connaissent l'orgasme mais très, très rarement ajoutent un commentaire dans cette rubrique.

- J'ai fini par dire la vérité sur la fréquence réelle de mes orgasmes à mon dernier partenaire, en espérant un dialogue et une recherche de réponses pour notre couple. Depuis, je préfère l'abstinence.
- Je pense que je n'ai pas le bon partenaire qui n'entend pas mes désirs quand je lui en parle. Je lui dis qu'il n'a encore rien vu.

La potentialité de l'orgasme devrait être présente chez toutes les femmes. Mais le seuil de stimulations nécessaires est très variable d'une femme à l'autre. Les types de stimulations efficaces doivent parfois être recherchés longtemps. Sans parler du rôle du mental qui peut faire obstacle en raison de toutes sortes de craintes ou gênes. Une enquête statistique récente sur le site queendom.com a tenté de mettre en lumière tous les obstacles mentionnés par les femmes qui ont du mal à atteindre l'orgasme. Ils sont nombreux. On les a classés par ordre décroissant du nombre de femmes qui les mentionnent :

— parce qu'on se sent gênée des réactions et manifestations de son corps pendant l'amour (61 %) ;

— parce que le partenaire est trop brutal (60 %) ;

— parce que le partenaire ne répond pas aux souhaits (59 %) ;

— parce qu'on a absorbé des substances adverses (alcool, médicaments...) (59 %) ;

— parce qu'on a des ennuis de santé (49 %) ;

— parce qu'on ne ressent pas assez de désir au départ (47 %) ;

— parce qu'on est gênée de son apparence (46 %) ;

— parce qu'on se sent extérieure à la situation (42 %) ;

— à cause du stress quotidien (27 %) ;

— parce qu'il n'y a pas assez de préliminaires (24 %) ;

— parce que la position n'est pas bonne (17 %).

La gêne par rapport à l'image qu'on donne de soi apparaît comme le premier obstacle, indice patent d'un conditionnement culturel normatif et donc souvent dévalorisant.

LES QUESTIONS QU'ELLES SE POSENT

La dernière question de cette enquête consistait à demander aux femmes quelle est la plus grande question qu'elles se posent au sujet de l'orgasme. Attention, la liste est longue, et nous tenons à la publier en entier pour rendre compte de la diversité des questionnements, et de la façon dont ils sont formulés.

- Pourquoi certains hommes arrivent-ils à le provoquer chez moi et d'autres pas ?
- Pourquoi est-ce si compliqué de le trouver avec un partenaire ?
- Pourquoi n'ai-je pas d'orgasme vaginal ?
- Comment y arriver avec le partenaire ?
- Pourquoi ne suis-je que « clitoridienne » ?
- Comment faire pour se les procurer soi-même ?
- Comment jouir plus vite, plus fort, plus longtemps et comment jouir avec son partenaire ?
- Pourquoi, alors que quand l'excitation monte on serait prête à tout pour y avoir droit (et on devient de vraies félines !), pourquoi donc (quand on sait ce que c'est) n'en a-t-on pas toujours le courage ? Sauf bien sûr quand on se sent potentiellement sur la sellette à défendre son mâle pour ne pas se le faire piquer. J'ai l'impression qu'il faut une certaine énergie au départ, mais ce n'est pas très clair dans ma tête... Dix-huit ans que j'ai le même partenaire, est-ce que ça compte ?
- Pourquoi les hommes ne se rendent-ils pas compte que l'orgasme simultané est celui qui procure le plus de plaisir aux deux partenaires en même temps ?
- L'orgasme multiple, ça m'interpelle... c'est un truc que j'aimerais bien vivre...
- Je me rends compte que je n'ai pas de pensées érotiques, ce qui implique que je ne suis pas l'initiatrice de ma sexualité, mais que je profite de la libido de mon compagnon. En fait, j'ai envie d'avoir envie. Comment puis-je faire ?
- Quel pourcentage de femmes ont déjà réellement connu un orgasme ?
- Pourquoi je n'arrive pas à jouir autrement qu'en serrant les jambes (même si j'ai compris qu'il y a stimulation clitoridienne, j'aimerais bien y arriver autrement).
- Et le point G dans tout ça ?
- Comment peut-il être provoqué facilement ?
- Comment jouir par simple pénétration ?

- S'il y avait une manière infaillible de le déclencher, ce serait bien pratique...
- Quel est le rôle du point G ? Mon mari n'arrive pas à le stimuler lors de nos relations sexuelles. Je pense que mon clitoris est peut-être trop loin par rapport à mon vagin.
- Quand vais-je connaître la jouissance sans stimulation clitoridienne ?
- Il y a apparemment peu de femmes vaginales et cela m'étonne car moi je le suis. Ne suis-je donc pas normale ?
- Je ne m'en pose pas, ça évite de compliquer les choses !
- Pourquoi je n'arrive pas à atteindre l'orgasme uniquement par la stimulation du point G, alors que j'adore cette stimulation ?
- Pourquoi parfois, alors que toutes les conditions semblent réunies, il ne « vient » pas du tout ou il est « avorté » comme un pétard mouillé ?
- Y a-t-il des orgasmes multiples ?
- Pourquoi la culture et la pensée dominante nous donnent-elles des images aussi fausses de l'orgasme et de la sexualité des femmes ?
- Comment faire pour que toutes les femmes puissent avoir accès à ce miracle de la nature qu'un tabou féroce nous a occulté et qui pourtant me semble être un incontournable d'une bonne santé ? Quand va-t-on enfin commencer des recherches sur l'orgasme féminin ? Bravo pour ce début qui me semble prometteur.
- Pourquoi la nature a-t-elle tant comblé les femmes et si peu les hommes ?
- Est-ce qu'il y a vraiment deux types d'orgasmes, où est-ce le clitoridien qui mûrit, grandit vers le vagin ?
- Peut-on l'améliorer ?
- Aurai-je un jour un orgasme vaginal, par la pénétration, autrement que par la simple masturbation ? ? ?
- Où est ma limite ? Quand je commence je ne sais pas où cela pourrait s'arrêter...
- Pourquoi ça fait parfois si peur aux hommes ?
- Comment est-ce si bon ?
- Je me demande, mais vaguement et sans m'en inquiéter plus que ça, jusqu'à quel âge chez la femme ça peut encore fonctionner ?

- Pourquoi, quand je me masturbe, j'obtiens un orgasme à tous les coups très rapidement et super fort sans pouvoir plus me frôler après ? Pourquoi je n'ai jamais cette sensation avec un partenaire (ou alors après des efforts soutenus dans le temps) ?
- Comment enfin en avoir à deux, parce que deux fois depuis que je suis active sexuellement (et avec certains très bons partenaires, avec ou sans amour etc.), ce n'est pas assez vous comprendrez !
- Pourquoi je ne jouis qu'avec les hommes à grand sexe ? ? Pourquoi on insiste à me dire que la taille n'a pas d'importance ?
- J'entends tellement dire que beaucoup de femmes ne connaissent pas l'orgasme (sans pour autant jamais vraiment avoir eu aucune amie me l'avouant – une seule m'a dit, il y a deux ans, l'avoir connu pour la première fois quelques mois plus tôt), je me demande combien de femmes – en fait – ont la chance de connaître ce que je connais ! Et peut-être, aussi, s'il existe de vraies vaginales (qui ont plus d'orgasmes vaginaux que clitoridiens).
- À vrai dire, j'ai cessé de me poser des questions à ce sujet, je préfère le vivre.
- Comment c'est chez les hommes ?
- Je me demande si je peux réussir à jouir encore plus fort.
- J'aimerais savoir si la variété des orgasmes est liée à la variété des manières de « mettre son corps en condition ». L'« emprisonnement » dans une « technique » joue-t-il un rôle dans la réduction des possibilités ? En contrepartie, quel rôle joue le mental, le lâcher prise, la réduction du contrôle ? En deux mots, j'aimerais pouvoir me passer d'une stimulation clitoridienne quelque peu exigeante.
- Suis-je vraiment si longue à venir et à atteindre l'orgasme ou est-ce ainsi pour toutes les/beaucoup de/femmes ? Sommes-nous toutes « capables » d'y accéder ?
- Existe-t-il réellement différents orgasmes ?
- S'il y a plus qu'un orgasme.
- Pas sur l'orgasme mais sur les points de vue masculins vis-à-vis de la femme et de son orgasme... Comme certains sont si pudiques, ne souhaitent pas toucher, ou trouvent tout ce toucher superflu, donc si pas « nécessaire » ma

frustration peut s'installer... Je dis pudeur mais ??? Alors, le « rapport » doit être tendre et doux... ce qui n'est pas gênant mais parfois j'ai envie d'un peu plus de vigueur surtout que je l'ai connu souvent et que faire marche arrière me paraît bien difficile... même dans l'Amour... il n'est pas obligatoire que ce soit toujours « tiède » (ressenti ainsi par moi).

- Pourquoi, pour ça comme pour le reste, sommes-nous toutes si différentes ?
- Jusqu'à quel âge cela continuera ?
- Comment l'allonger ?
- C'est quoi le point G ? Il y a vraiment un lien avec l'orgasme ?
- Ai-je vraiment eu un orgasme ou était-ce un plaisir intense ?
- Existe-t-il quelque chose de plus fort que ce que je connais ?
- Quelle part a le mental dans l'aboutissement à l'orgasme ?
- Dans un orgasme féminin, quel est le pourcentage d'excitation cérébrale ?
- Comment sont les orgasmes des autres femmes ? Y a-t-il des orgasmes beaucoup plus forts ? Qu'est-ce que l'orgasme vaginal ?
- Quelle est la différence entre un orgasme masculin et un orgasme féminin ?
- Je me demande s'il est réellement possible de l'atteindre en pénétration « par-derrière », avec mon partenaire derrière donc, en levrette... car jamais encore arrivé.
- Si l'orgasme est un phénomène physique ou mental et pourquoi certaines femmes n'arrivent pas à jouir ?
- Est-ce qu'un sexe plus gros et plus long aide mieux à atteindre l'orgasme qu'un sexe « normal » ?
- Où est le point G ?
- Comment le prolonger ?
- Pourquoi on n'en a pas à chaque fois ? Pourquoi c'est si difficile d'en avoir ?
- D'où cela vient et comment le provoquer plus intensément lors de la pénétration ?
- Aucune, plutôt un souhait de connaître comme certaines de mes amies des orgasmes à répétition ! Mais même avec

différentes techniques, exercices, issus de livres, ça ne fonctionne pas !

- L'orgasme vaginal reste difficile à obtenir. Est-ce lié à une sensibilité particulière ?
- Cette fameuse stimulation : différence que les femmes font sur le clitoris et le vagin.
- Si mes futurs amants m'en procureront, vu que c'est nouveau pour moi.
- Le point G existe-t-il ? L'orgasme vaginal est-il vraiment dissocié du clitoridien ?
- Est-ce vraiment une question de s'emboîter parfaitement... Je parle pour le vaginal...
- C'est plutôt une réflexion ou un constat que pour ma part l'orgasme est tellement lié à l'état dans lequel je me trouve et le contexte qui l'entoure... je pense que finalement c'est très féminin cette manière de fonctionner. Qu'en est-il des hommes ? Je pense qu'ils sont moins cérébraux à ce niveau-là (sans doute pas tous...). Je pense que l'orgasme tout en étant une sensation très agréable n'est pas une fin en soi pour que la relation sexuelle se passe bien mais c'est quand même plus sympa de le vivre. Je trouverais triste par exemple qu'une femme ne l'ait jamais éprouvé...
- Pourquoi ne peut-on avoir les deux en même temps ?
- La plus grande question est : comment avoir un orgasme vaginal, est-ce par le point G uniquement ? Comment ça fonctionne en fait. Et si c'est plus fort que le clitoridien comme me disent certaines de mes copines !
- Comment est-il vécu par d'autres ?
- Jusqu'à quelle intensité cela peut aller ? Comment m'autoriser cela ?
- Est-ce que je connaîtrai un jour l'orgasme avec un partenaire ?
- Je ne me pose pas de questions sur l'orgasme, je pense que c'est moi qui provoque mon orgasme et pas mon partenaire, comme si je l'utilisais comme un objet de plaisir. Cela dit quand il m'a fait du bien j'ai envie de lui rendre la pareille.
- Quelle est la proportion de femmes-fontaines ? Sont-elles aussi rares qu'on le prétend, ou ce sujet est-il tabou ?

- Pourquoi je ne l'atteins pas à chaque fois avec mes partenaires ?
- Comment parvenir à avoir des orgasmes multiples ?
- Puis-je en vivre d'encore plus forts ?
- Comment y arriver fréquemment avec mon partenaire ?
- Qu'est-ce qui déclenche l'orgasme ?
- Je n'en ai pas, je crois que j'ai atteint un certain niveau d'orgasme car j'ai arrêté de le rationaliser, de le considérer comme un but...
- Est-ce que les hommes ressentent la même chose que nous au moment de l'orgasme ?
- Le phénomène de femme-fontaine est récent pour moi et je ne le contrôle pas. Je ne le comprends pas. Pourquoi le suis-je parfois et parfois pas ? Qu'est-ce qui déclenche ce phénomène ? Y a-t-il un endroit stratégique qui sert de déclencheur, une position des doigts, un mouvement particulier ?
- Quand est-ce que les hommes vont arrêter de fixer sur la pénétration et l'orgasme, et comprendront-ils que faire l'amour c'est être à l'écoute, jouer et découvrir comment donner confiance, prendre confiance en soi, donner du plaisir qui aboutira à l'orgasme ?
- Arriverai-je un jour à avoir un orgasme par la seule pénétration ? Qu'est-ce qu'il me manque pour cela ? Un homme dont l'érection dure plus longtemps ? Je ne sais pas. Je ne pense pas qu'il existe des orgasmes plus forts que les miens actuellement, mais j'aimerais bien qu'ils se déclenchent sans aide manuelle...
- Jusqu'à quel âge peut-on atteindre l'orgasme ?
- Je pense que la meilleure chose que les femmes puissent faire pour mieux vivre leur sexualité est de partager leurs expériences les unes avec les autres.
- Comment aider les femmes qui ne le connaissent pas ?
- Pourquoi est-il si éphémère ? ?
- Avec qui aurai-je le plus fort ?
- Est-il proportionnel à l'amour ? ! Ou à la confiance en soi, à la détente ?
- Peut-on le prolonger encore quand il est là ?

- Je ne fais que me poser des questions, rien n'est automatique, clair et précis à ce sujet, et j'espère continuer encore quelque temps.
- Comment est-ce possible de l'atteindre si facilement seule alors qu'avec son partenaire, on n'y parvient pas toujours ?
- Pourquoi n'est-il pas systématique quand on connaît vraiment bien son corps et son partenaire ?
- Comment cesser les blocages psychologiques... ou plutôt les pensées qui me font me balader constamment entre : j'atteins presque l'orgasme (après une très longue stimulation de préliminaires) et non finalement ce n'est pas encore maintenant.
- Pourquoi les hommes ont-ils si peur de la sexualité des femmes qui certes n'ont pas besoin du sexe de l'homme pour orgasmer mais qui ont envie d'être pénétrées tout de suite après ? Est-ce que je suis un cas rare ?
- Sur une série de coïts, puis-je avoir toujours un orgasme (sur une durée d'une nuit par exemple) ?
- Quelle est la différence de ressenti entre l'orgasme masculin et l'orgasme féminin ? Sont-ils de même intensité ?
- Pourquoi d'un point de vue « mécanique », j'arrive à jouir si facilement avec mon partenaire actuel et beaucoup plus difficilement, voire jamais, avec d'autres ?
- Pourquoi ai-je tant de difficultés à l'atteindre avec un partenaire ?
- Je ne suis pas certaine de m'en poser si ce n'est comment l'atteindre différemment...
- Est-ce que je vais ressentir autant de sensations malgré les années ?
- Comment se passe un orgasme vaginal ?
- C'est mon cerveau qui est le facteur déclenchant/inhibiteur ? ? ?
- Connaîtrai-je un jour un orgasme purement vaginal ? Pourquoi ne l'ai-je jamais connu ? Comment font les femmes qui parviennent à jouir simplement par pénétration ? ? ?
- Retrouverai-je un jour les orgasmes clitoridiens d'avant mon épisiotomie ? ? ? Non, probablement jamais... La question est pourquoi n'en parle-t-on pas aux femmes ? Si les hommes devaient perdre leur jouissance sexuelle à

chaque fois qu'ils conçoivent un enfant, on mettrait la Nasa sur le coup, non ?

- Pourquoi est-il si court ?
- Quand vais-je à nouveau jouir vaginalement ?
- Jusqu'à quel âge vais-je en avoir ?
- La raison pour laquelle les hommes y parviennent plus facilement ?
- Jusqu'à quel âge sera-t-il possible ?
- Comment faire pour en avoir un peu plus souvent ?
- Je ne me pose pas de questions, je jouis bien, mais, avec la ménopause, l'envie est moindre.
- Est-ce cérébral ou bien physique, est-ce les deux ?
- Comment arriver à l'orgasme vaginal ?
- Existe-t-il un point G ?
- Le point G existe-t-il réellement ?
- Est-ce que le point G existe ?
- Est-il possible d'atteindre l'orgasme avec une simple pénétration sans préliminaire ni stimulation clitoridienne ?
- Comment être sûre que ce sont des orgasmes... cela paraît tellement court !
- Comment faire pour entretenir la puissance de l'orgasme avec l'âge qui avance, les stimulations qui sont de plus en plus difficiles, qui sont dues à l'habitude ?
- Comment font deux femmes pour se faire jouir à part le cunnilingus ?
- J'aimerais savoir s'il est possible d'apprendre d'autres manières de parvenir à l'orgasme. Je souhaiterais par exemple pouvoir jouir dans d'autres positions, sans devoir absolument me caresser... Est-il possible de l'apprendre un jour ou est-on fait d'une manière bien spécifique et différente pour chacune d'entre nous ?
- Plus de questions... Mais combien d'années de souffrance sous le diktat des « normes » imposées ?
- Je n'ai pas de grande question mais plutôt une requête : publiez les résultats de ce questionnaire et offrez-le à nos hommes.
- Y a-t-il un orgasme plus fort que le mien ?
- Le fait que j'en aie facilement beaucoup, mais que je déclenche volontairement (ne suis pas « abandonnée » à l'homme, c'est moi qui sais comment gérer mon corps pour

que les stimulations du partenaire fassent effet), fait-il de moi une rareté ou une banale ?

- Existe-t-il le point G ?
- La question de la femme-fontaine... il me semble avoir lu que c'était principalement lié à un abandon énorme. Donc, je m'interroge, puis-je m'abandonner encore plus ?
- Pourquoi n'ai-je pas eu la chance d'être vaginale ?
- Pourquoi est-ce si merveilleux (et pourquoi est-ce si difficile de dénicher des hommes capables de vous emmener au septième ciel tout en n'étant pas d'horribles séducteurs professionnels) ???
- Je me demande d'où vient sa puissance.
- Est-il possible d'y arriver sans stimulation clitoridienne ?
- Comment peut-on jouir sans contact physique ?
- Comment avoir un orgasme vaginal ?
- Pourquoi certains hommes parviennent à en donner et pas d'autres. Forme du pénis ? État psychologique de la relation ?
- Est-ce que l'orgasme me rend laide ?
- Comment le vivre avec un partenaire sans masturbation ?
- Est-ce que les difficultés rencontrées pour l'atteindre (en couple ?) en tant que femme l'ont été de tout temps ou est-ce une question de morale-éducation (judéo-chrétienne) ? Est-ce que les peuplades « primitives » (ou d'autres peuples qu'occidentaux/blancs) éprouvent moins de problèmes que nous ?
- Aurai-je des orgasmes jusqu'à ma mort ?
- Pourquoi je n'y arrive pas plus facilement !
- C'est comment chez les autres ? Et cette histoire de clitoridienne et vaginale c'est quoi au fond ? c'est vrai ?
- Comment est celui d'un homme ? ? ?
- Est-ce que toutes les femmes connaissent l'orgasme ?
- Pas facile de trouver le point G, on pourrait croire qu'il s'amuse à déménager parfois.
- Sa limite, jusqu'où il peut aller.
- Est-ce qu'on en devient accro ?
- Pourquoi est-ce tellement compliqué pour certaines ?
- Combien de femmes peuvent jouir du vagin sans stimulation clitoridienne ?
- Que vais-je découvrir encore ?

- Existe-t-il vraiment un orgasme anal ?
- Où trouver un partenaire à la hauteur pour une extase prolongée à deux ?
- Comment cela fonctionne ?
- Est-ce que les femmes qui connaissent l'orgasme vaginal ont des contractions involontaires des muscles du périnée ?
- Comment l'atteindre dans d'autres positions avec mon partenaire ?
- Comment savoir s'il n'y aura pas mieux ?
- Le truc sur le point G et la femme-fontaine ?
- Quelle est la part de mental et de physique dans l'orgasme ? Est-ce que les femmes qui ne parviennent pas à atteindre l'orgasme n'auraient pas une forme de blocage psychologique ?
- J'aimerais comprendre pourquoi je n'arrive pas à avoir un orgasme avec pénétration, et pourquoi j'ai ce blocage que je ne comprends pas...
- Pour ma part, ce serait de savoir pourquoi moi, je ne sais pas simuler alors que beaucoup de femmes y arrivent ? ?
- Je me pose plein de questions mais à qui les poser, je suis assez gênée et je ne m'y connais pas bien, je vais de découverte en découverte sur ma capacité à jouir et à prendre du plaisir.
- Peut-on le faire durer plusieurs minutes ? combien ?
- Est-ce qu'on peut le provoquer ou l'atteindre à chaque fois qu'on le souhaite ou y a-t-il des « limites » à la fréquence à laquelle on peut l'atteindre ?
- C'est plutôt un étonnement : je croyais qu'avec la fin de ma relation avec mon dernier partenaire (qui a duré dix ans) tout serait fini surtout à cause de mon âge et voilà que depuis, j'ai à nouveau désiré et à nouveau connu des orgasmes seule ou avec un partenaire.
- Comment avoir un orgasme vaginal ?
- Est-ce que ce sera toujours aussi bon après la ménopause qui s'annonce ? ?
- Est-ce que je le connaîtrai un jour de nouveau avec un homme ?
- Le bien-être que j'ai pu connaître avec mes précédents partenaires est-il seulement un orgasme non abouti ? Pourquoi suis-je arrivée à associer cette intensité à l'orgasme ?

La sexualité et l'orgasme n'ont rien à voir avec l'amour = ma conclusion.

- Comment y arriver tout le temps avec mon partenaire au point de ne plus vouloir me masturber ?
- Est-ce bien l'orgasme que je connais ou que je crois connaître ?
- Je ne me pose pas de questions. Je le vis et j'y mets tout mon être et là c'est magique ! C'est une rencontre, une alchimie toute particulière entre deux êtres. C'est un acte complet pour ma part, c'est un véritable chemin. Il faut pouvoir donner et recevoir.
- Pourquoi je n'arrive pas à me lâcher plus facilement pour obtenir l'orgasme idéal (plus fort) ?
- Y a-t-il vraiment un orgasme vaginal ou non ?
- Y a-t-il vraiment un point G ?
- Qu'est-ce que l'orgasme fontaine, d'où ça sort ?
- Plein de questions mais je ne suis pas sûre de vouloir toutes les réponses...
- Jusque quand dure le plaisir ? mais je crois qu'il n'y a pas de limite d'âge...
- Est-ce qu'il mérite vraiment d'être placé au-dessus de tous les autres, l'orgasme-pendant-la-pénétration-par-le-partenaire ?
- Pourquoi je n'arrive pas à jouir vaginalement avec mon partenaire ?
- La fameuse histoire du point G que j'appellerai plutôt « zone ». Il doit s'agir de la partie du vagin correspondant à l'arrière du clitoris, pour moi lorsque le clitoris est caressé et qu'en même temps la pénétration stimule cette zone-là du vagin, c'est très orgasmique !
- Même si c'est très intense, j'ai souvent l'impression que ce n'est pas fini, ou même d'en vouloir encore... Alors est-ce que c'est possible d'avoir l'impression d'être « vidée », rassasiée ?
- Est-ce que l'orgasme parfait doit absolument être en synchronisation avec celui de son partenaire ?
- Est-ce qu'il existe d'autres formes d'orgasme que je ne connais pas encore ?
- Si j'ai encore d'autres sensations à découvrir ?
- J'atteins l'orgasme parce que je m'imagine être un homme qui fait l'amour à une femme (une autre que moi) et j'ai

beaucoup de mal à réconcilier ces fantasmes quand je fais l'amour. J'aimerais tant savoir comment m'y prendre pour jouir lorsque je suis pénétrée, ce que j'adore.

- Est-ce que je sais vraiment ce qu'est la sensation de l'orgasme vaginal ? Mon plaisir clitoridien est tellement fort et bon que je me demande si je ne passe pas sans le savoir à côté d'un plaisir moins intense qui serait le vaginal.
- Comment serait-il avec d'autres hommes ?
- D'autres femmes connaissent-elles l'orgasme total ? Je veux dire tout le corps qui devient zone érogène et une impression de quitter son corps...
- Est-ce qu'on peut avoir des orgasmes jusqu'à la fin de sa vie ?
- Comment peut-on faire pour que ça arrive à chaque fois ?
- J'ai l'impression de peu le maîtriser lorsque je suis en couple, je ne sais pas toujours comment l'obtenir et je ne comprends pas toujours les blocages que je peux faire parfois.
- Est-ce que se masturber seule trop souvent rend plus difficile l'orgasme en couple ?
- Y a-t-il un orgasme vaginal ?
- Comment l'atteindre ?
- Comment jouir à deux ?
- Qui ne jouit pas ?
- Comment ne connaît-on pas plus de choses là-dessus ?
- Y a-t-il un élément à l'intérieur du vagin qui donne le plaisir ou est-ce les racines du clitoris ?
- Est-il possible d'avoir un orgasme sans stimuler le clitoris ?
- Comment expliquer avec tact à mon conjoint mon « mode d'emploi » sans le vexer et pour qu'il me fasse atteindre facilement et régulièrement le septième ciel ?
- Sommes-nous toutes aussi sensibles ?
- Vais-je faire l'expérience d'être une femme-fontaine ?
- Comment pouvoir faire comprendre à une amie anorgasmique comment arriver à l'orgasme ?

Presque toutes ces questions ont été abordées au moins en partie dans le courant de ce livre. Beaucoup de questions des unes s'éclairent par les témoignages des autres.

Partager l'expérience du plus qu'intime permet d'élargir considérablement sa vision des choses. Si les femmes se racontent leur vécu, comme ces trois cents femmes l'ont fait ici, cela peut éviter à certaines de rester enfermées dans des erreurs, des complexes, des incertitudes. Cela peut ouvrir la compréhension de ce que l'on vit, et élargir le champ du possible. Nous allons dans un dernier chapitre faire le tour des leçons à tirer de la double démarche qui a été la nôtre : interroger la science et interroger les femmes.

CHAPITRE 7

Plaisir, désir, etc.

Oh et puis non. Nous n'allons pas passer en revue tous les conseils et suggestions qui se trouvent déjà formulés dans cet ouvrage. Des pistes de réflexion et d'action se trouvent éparpillées tout au long du chapitre 5, consacré aux recherches scientifiques, et tout au long du chapitre 6, grâce aux femmes qui ont été nos « collaboratrices » dans la rédaction de cet ouvrage. Elles ont réfléchi avec nous. Leurs témoignages représentent un gisement d'informations inestimable, dans lequel chacune peut aller puiser des cas qui lui ressemblent, et d'autres qui ne lui ressemblent pas du tout, pour voir si par hasard son expérience ne serait pas plus extensible qu'elle ne croit.

Car la première chose à faire, quand on se pose des questions sur sa sexualité, c'est bien cela : demander aux collègues. À toutes les femmes qui ont résolu les mêmes questions et qui peuvent décrire leur parcours. Ne restez pas seule avec vos impasses, à vous demander pourquoi ça foire, pourquoi ça coince, pourquoi ça ne décolle pas ou si rarement. Allez à la rencontre du savoir des autres. Il y a bien des façons. Vous pouvez convoquer vos meilleures copines et décider simplement de plonger dans le vif du sujet. L'orgasme n'est un sujet embarrassant que tant qu'on se laisse embarrasser. Traversez le mur, et vous verrez que c'était un mur de papier. Chacune a son stock d'histoires à mettre sur la table. Beaucoup sont drôles, certaines sont tristes, la plupart sont instructives. Un dîner à quatre ou cinq qui s'ouvre sur ce sujet, à l'abri des oreilles masculines, va probablement se terminer très tard dans la nuit. Si vos copines ne sont pas du genre, allez voir plus loin. Il y a des ateliers, des lieux de parole où l'on peut aller à la rencontre de l'expérience des autres. Il est parfois plus simple de faire part de ses difficultés ou de ses questions à des inconnues. Elles n'iront pas le raconter à vos connaissances, puisqu'elles ne les connaissent pas. Allez même participer à un groupe qui se réunit loin de chez vous, si cela peut vous rassurer. Ou alors vous pouvez préférer l'anonymat complet des sites Internet. Il y a une foule de sites qui proposent des forums de discussion sur des sujets liés à la sexualité. Vous y trouverez toutes sortes de styles : le style médical, le style psychologique, le style déluré, mais dans les discussions les femmes en viennent tout de suite aux points précis qui leur posent question, et les réponses se font dans le même style précis. Pour une approche plus méthodique, vous pouvez préférer le thérapeute, soit un sexologue, soit un psychosexologue, dont les compétences rassemblent à la fois les connaissances scientifiques et un grand nombre d'expériences de femmes. Et si vous avez vraiment de la chance, ouvrez-vous à votre compagnon, ou pourquoi pas à vos ex. Il y a de plus en plus d'hommes qui sont curieux et désireux d'entendre le ressenti des femmes, et là vous comprendrez combien il peut être difficile pour eux d'aborder la question sexuelle avec une femme qu'ils déshabillent pour la première fois. Que faire, bon sang, que faire, pour mener ce corps à l'extase ? Tant de pistes sont possibles. Avoir un partenaire qui a envie d'en parler, ou que l'on peut amener à en parler dans la détente et la complicité, c'est un atout inestimable vers le chemin de la compatibilité.

Ce qui est sûr, c'est que si beaucoup de femmes ne jouissent pas pendant les rapports sexuels, ce n'est pas parce que la nature est mal faite. C'est parce que la culture est mal faite. Le plaisir féminin n'a pas été reconnu et cultivé d'une façon qui lui permette de s'épanouir facilement. Pendant des siècles, le désir féminin a été vu comme une preuve de folie, de maladie ou de sorcellerie, au point de faire adhérer les femmes aux représentations culturelles. L'ignorance a transmis comme un milieu conducteur la peur, le mépris et l'interdit du plaisir des femmes. À cet égard, le romantisme n'a pas été la moindre catastrophe dans la surgélation de la libido féminine. Idéalisée, la femme est toujours niée, les sens anesthésiés dans sa robe de princesse qui la prive de son corps.

Or l'orgasme n'est pas une fonction naturelle automatique, il est le résultat d'un apprentissage. Il y a bien une pulsion sexuelle, mais elle peut passer inaperçue sous les codes sociaux et sous le capuchon de chair qui cèle l'organe clé. Pour s'initier à l'orgasme, il faut explorer ses potentialités, dans un chemin qui ne peut être que personnel, il faut apprendre à déployer sans cesse ce qui n'est que latent au départ, apprendre à activer ce qui semblait rester passif.

Après les bienfaits de l'échange d'expérience, il n'y a donc qu'une voie de salut, et une seule : oser expérimenter. Oser pratiquer son corps ailleurs et autrement que de la façon dont on croit le connaître par cœur. Le corps a toujours beaucoup plus de surprises en réserve qu'on ne croit.

Pratiquer commence souvent par se pratiquer toute seule, tant il est vrai que, pour être capable de bien se donner, il faut d'abord bien se posséder. S'assurer une bonne musculation pelvienne est une mesure de base, à faire sans se poser de questions comme le jogging du matin. Ensuite, la masturbation est la plus simple et la plus efficace des voies de progrès. Car il n'y a pas qu'une façon de se masturber, celle qui arrive le plus rapidement à l'orgasme, il y a toutes les autres façons qu'on ne pratique justement pas puisqu'elles fonctionnent moins bien (et qu'on n'y pense même pas). Déplacer, transformer, alterner, additionner les sensations, c'est apprendre à multiplier les capacités de son corps. Les vibromasseurs de toutes sortes permettent une exploration continuée de soi par soi. De plus, ils peuvent s'inviter dans le couple pour élargir là aussi les marges de manœuvre. La nature c'est bien, mais l'artifice, c'est bien aussi (et puis parfois, la nature ne suffit pas). Il n'y a pas de honte à se faire aider. L'orgasme féminin n'étant pas prévu par la nature, pourquoi le déclencheur le serait-il ? On est de toute façon dans l'artifice, le superflu, le luxe, en bref la culture. Et puis, il y a un autre outil dont nous allons reparler, c'est le fantasme. L'imaginaire peut vous soulever comme une montgolfière. Il faut mobiliser, cultiver, développer ces démarreurs. Et les laisser à leur place, en aiguillon de la sexualité.

Et l'amour ? L'amour n'est-il pas le plus grand déterminant de l'accès au plaisir ? Évidemment non. Une étude menée en 1995 par Randy Thornhill à l'Université d'Albuquerque sur 86 couples vivant ensemble depuis deux ans a montré que l'intensité de la passion amoureuse n'augmentait pas la fréquence des orgasmes féminins. L'amour est un démultiplicateur du désir, mais il peut être un obstacle au plaisir, par tous les enjeux qu'il comporte, et tous les clichés qu'il impose. La charge émotionnelle induit automatiquement un trac immense et la peur de déplaire. La mythologie romantique ne permet pas d'être libre au lit. Comment fait un prince charmant pour enlever son caleçon ? Ce n'est pas dit dans la chanson. Le prince charmant est capable de braver les dangers, de tuer les dragons, de retrouver la princesse et de l'embrasser délicatement. Ses compétences s'arrêtent là, sur le seuil de la chambre à coucher. Il doit s'effacer à ce moment-là si on veut que le sexe ait une chance d'exister, et la princesse sans corps aussi doit s'éclipser. Si l'on surmonte les peurs, les complexes et les angoisses du regard de l'autre, si l'on se fiche d'être séduisant, convenable, conforme, régulier, alors les portes d'un territoire immense peuvent s'ouvrir. L'amour, dans ce cas, jouera les combustibles pour longtemps, entretenant et gonflant le désir au fil du temps.

Le sexe n'est pas l'amour. Le sexe est un territoire que l'amour peut annexer, disait Kundera. Du point de vue de la sexualité, l'amour est un visiteur. Et qu'est-ce que la sexualité ?

Pour certains, la sexualité est un objectif en soi. Le couronnement d'un processus de séduction. On fait tout ce qu'il faut pour accéder au banquet, puis on s'assied à table et on consomme. Ensuite, on se lasse, on s'ennuie, on se remet en quête d'une autre table à laquelle on pourrait accéder au terme d'une belle conquête. Pour d'autres, la sexualité est un passage obligé. On a, dans la vie, de grands objectifs comme la sécurité, la famille, l'amour, le statut social... et le sexe est un moyen de les obtenir. On y prend peu ou pas de plaisir. Les rapports se règlent sur le désir de l'autre et s'espacent de plus en plus. On devient frère et sœur.

Notre proposition : la sexualité épanouie n'est ni un but ni un moyen. C'est une aventure. Une terre inconnue à explorer avec un compagnon de voyage. Et comme pour tout voyage, il faut partir avec un minimum de préparation. Mettons en avant quatre points qui nous semblent fondamentaux.

La compétence sexuelle

Il faut s'être formé, instruit, exercé. Un musicien ou un sportif ne donnent pas un concert ou un match sans avoir appris à jouer. Les normes sociales sur la sexualité ont longtemps conservé les hommes et les femmes dans un état d'analphabétisme sexuel. Les choses ont changé depuis les années 1960, mais pas autant qu'on pourrait le supposer. Si les images se multiplient, les connaissances lambinent. Certains hommes ne savent pas comment les femmes jouissent. Certaines femmes ne le savent pas non plus. Les scénarios suggérés par le cinéma et les médias persistent dans un stéréotype réducteur. Nous ne connaissons que vaguement le moteur des véhicules que nous conduisons. Rien ne peut remplacer de bonnes connaissances en mécanique, et sûrement pas le vœu sincère d'aller très loin.

La culture sexuelle

Pratiquer le sexe avec intelligence suppose aussi de s'y intéresser plus largement que par rapport à soi. De même qu'un artiste ou un sportif de haut niveau est imprégné de la culture de sa discipline, on va écouter, regarder, lire, discuter de ce que disent et font les autres. On connaît la guirlande de productions culturelles qui, à travers les siècles, et malgré les censures, ont entretenu l'art du plaisir et, en particulier, on sait qui sont les femmes qui prennent ou ont pris la parole pour parler du désir des femmes : Catherine Millet, Catherine Breillat, Virginie Despentes, Caroline Lamarche, Anaïs Nin, Pauline Réage, Grisélidis Réal, Nelly Arcan, Catherine Robbe-Grillet, Alina Reyes, Nelly Kaplan, Annie Ernaux, Jane Campion, Camille Claudel, Frida Kahlo, Louise Bourgeois, Valie Export, Marlène Dumas, Cindy Sherman, Marina Abramović, Betty Tompkins, Nan Goldin, Yoko Ono, Tracey Emin, Sophie Calle...

L'investissement sexuel

On ne devient pas virtuose en pratiquant un art par-ci par-là. Quelle est la place de l'amour physique dans nos vies ? En moyenne, 20 minutes juste avant de s'endormir, deux fois par semaine. Quel musicien ou quel sportif pourrait devenir bon à ce rythme ? Comment pourrait-on cultiver, amplifier, diversifier le plaisir ? Bien sûr, le métier, les enfants, les tâches domestiques ou les loisirs empêchent souvent que l'on s'y consacre plus. C'est précisément le reflet de nos priorités : l'investissement sexuel vient très bas dans la liste. Est-ce qu'un film à la télé vaut mieux qu'une grande virée sous la couette ? Et le zèle pour nettoyer la voiture, sortir le chien, chercher l'application iPhone qui va bluffer les copains ? Au fond, et contrairement à ce que nous voudrions laisser croire, le sexe ne nous intéresse pas. Nous sommes contents avec trois fois rien.

La curiosité sexuelle

Faire l'amour, ce n'est pas chercher le meilleur orgasme possible, pour soi ou pour l'autre. C'est transformer cette recherche en une aventure pour tous les deux, une aventure qui donne des frissons, des battements de cœur, des vertiges. C'est une façon de rencontrer l'autre de mille façons, et sur des terrains, des scènes, des rings, des décors qui ne dépendent que de vous. Votre sexualité vous appartient. C'est l'un des seuls domaines où vous êtes vraiment libre, si vous le désirez. Personne ne vous demandera de comptes, de résultats, d'orthodoxie, pour peu que vous ayez bien choisi votre partenaire. Pourquoi se limiter à une sexualité conventionnelle ? Vous pouvez être vous. Vous pouvez être multiple. Vous pouvez être changeant. Vous pouvez être extravagant. Vous pouvez étonner l'autre. Vous pouvez l'inviter à s'étonner lui-même. Vous pouvez vivre la sexualité comme une expérience de vérité et de liberté, un moment où vous explorez les contours de votre être, un moment où vous êtes avant tout curieux de l'autre. Qui est-il vraiment ? De quoi est-il capable ? A-t-il des limites ? Des fragilités ? Des ressources jamais aperçues ? Comment le rencontrer davantage ?

Le fait est qu'on connaît l'autre si peu. Tout juste quelques îles qui affleurent à la surface du langage et du comportement qu'il s'autorise en notre présence. Mais il y a tous les continents engloutis sous le poids des normes et du refoulement. Soi-même, on se connaît très peu. On roule sur l'autoroute d'une sexualité de routine, sans toujours comprendre consciemment ce qui nous excite. Les inhibitions sont là. On reste volontairement à la surface. Plonger fait peur. Reconnaître les ressorts très profonds qui nous meuvent. Assumer ce qui nous excite.

Mais si on soulève les camisoles de force qu'on a reçues dans le kit complet de l'éducation, à quoi ressemble le désir des femmes ? D'abord, il existe. Aujourd'hui, dans les cabinets de consultation en sexologie, il y a autant de femmes que d'hommes qui se plaignent d'un manque d'activité sexuelle. Elles ont envie de sexe et n'en trouvent pas. Ensuite, il peut être aussi impérieux, aussi foisonnant, aussi cru que le désir des hommes. Toutes les sociétés ont pressenti cette force, et c'est pourquoi elles ont voulu l'enfermer. Les femmes aussi peuvent être excitées par la violence, la vulgarité, les jeux de pouvoir ou le sexe anonyme. Depuis que les femmes peuvent s'exprimer librement, à peine cinquante ans, le catalogue s'étoffe sans cesse, d'*Histoire d'O* et ses cérémonies SM à *La Vie sexuelle de Catherine M.* et ses soirées *gang bang*. Parfois, c'est du fantasme pur, parfois ça se traduit dans la réalité. Une femme peut être puissamment excitée par l'ogre, le monstre, le danger, l'idée de se faire broyer, tout comme elle peut être puissamment excitée par l'idée de dominer, soumettre, réduire l'autre en bouillie. Ce n'est pas une preuve de perversité. C'est de l'ordre du fond pulsionnel ancestral. Cela touche à l'effroi qui nous constitue en tant qu'êtres mortels. C'est une part intégrante de notre nature, celle qui a fait de nous ce que nous sommes aujourd'hui. On peut ne pas le regarder et dire que ce n'est pas là. Mais si on jette ne fût-ce qu'un œil, on voit que c'est là. C'est l'un des enseignements du porno, tel que l'a analysé Virginie Despentes dans *King Kong théorie* : « Le porno tape dans l'angle mort de la raison. Il s'adresse directement aux centres des fantasmes, sans passer par la parole ni par la réflexion. D'abord on bande ou on mouille, ensuite on peut se demander pourquoi. Les réflexes d'autocensure sont bousculés. L'image porno ne vous laisse pas le choix : voilà ce qui t'excite, voilà ce qui te fait réagir. Elle nous fait savoir où il faut appuyer pour nous déclencher. C'est là sa force majeure, sa dimension quasi mystique. »

Évidemment, certaines femmes ne s'habituent que lentement à l'idée de leur propre puissance, qui implique une possible violence. Mais que vaut-il mieux ? Nier ce qui nous excite ou pouvoir en jouer de façon contrôlée ? Affabuler ou savoir ce qui se trouve sous les couches de vernis ? La violence cachée n'est pas tenue de s'exprimer, mais elle le fera sans doute plus dangereusement à force d'inhibitions que si l'on est capable, de temps en temps, de la regarder en face. Le sexe permet d'ouvrir des portes une par une, tranquillement, et sans autres conséquences que dans le regard de l'autre – conséquences positives s'il est dans la même volonté de vérité et de confiance, mais désastreuses s'il est dans le jugement et dans la norme (aucune sexualité épanouie et libre à espérer de ce côté-là). Avoir un partenaire assez aventureux pour ouvrir des portes, et assez prudent pour le faire doucement, voilà le cadeau, voilà celui qui jouera le rôle d'un initiateur, et pour lequel on pourra l'être également.

À noter que les désirs et les pulsions qui pourraient apparaître dans le domaine sexuel ne sont pas à prendre comme valides dans le reste de l'expérience. Le sexe est un domaine particulier, à la fois infini et délimité. On peut être authentiquement indépendant et aimer se soumettre sexuellement. Ou être prix Nobel et vouloir faire l'enfant. L'intelligence, c'est de se connaître pour ce qui concerne les ressorts profonds de l'excitation sexuelle, et ne pas tout mélanger. Mais oser l'intégralité de ces pulsions agissantes. Injecter dans la relation sexuelle réelle tout ce qui anime nos continents engloutis. Ouvrir un espace pour des élans du dedans, fussent-ils incompréhensibles et repoussants. Ce qui ne veut pas dire partout et tout le temps. On peut faire l'amour avec amour, très tendrement dans la vie quotidienne, et se donner des rendez-vous secrets où l'on explore autre chose, où l'on se découvre dans ses profondeurs insoupçonnées, où l'on convoque l'ogre qui est en soi ou en l'autre, où on convoque le voyeur, où on convoque le fétichiste, où on convoque le bonobo...

Quand les femmes commencent à laisser parler leur désir, quand les hommes cessent d'avoir peur de ce qu'elles expriment, c'est comme une prison qui s'ouvre.

Cette peur si ancienne... Parce que la libido des femmes peut être violente, elle a fait craindre aux hommes de perdre le contrôle. Parce qu'elle peut paraître insatiable, elle les confronte à l'idée d'impuissance. Parce qu'elle est cachée dans un espace intérieur, elle a fait craindre toutes les embuscades, vagins dentés, étaux, siphons, tentacules. Entrer dans le noir, c'est toujours entrer dans la peur. Mais tout le monde prend un risque, la relation est à ce prix. Se faire pénétrer, c'est risquer de se faire envahir. Il faut le prendre, et l'aimer, ce risque par lequel on accède à plus de relation et à plus d'être. La peur est toujours mauvaise conseillère. Elle tire en arrière. Partez en confiance et en appétit vers l'inconnu de l'autre. Regardez son sexe comme un tableau, comme une étoile. On sent tout de suite si un homme aime ou a peur.

Il y a eu la crainte aussi, depuis la révolution sexuelle, d'être mangé socialement. Les femmes sont arrivées partout, même dans l'armée de l'air. Repli aigri de certains, furieux qu'on prenne leur place. Erreur. Les femmes ne vont jamais prendre la place des hommes, puisqu'elles sont des femmes. Elles vont simplement prendre autant de place. Comme cela devrait être de bien entendu. C'est une chance énorme pour tout le monde. Les hommes, condamnés à parler entre eux depuis des millénaires, vont enfin à la rencontre d'une interlocutrice à part entière. La communication est parfois plus difficile qu'avec un congénère ou un animal domestique, mais Dieu que la vie est plus riche ! Et comme on se sent moins seul ! Le terrain s'ouvre à l'infini pour échanger ses richesses, et pour entrer en dialogue avec un désir qui ne fonctionne pas à l'identique. Une femme qui exprime son désir, ce n'est pas une femme qui vous écrase ou qui vous nie, c'est une femme qui devient elle-même grâce à vous. Précieux sont les hommes qui permettent cet épanouissement. Encore plus précieux ceux qui l'encouragent. Infiniment précieux ceux dont on sent qu'ils aspirent à vous voir grandir. Terribles dégâts, par contre, si on se heurte à une réaction paternaliste. « Qu'est-ce qui te prend ? », « Tu as vraiment besoin de faire ça ? », « Où t'as été chercher un truc pareil ? » C'est un monde de différence, pour la vie et pour la personne, que d'être reçue ou rabrouée. Vivre avec trois hommes différents, c'est devenir trois femmes différentes. Celui avec qui l'on voudra rester, c'est celui qui ne coupe pas les ailes mais qui ajoute du vent dans les voiles.

ÉPILOGUE

Quatre rêves de femmes

MAXIME, COMME JE VEUX

Il est long à se réveiller ce matin. J'irais bien faire un tour et profiter du soleil. Mais j'ai scrupule à le brusquer. J'aime tant le regarder dormir. Il est très beau. Le visage détendu comme celui d'un bébé. J'ai envie de l'embrasser. Mais ça le réveillerait. Le caresser aussi. Contentons-nous de le regarder. Je repousse la couverture pour admirer son torse, ses belles épaules, le nombril caché derrière quelques poils. Offert comme un caramel sorti de l'emballage. Je repousse la couverture encore un peu. Les hanches, le pubis et... il bande comme un âne ! Le joli réflexe matinal. Je le découvre entièrement et m'abîme dans la contemplation du tableau. Apollon alangui. L'éphèbe de Delphes. Saint Sébastien avant les flèches. Le sommeil d'Endymion. Tout cela avec ce qu'aucun peintre n'a pu se permettre de représenter, le sexe tendu, gonflé, qui fait pourtant partie de l'expérience masculine en permanence. Prenez des aliens qui viendraient visiter tous les musées d'art de la Terre, ils repartiraient en ignorant complètement qu'un mec bande. Endymion dort. Je suis Séléné, la déesse lunaire, et je tombe amoureuse de ce bel humain dont le corps assoupi trahit toute la fragilité. C'est un fait, je ne le désire jamais tant que lorsqu'il est offert et vulnérable. Enfin, je le désire autrement. Activement. Là, il a beau dormir, je vais finir par craquer et aller lui effleurer le sexe avec ma bouche. Le hisser du fond de la nuit à tout petits coups de langue. Le sucer vers le jour. Il commence à s'étirer. Grand soupir d'aise en découvrant le comité d'accueil. Il sourit et ronronne. Écarte les jambes. J'y vais plus franchement en le gobant à fond et lentement. Je me chauffe en le gâtant, cela m'a toujours fait cet effet-là. Le regarder et l'embrasser sur le sexe, ça vaut tous les films pornos du monde, et tous les préliminaires - un peu comme de faire la cuisine avant de manger, je m'ouvre l'appétit au contact des ingrédients. En tout cas l'eau me vient aux bouches. Pour être sûre, je m'informe sur ses dispositions.

— Tu verrais un inconvénient à ce que je me fasse du bien au moyen de ton corps ?

— Sers-toi, la maison est en libre accès, répond-il dans un souffle et sans ouvrir les yeux.

Là-dessus, il lève les bras au-dessus de la tête, signe qu'il attend l'assaut. Il n'est jamais aussi provoquant que lorsqu'il ne fait rien et semble simplement me dire « vas-y ». Son corps entier n'est que détente et acquiescement, autour d'un axe tendu qui semble presque comique par contraste. Ce morceau tout dur dans un océan de langueur... Je sens des montées en puissance dans mon moteur. Je l'enfourche et je m'enfonce sur le pieu. Il ouvre lentement la bouche jusqu'au plus grand, de ravissement ; saint Sébastien vient de recevoir la première flèche. Je m'installe très tranquillement autour de mon attache. Il semble toujours absent, mais un léger sourire m'indique qu'il est présent, extrêmement présent. L'erreur à ne pas commettre, ce serait de chercher à lui donner du plaisir. Du plaisir, il en a pris à en perdre la tête hier soir, lorsqu'il me montait comme un cosaque poursuivant l'ennemi. Ce matin, on peut s'occuper de moi comme bon me semble - de toute façon ça ne devrait pas être trop désagréable pour lui. Ses dispositions somnolentes vont me permettre de faire usage de sa raideur à ma façon. Je coulisse sur lui un petit moment pour huiler les rouages, puis je m'appuie sur lui et bascule le bassin d'avant en arrière, façon Elvis – des petits coups de reins vers l'avant comme si on jouait au ping-pong avec le pubis comme raquette. Je sens une portion du vagin qui s'éveille. Ça lui dit quelque chose, ce contact précis et pressant. Ensuite je combine : coulisser et basculer, à chaque fois au même moment, quand je peux sentir la pression gratifiante à l'endroit désirant. Le nez fin du vagin continue de s'éveiller. Et moi, ce qui m'éveille, c'est le sommeil de mon homme. Il ne bouge pas. Sourit à peine, comme dans un rêve agréable. Ses bras ouverts me donnent à voir le galbe des muscles – biceps, épaules, pectoraux, tous gonflés sans être tendus, à la fois rembourrés et moelleux, appétissants à planter les crocs dedans. Je pose mes mains sur ses bras, en dominatrice, pour immobiliser de force ce qui déjà s'est soumis à ma loi, et j'accentue la danse du ventre. Oui, bien sûr, la danse du ventre. Quelle ne fut pas ma surprise lorsqu'une amie qui la pratique m'a récemment ouvert les yeux. Je pensais que la danse orientale était une danse de séduction, pour le plaisir des yeux, et rien de plus. Leïla a éclaté de rire.

— Mais enfin, tu crois qu'on se donnerait tout ce mal juste pour faire joli ? On l'utilise pendant qu'on fait l'amour !

— Quoi, tous ces mouvements du bassin, tu les fais sur ton homme ?

— Tous. Bascule, tremblé, ondulation, huit...

— Même le chameau ?

— Même le chameau !

— Et ça lui plaît ?

— Bien sûr. Mais c'est surtout pour moi que je le fais.

Ce fut une véritable révélation. Je ne suis pas une experte en danse du ventre, mais j'ai quand même dans mon vocabulaire quelques mouvements de bassin appris dans des cours de danse africaine, brésilienne ou disco. Et ça ne fait que quelques semaines que je pense à les essayer pendant que Maxime remplit mon intimité. C'est étonnant, les sensations qui peuvent surgir dans un endroit que l'on pratique pourtant depuis de longues années, mais pas comme ça. J'ai trouvé un ou deux mouvements dont je raffole parce que ça semble appuyer sur un interrupteur électrique. Dès que je les enclenche et que je les maintiens suffisamment longtemps, c'est comme une sirène qui se met progressivement en route. Branle-bas de combat. Tout le monde sur le pont. Mon corps s'affole jusqu'au vertige. Et ça dure aussi longtemps que je maintiens le mouvement. Pour que ça marche, il faut que Maxime me laisse faire. Il n'y a que moi qui peux sentir où ça se passe exactement. Il a été un peu surpris au début. Puis il a très vite compris que c'était agréable de ne rien faire, et surtout de me voir partir dans tous mes états. À certains moments, quand la zone sensible est totalement éveillée, je n'ai plus qu'à faire de tout petits mouvements, de 1 centimètre ou 2, pour maintenir la sensation. On pourrait dire que je vole, tellement le plaisir est aigu, haut dans ma tête, haut dans le ciel. Je peux même ralentir le mouvement, pour qu'il ne devienne presque rien, et je reste en équilibre sur ce point. Quand je suis dans cet état, Maxime ouvre les yeux et savoure le spectacle. Il n'a rien fait, mais j'ai tout fait grâce à lui. Son sexe, qui me sert d'instrument, son corps qui me remplit les yeux et la tête, son amour qui me porte comme un matelas supersonique. Au moment où mes muscles commencent à faiblir et où je voudrais bien déferler, je prends sa main et je la pose sur mon pubis. Il connaît la petite caresse précise avec le pouce qui va faire office de détonateur. L'excitation monte en flèche jusqu'à ce que le plaisir plafonnant se transforme d'un coup en champignon atomique. J'arrête de bouger, je me cambre en arrière et crache comme un volcan toute cette énergie pure par ma bouche grande ouverte. Puis je m'effondre sur Maxime qui me reçoit dans ses bras. J'aime qu'il puisse se laisser aimer comme ça.

ENZO, À FLEUR DE PEAU

La porte s'ouvre sur un escalier en marbre dont chaque marche est bordée de deux bougies. Une musique douce règne dès le hall d'entrée. On a l'impression d'aborder sur une île protégée du vent. Enzo m'accueille en haut des marches et me souhaite la bienvenue. Cynthia ne m'a pas menti, il est beau comme un top model, mais il semble presque timide, et d'une sensibilité de jeune fille. Il m'invite à prendre une douche puis à m'installer nue sur le grand futon et à l'attendre. Je m'exécute, un peu grisée par la situation. Ce n'est pas ma grand-mère qui serait venue s'installer nue sur le futon d'un parfait inconnu. Vive le progrès ! Je suis quand même un peu gênée d'une nudité aussi frontale et j'ai envie de mettre mes bras en corbeille sur mon corps, mais je me l'interdis. Si je viens ici, ce serait idiot de le faire à reculons. Plongeons. Enzo entre avec un petit plateau portant divers ustensiles. Il est parfaitement nu lui aussi. Il s'agenouille à mes côtés et dispose son matériel puis me demande de me retourner. On va commencer par le dos. Bonne idée. Avec le dos, on se sent tout de suite plus tranquille, c'est un peu comme si on n'était pas là. Je tourne la tête de l'autre côté et je le laisse préparer ses fioles, craquer une allumette. Un moment de silence. Puis un doigt fait contact près de la nuque. Un autre près du coccyx. Rien que ça, et il m'a déjà bien en main. Quelle sensation ! Comme s'il demandait à ma peau de se mettre sur « on ». Ma peau est d'accord. Il retire ses doigts et je me sens déjà transformée. Tout ouverte à ce qui va suivre. Positivement intéressée. Il saisit quelque chose, puis je sens se répandre le long de ma colonne une longue traînée chaude. Il a chauffé l'huile avant de l'utiliser. Un océan de bien-être. Ses mains étalent le liquide en gestes amples et légers. Chacun éveille une traînée de sensations lumineuses. Mon dos se met à exister à part entière. J'ignorais qu'il y avait tant de choses à sentir par là. Plus Enzo avance, plus je comprends qu'on est et qu'on restera entièrement dans le registre de la caresse. Rien à voir avec un massage. Ces pratiques vigoureuses où on vous pétrit les muscles ont l'air préhistoriques à côté de ceci. Enzo ne masse pas, il appelle la peau à l'épanouissement. Ça ondule, ça stridule, ça frissonne, ça pétille de partout. Quand il a fini le dos et les bras, il s'attarde tranquillement sur les fesses, endroit déjà sensible quand on ne s'en occupe pas, mais alors quand on s'en occupe... j'en mordrais l'oreiller si j'osais. L'arrière des cuisses et le creux des genoux sont des endroits d'un potentiel immense. Les gerbes de sensations fusent en étincelles jusqu'à la tête. Tout l'arrière du corps est maintenant complètement éveillé et parcouru de fins frissons. C'est le moment pour Enzo de venir lui parler avec son corps entier. Il se couche sur moi, mais sans s'appuyer, non surtout pas de pression, un simple contact, qui va devenir glissant, de plus en plus glissant, mobile, subtil. Il entame de longues séries de va-et-vient depuis très bas en dessous des fesses, jusqu'à venir mourir avec son souffle dans mon oreille. Il m'est impossible de retenir un gémissement. Enzo est tout simplement en train de me faire grimper aux murs. Je sens dans son corps une attention très précise à ce qui se passe dans le mien. Il ajuste ses gestes en fonction des réponses qu'il devine. Il ne s'agit pas de massage, et il ne s'agit pas d'un trip solitaire non plus. Nous sommes tous les deux actifs, tous les deux présents à l'autre, mais dans le but général de développer mon plaisir à moi. Difficile de rêver mieux. Une recherche à deux pour le plaisir de l'un des deux, ça devrait être comme ça l'amour, non ?, en alternant régulièrement bien entendu. Chacun voulant donner du plaisir à l'autre au même moment, ça ne mène pas très loin. Soit on donne, soit on reçoit, ce sont deux états différents, quoique également actifs. Là, je reçois avec une intensité maximale les caresses infiniment précises d'Enzo, qui lui viennent de toute son expérience accumulée et du désir absolu de faire vibrer les femmes qui viennent s'allonger chez lui, qui qu'elles soient, de n'importe quel âge, de n'importe quel physique, de n'importe quelle origine ou opinion. Il noue un dialogue de corps à corps. Plus précisément encore de peau à peau. Et de n'avoir que la surface qui parle permet d'atteindre la profondeur. Peu m'importe qui est cet homme et s'il aime les fraises, car nous nous rencontrons bien au-delà des individus que nous sommes. Nos âmes se touchent du bout des doigts. Il me demande maintenant de me retourner. Je suis complètement exposée à nouveau et cela ne me cause plus la moindre gêne. Est-ce qu'un violon serait gêné d'être regardé sous toutes les coutures par le musicien qui va lui faire produire ses plus belles notes ? Enzo vient se placer derrière ma tête. Il s'occupe de mon cuir chevelu. J'ai toujours adoré donner ma tête au shampooing chez le coiffeur. Des gestes doux et fermes de ce côté donnent l'impression la plus enivrante que je connaisse d'être « prise en main ». Puis j'ai eu un amant qui me grattouillait distraitement comme un chat et qui m'avait fait prendre ce geste en horreur. Mais Enzo est présent dans chacun de ses gestes. Il pose les doigts et appuie. Se retire. Repose ailleurs. Frictionne lentement avec la pression juste, celle qui induit l'ivresse. Je pars en voyage dans ses mains. Puis il s'occupe de mon visage, un pur moment de bonheur, et une révélation. Le visage est une part très intime de la personne, peut-être plus encore que les organes sexuels. De qui supporte-t-on qu'il mette sa main sur notre figure ? Si on ose des caresses de ce côté, elles sont plutôt rares, hésitantes, maladroites. Enzo, avec précision et douceur, aborde chaque portion du visage d'une façon différente, avec le geste qui convient et qui donne envie de tendre la tête en murmurant « encore ». Même les yeux ont envie d'être caressés, les sourcils, les ailes du nez, les lèvres... ah les lèvres ! Et les oreilles, je n'ose même pas en parler, car les oreilles, eh bien... c'est comme un vagin en réduction. Il suffit de s'en approcher pour déclencher la révolution. D'ailleurs, je n'arrive plus à contenir mon plaisir dans des soupirs convenables. Je pousse des gémissements, des jappements, mes membres se tendent, j'ouvre la bouche en grand. Enzo, tu vas me rendre si chaude que je serais prête à faire l'amour avec un tabouret. Une pression tendre et prolongée sur le front m'apprend qu'il va quitter cette extrémité de mon corps, ce jardin aux mille délices. Il se poste maintenant à mes pieds et recommence à s'occuper de mes jambes, de bas en haut. L'huile chaude rend le contact d'une fluidité absolue. Puis les bras et les mains. Ah, le creux des coudes ! Ah les mains ! Le contact plein d'une main avec l'autre, sans emprise et sans hésitation. Se faire explorer la paume. Se faire prendre un doigt à la fois. Des mains, Enzo remonte aux bras. Des bras aux épaules. Des épaules aux seins. Il les caresse avec douceur. J'ai envie de dire avec amour. On dirait même avec désir. Ou alors, c'est mon désir qui m'occupe l'esprit. D'être caressée si bien sur la pointe des seins, je sens le désir qui se tend immédiatement comme une corde. Mon bassin bascule comme par réflexe, mes muscles se serrent, j'ai faim. Enzo s'attarde sur mon ventre. Chaque zone qu'il touche a l'air de se multiplier. Il utilise tout pour palper : la pulpe des doigts ou le bout pointu, le plat de la main ou la tranche, le poing fermé ou le dos lisse. Le répertoire paraît sans limite. La peau de mon ventre n'a jamais connu le dixième des sensations qu'il reçoit aujourd'hui. C'est comme une sonate qui se déploie là où j'ai toujours entendu des comptines enfantines. C'est donc vrai qu'on peut apprendre à caresser comme on apprend à skier. Jusqu'ici, j'ai skié avec des débutants. Je suis une débutante moi-même. Pourquoi au ski continue-t-on à progresser alors qu'au lit on s'arrête dès qu'on sait se débrouiller ? Si seulement Enzo pouvait donner des cours aux autres hommes... Il est en train de faire chanter l'intérieur de mes cuisses. Les frissons vont partout, s'enquillent autour de mes seins toujours dressés comme si c'étaient des anneaux lancés pour accrocher un pieu. Enzo effleure mon sexe un peu plus souvent que par hasard, et à chaque contact une gerbe d'étincelles jaillit. À l'intérieur, mon vagin s'étire comme un fauve au réveil. Les caresses vont maintenant des cuisses au ventre, et du ventre aux cuisses, avec un doigt qui commence à s'insinuer dans la fente, légèrement, en passant. Mon pubis, irrésistiblement, se tend. Mon sexe est une terre assoiffée, un oisillon dans son nid qui ouvre le bec à tous les dons du ciel qu'Enzo voudra bien me prodiguer. À chaque voyage, il entre un peu plus dans mon passage. Le doigt ouvre les lèvres, rencontre la vulve, effleure ses ailes, survole le bouton. Il est comme une force de gravitation qui agit vers le haut. Tout ce qui habite mon ventre se tourne vers lui. J'ouvre légèrement les jambes pour lui donner davantage de liberté de mouvement. Il s'installe à son aise, écarte les lèvres pour reconnaître les lieux, explore l'un et l'autre côté de la fente, aborde la couronne de chair qui borde l'orifice, puis revient tout en haut pour poser des questions au bouton. Il tourne tout autour à petits gestes lents, sans pression. Immédiatement l'arc commence à se tendre dans mon corps. Je sens déjà venir le moment où pointera la flèche. La respiration accélère, le pubis monte, les jambes s'écartent davantage. Alors Enzo sent que je suis prête pour aller jusqu'au bout du voyage. Il s'assied entre mes jambes, en tailleur, et me demande de me rapprocher de lui en me relevant sur mes coudes. Il saisit mes hanches et les soulève pour poser mon bassin sur ses jambes. J'entoure sa taille de mes jambes écartées. Mon pubis lui est offert comme sur un présentoir. Il plonge son regard dans ma fente, puis le bout des doigts, avec une délicatesse extrême. Jamais aucun homme ne m'a regardée comme ça. Aussi pleinement avec les yeux, aussi finement avec les doigts. Je lève les bras derrière la tête et je me laisse aller totalement. Qu'il fasse de moi tout ce qu'il veut. Ses doigts légèrement huilés travaillent comme au point de croix. Une multitude de contacts uniques, sur toute la face interne des grandes lèvres, sur les petites lèvres, autour du clitoris, au-dessus du capuchon, puis tout autour de l'orifice. Dès qu'il s'en approche, la sensibilité monte de façon extrême, comme l'attraction à l'approche d'un trou noir. Puis il retourne dans la longueur des lèvres. J'ai l'impression que ma vulve est devenue immense. Il y a de la place pour cent mille sensations. Après les points appliqués, il imprime de petites sensations tournantes, des mouvements pas plus grands que s'il caressait la tête d'un petit pois. Puis de tout petits frottements sans pression qui écartent les bords de la fente et les remettent en place. Il a maintenant éveillé la vie qui se trouvait tapie dans tous les replis cachés de la chair humectée. Mon sexe est une fleur qui vient de fleurir et qui demande à ce qu'on vienne lui prendre ce qu'elle a. Je sens qu'il écarte et remonte le haut des lèvres avec les doigts d'une main pour dégager mon clitoris. Le capuchon recule et laisse la toute petite chose affleurer à l'air libre. L'autre main va lui donner des émotions. Avec un peu d'huile sur le bout des doigts, il entreprend de flatter cette perle qui ne pense plus qu'à grossir pour lui, l'abordant par tous les angles, mais en lui effleurant à peine la tête. Puis il imprime des glissements longs et sans pression sur l'organe qui se tend vers lui à n'en plus finir. Je ne suis plus très loin de jouir, mais je me demande vraiment si je vais arriver à me lâcher ici, avec quelqu'un que je vois pour la première fois aujourd'hui. La main qui écartait mes lèvres se retire. Elle descend vers l'entrée du vagin. Un doigt caresse les bords puis entame une légère pénétration. Très douce, peu profonde. C'est comme un turbo qui s'ajoute au moteur. Je ne me demande plus si je vais pouvoir jouir. Je me demande si je vais pouvoir attendre encore un peu. Le doigt augmente lentement l'ampleur et la vitesse des pénétrations. Je suis entrée dans l'ascenseur. La porte s'est refermée. La montée est inéluctable. Je voudrais juste la ralentir pour mieux en profiter. J'essaie de respirer. Je regarde Enzo. À la fois très concentré et détendu. Les deux mains précisément occupées comme s'il jouait du piano. On sent qu'il cherche la plus belle note. Le doigt coulisse doucement jusqu'à pénétrer à fond. Puis il arrête ses mouvements de va-et-vient, et se met à frapper à la porte, sur la paroi du vagin. Il frappe, ou il frotte, ou il pédale, je ne peux pas sentir exactement ce qu'il me fait, mais je sens ce que ça me fait, l'ascenseur monte dans des proportions qui m'étaient inconnues jusqu'ici, comme si j'étais soudain transportée dans un building de cent étages et non cinquante. Il accélère et accentue le mouvement intérieur, tout en maintenant la prise sur le bouton ;

l'accélération est effrayante. La pression interne fait monter en moi comme une très grande et irrépressible envie d'uriner, j'ai un moment de panique, mais c'est trop fort, impossible à réprimer, l'ascenseur monte, monte, monte comme s'il n'allait plus jamais s'arrêter et j'entends sortir un grand cri, je ne sais même pas d'où il vient, mais c'est ma voix, tandis que l'orgasme éclate, totalement dilaté vers l'extérieur, en même temps qu'une giclée de liquide m'inonde de chaleur. L'intensité est inouïe, et d'une amplitude qui emporte toutes les parties de mon corps dans l'explosion. Après le cri, mon plaisir gronde en saccades qui deviennent rapidement des sanglots. Je pleure sans pouvoir m'arrêter et sans savoir pourquoi. L'émotion est trop grande pour mon petit corps. Je ressens un bonheur absolu, très pur, sans cause, juste un bonheur qui occupe tout mon être, physique et mental. Quand j'ouvre les yeux, je vois qu'Enzo pleure aussi, tout doucement, en silence. Il s'allonge sur moi et nous nous regardons. Nous avons partagé de l'amour. Pas un amour entre lui et moi en tant que personnes, avec des causes et des projets. Un amour instantané, universel, passant par lui et moi en tant qu'êtres humains. Il pose sa joue près de la mienne et je le serre dans mes bras. Je lui dis merci. Il me dit merci.

Cet homme reçoit dix à vingt femmes par semaine. C'est un expert, un thérapeute, un masseur tantrique, il fait du bien, et il le fait bien.

IGOR À DEUX VITESSES

Il m'a donné rendez-vous par texto à une adresse inconnue avec seulement deux consignes : demandez Igor, fermez les yeux en entrant dans la pièce. J'ai dû prendre un après-midi de congé au pied levé. Je me pomponne un peu avant d'y aller. Je suis nerveuse. Je ne sais absolument pas ce qui va m'arriver.

C'est une maison de maître à trois façades qui donne sur un grand jardin. Une dame à chignon est en train d'arroser les parterres fleuris. Je me demande si je ne me suis pas trompée. Elle vient vers moi.

— Je peux vous aider ?

— Euh… J'ai rendez-vous avec Igor.

— Suivez-moi.

Je pense à certains films, dont l'atmosphère est d'autant plus inquiétante que tout y paraît extrêmement rassurant. Exagérément rassurant. Elle m'emmène vers l'entrée arrière, puis m'indique un escalier.

— C'est au premier étage. Il vous attend dans la 3.

Atmosphère cosy, boiseries, velours et une volonté de discrétion qui suinte des murs. Pas de doute, c'est une maison de rendez-vous. Je frappe à la porte et je ferme les yeux. Une main me saisit et m'entraîne à l'intérieur. Il me met un bandeau sur les yeux, bien qu'il fasse, à ce qu'il me semble, totalement noir dans la pièce. Il prend mon sac, le dépose sur une chaise, prend ma veste, la dépose, puis continue d'une seule traite jusqu'à me mettre totalement nue. Pour un rapide, c'est un rapide. Je n'ai aucune idée de la taille de la pièce, ni de son contenu. J'espère que nous sommes seuls… Pendant un moment, il ne s'occupe plus de moi, j'entends des bruits non identifiables, puis je sursaute au contact de mains qui se déposent sur mes épaules. Ce sont des mains gantées. De cuir, on dirait. Un cuir très fin et souple, comme une deuxième peau, mais d'une fraîcheur et d'une douceur très particulières. Les deux mains se promènent sur mon corps avec désinvolture, sans éviter mes seins, mon sexe, ma bouche, mes cheveux… Je sens qu'il est en veste de cuir et pantalon de cuir. Chaque contact occasionnel est froid et lisse, je ne sens même pas son souffle. Le contact des mains gantées sur mes seins est très excitant, j'ai envie qu'il continue, mais il m'emmène vers un autre endroit de la pièce. Je n'ai pas le droit de parler, évidemment. C'est un accord entre nous. Il m'arrête et m'adosse à ce qui semble être une colonne. C'est du plâtre sans doute. Le contact est un peu froid dans le dos, mais pas trop. Il prend mes poignets et y attache des menottes, en cuir elles aussi. Il les relie ensemble, puis les attache à une fixation dans le haut de la colonne. Je suis livrée à son bon plaisir. Ce qui m'inquiète, c'est qu'il ne se passe plus rien. Je ne l'entends plus. À peine un petit mouvement de temps en temps. J'attends, seule, nue, attachée, livrée, sans savoir ce que j'attends. Le stress me donne des pincements dans le sexe. Il retourne vers l'entrée de la pièce. Je l'entends manipuler des choses, il y a des bruits textiles, des bruits métalliques... Les implications possibles de chacun des bruits de cet univers sonore prennent des proportions incontrôlables. Des catalogues entiers d'images défilent dans ma tête. Il revient et s'approche de moi avec quelque chose qui claque dans ses mains avec un bruit élastique. Il fait sonner la chose à dessein semble-t-il. Fouet ? Cordes ? Sangles ? Il passe les mains derrière mon dos et applique la chose sur ma peau. Sangle élastique. Il croise par-devant, repasse derrière, croise et revient devant, plus haut que les seins, chaque fois en serrant bien. Il fabrique un corset. Il croise aussi en diagonale, une fois dans chaque sens, puis refait plusieurs passages en dessous, et plusieurs au-dessus, y compris par-dessus les épaules. Pendant toutes ces manipulations, je suis comme une marchandise en train de se faire emballer par un expert, je roule et m'abandonne entre ses mains précises et dénuées d'affect. Ensuite il fixe les extrémités, et le résultat est si serré que je suis presque gênée pour respirer. Seuls mes seins sont libres. Je les sens exister d'une façon exceptionnelle. Comme montés sur scène, ils tiennent toute la vedette. Implorent pour des caresses. Mais mon acolyte prend son temps. Il ne bouge plus. J'ai le souffle court. Puis, tout à coup, sans bruit avant-coureur, un contact très léger et très froid sur les deux mamelons à la fois. Je pousse un cri affamé, pour que ça continue, mais il s'arrête. Je sens des vagues de colère agiter mon bas-ventre. Est-ce qu'il va s'occuper de moi pour de bon, oui ou non ? Deuxième contact, décharge électrique. Puis plus rien. Il faut qu'il arrête de s'arrêter, j'ai le corps qui tressaute de frustration. Troisième contact, je gémis quelque chose qui s'interdit d'être un « oui » mais qui y ressemble énormément. Nouvel arrêt. Je respire profondément pour me calmer, puisqu'il veut me faire mijoter à l'étouffée. Je le sens passer derrière moi, puis ses deux mains viennent se poser sur mes seins et les soupèsent doucement. Le contact du cuir est excitant. Très excitant. Il me taquine le bout des seins de façon légère et rapide, sans appuyer ni pincer, juste pour éveiller l'appétit. Avec ce genre de caresses, c'est chaque millimètre carré de peau qui s'éveille et se hisse sur la pointe des pieds. L'effet sur mon entrejambe est immédiat, ça vibre, ça palpite, ça appelle (au viol). Je souhaiterais presque qu'il y ait un autre homme dans la pièce pour s'occuper de mes autres tissus érectiles en même temps. J'y pense, et puis je m'imagine que c'est peut-être le cas, car au fond je ne sais pas du tout où je suis, et une sorte d'angoisse m'envahit. Angoisse qui accentue mon besoin de résolution. Pendant qu'il mène mes seins au bord de l'overdose, je me tortille des jambes et serre les muscles pour essayer de répondre à l'appel. Il trouve que ça ne va pas. Il arrête tout et vient disposer mes jambes comme il l'entend, écartées, et les attache au moyen de cordes qu'il fixe je ne sais où. Je ne peux quasiment plus bouger. De nouveau, il ne se passe plus rien. Je me demande s'il prépare autre chose, s'il se branle, s'il me regarde dans la pénombre, s'il communique avec son complice (bouffée d'angoisse). Je ne sais même pas où il est. De nouveau, de petits bruits près de l'entrée. Il revient et d'un coup m'applique le contact glacé sur les seins. Un long moment cette fois. Quasi-douleur de froid. Puis il fixe quelque chose sur le téton dressé, comme une petite pince, mais qui ne fait pas mal, elle doit être en caoutchouc. Même chose de l'autre côté, puis je sens un contact métallique léger sur la peau. Il y a une chaîne attachée à ces pinces, qui les relie. Il laisse pendre la chaîne et appuie légèrement dessus. Les deux pinces tirent simultanément. C'est terriblement bon, mais de nouveau il s'arrête. Revient avec autre chose. Un contact dur qu'il fait glisser sur la peau de mes cuisses. Une règle ? Non, c'est plus souple. Une cravache ? Oui, on dirait une cravache en cuir. Je sens une sueur froide. J'ai peur qu'il me frappe. Je ne veux pas être frappée. Il le sait. Je retiens ma respiration. La cravache circule sur tout le bas de mon corps avec une grande douceur, comme une caresse menaçante. Il caresse aussi mes fesses. Tapote mon ventre. Doucement puis un peu plus fort. S'interrompt. Revient agiter la chaîne qui me titille les seins. Revient à la cravache qui trouve son axe dans la fente de mon sexe. D'abord sans bouger. Puis en coulissant sans imprimer aucune pression. En la roulant d'un bord à l'autre de mes lèvres. En imprimant des mouvements circulaires. Des vibrations. Il use de la cravache comme d'une caresse de précision. Je plie un peu les jambes et les écarte davantage pour m'offrir à l'instrument. Ma tête s'appuie sur la colonne à laquelle mes bras sont toujours attachés. Sans cesser de manier la cravache, il saisit la chaîne et imprime de petites secousses sur le bout de mes seins. Je suis dans un engrenage qui va enfin pouvoir devenir fatal. Il imprime le lent crescendo qu'il faut dans l'amplitude et la vitesse des mouvements. Je ne vais même pas devoir chercher à jouir, ça va éclater tout seul, comme un avion qui passe le mur du son. La cravache devient monomaniaque dans son coulissement soutenu et monotone. La pression monte, degré par degré. Puis d'une traite les dernières marches sont pulvérisées et le plaisir éclate en plein ciel, retournant le corps entier comme une chaussette, transformant le cerveau en fumée de cigarette. Il continue à me caresser jusqu'aux derniers soubresauts. Il me raccompagne sur Terre. Laisse la cravache logée dans sa fente pendant un long moment. Quand j'ai repris mon souffle, il se colle doucement sur moi, de tout son long, toujours couvert de cuir de haut en bas. Je sens juste ses cheveux dans lesquels je peux lover mon nez. J'adore cette masse de cuir qui m'étreint. Il se recule puis commence à me détacher lentement et méthodiquement. Les pinces, le corset, les cordes, les menottes. Il me ramène vers l'entrée et me rhabille pas à pas, sans enlever mon bandeau. Il me remet ma veste, puis me remet mon sac sur l'épaule, enlève le bandeau et me met à la porte. Je cligne des yeux et m'ébroue. Je passe par les toilettes pour me rafistoler, mais je n'ai pas l'air défaite, bien au contraire.

Un petit coup de brosse et ça ira. En sortant, je croise la gérante (la concierge ?) qui nettoie le fer forgé de la barrière. Elle me salue gentiment, ne voyant pas le problème qu'il y a à s'offrir des relations illégitimes. Je suis d'accord avec elle, même si pour ma part j'ai ces relations avec l'homme qui partage ma vie depuis quinze ans. Nous avons toujours eu des rendez-vous secrets, chaque fois différents. Igor, c'était la première fois. Il n'en sera aucunement question quand nous nous retrouverons ce soir à la maison pour le dîner avec les enfants. Ni même plus tard. Secret, c'est secret.

MARTIN DU MATIN

Samedi matin. Les plans sont arrêtés. On va aller ce matin chez Ikea pour faire un stock de nouvelles étagères, car le bordel ici, ça ne peut plus durer. C'est le premier samedi matin libre depuis des mois, je ne m'en laisserai pas compter. Après, il faudra bien aller chez ma mère pour lui arranger son plancher. Elle veut le cirer depuis une éternité, et ses petites jambes ne la portent plus assez, enfin c'est ce qu'elle dit car pour aller chez le coiffeur elle y va souvent. 9 heures. Martin dort du sommeil du juste. Du juste je ne sais pas, car il est plutôt canaille, mais en tout cas il dort. Je lui laisse combien de temps ? Il faut au moins trois étagères de deux mètres de haut, et puis j'en mettrais bien de plus basses en travers du living pour faire comme un petit muret. Une sorte de comptoir qui sert à quelque chose. 9 h 30. Je vais devoir le réveiller.

— Martin, il est temps qu'on y aille.

— Où ça ?

— Chez Ikea.

— Ça ne va pas, la tête ?

Il se retourne et ronfle de plus belle. Allez, je lui laisse encore une demi-heure. Pas plus.

— Martin, cette fois il est tard, on y va.

— Où ça ?

— Mais chez Ikea, je te dis. Tu me l'as promis.

— J'avais bu.

— Ah non, tu ne vas pas me faire ce coup-là. Moi j'y vais, avec ou sans toi.

— On ira quand tu m'auras sucé.

Oh ! Les armes les plus basses. Il ne croit tout de même pas m'avoir au chantage.

— Pas question

— Alors on ira quand tu auras joui.

Tous les moyens sont bons. Je me retourne et je constate qu'il est bien éveillé. Ses yeux noisette brillent comme du miel d'acacia. Il soulève le drap et j'aperçois de très belles perspectives. Il faut résister car avec lui le petit coup du matin peut prendre trois heures, déboucher sur un brunch *in extremis* avant l'heure de la sieste, et on se lève pour de bon vers 17 heures.

— Non, Martin, pas aujourd'hui, je veux vraiment aller chez Ikea.

— On ira cet après-midi.

— Tu sais bien qu'on doit aller chez ma mère, pour son plancher.

— Tu vas devoir remettre ça à plus tard.

— Et pourquoi ?

— Parce que tu es malade.

— Malade ? Est-ce que j'ai l'air d'être malade ?

— Ça peut s'arranger.

Martin se soulève et vient s'étendre de tout son long sur moi, en lâchant les bras pour que j'aie la cage thoracique enfoncée. Je proteste dans un râle.

— Arrête, je ne peux plus respirer.

— Parfait, c'est le moment de lui téléphoner. Tu as des problèmes pulmonaires.

— Mais c'est toi qui es malade !

— Loin de là, je suis bandant, c'est différent. Tiens, voilà le téléphone.

Il me tend mon portable qui était sur la table de nuit.

— Allez, allume.

— Martin, tu m'étouffes !

— Tu sais quoi faire pour que ça cesse.

— Mais tu es une belle fripouille !

Et je me cabre tant que je peux pour le faire basculer. Ses muscles se gonflent et m'immobilisent. Il est beau à grimper au mur. Je gigote de toutes mes forces, mais je n'éveille qu'un sourire narquois. Bon, je n'y mets peut-être pas vraiment toutes mes forces. J'adore qu'il m'écrase, comme ça, de temps en temps. J'adore le voir comme un tigre qui a traîné sa proie dans la jungle et qui l'observe pour choisir par quel bout il va la dévorer. Et ma mère n'a rien à faire là-dedans. J'aimerais beaucoup qu'elle disparaisse de ma journée, d'ailleurs.

— C'est facile, tu lui téléphones.

Soupir. Il va encore me faire craquer.

— Bon, ça va, je lui téléphone, mais laisse-moi respirer.

Martin glisse sur le côté avec un sourire machiavélique qui m'inquiète un peu. Pendant que je compose le numéro, il me pousse l'épaule pour que je roule sur le flanc et se met à me caresser gentiment le dos. Ma mère décroche avec le ton militaire qui lui est caractéristique.

— Allô, qui est à l'appareil ?

— C'est ta fille. Tu vas bien ?

Martin continue à me pousser l'épaule pour que je roule sur le ventre.

— On fait aller. Tu sais bien. Tu viens tout à l'heure ?

— Euh... c'est pour ça que je te téléphone. J'ai un petit problème. Je me suis réveillée avec mal partout et un peu de fièvre. Je crois que je commence une grippe.

Martin empoigne mes hanches et les soulève, si bien que je me retrouve sur les genoux.

— Une grippe ? Ah, là, là, il fallait encore ça. Tu vas appeler le médecin ?

— Pas tout de suite. Je vais d'abord rester au lit.

À ce moment-là, Martin écarte mes fesses et introduit sa langue dans mon passage secret. Je pousse un cri de surprise.

— Qu'est-ce qui se passe ? Tu as mal ? demande ma mère.

— Non… euh… Je me suis cognée en me retournant. C'est pas grave.

Martin continue à s'immiscer dans mon intimité avec une suavité confondante. Ma tête se remplit d'étincelles. Je trouve inadmissible qu'il se livre à de telles fantaisies en présence de ma mère. J'essaie de me redresser pour lui échapper mais il reste rivé au tréfonds de mon être.

— Tu n'as pas l'air dans ton assiette ! Tu es sûre que tu n'appellerais pas le médecin ?

— Je verrai tout à l'heure comment ça évolue. Je vais dormir encore un peu.

Ma voix se fait de plus en plus palpitante tandis que Martin me baigne de salive.

— Bon, eh bien je vais devoir attendre encore pour mon plancher, ainsi.

— Je viendrai dès que je serai remise, je te promets.

Martin m'a entouré la taille de son bras gauche, pour me maintenir, et maintenant c'est un doigt qu'il introduit doucement dans mon fondement. J'essaie de me cabrer, mais de nouveau il est plus fort que moi. Je ne peux tout de même pas me battre au vu et au su de ma mère. Je me laisse pénétrer en fermant les yeux, car dès que j'aurai raccroché, il s'agira de protester vigoureusement.

— Eh bien alors soigne-toi bien, ma fille. Et tiens-moi au courant.

— Promis. Je t'appellerai dès que ça ira mieux.

J'ai dit cette dernière phrase dans un soupir voluptueux. J'espère qu'elle prendra ça pour de la faiblesse caractérisée. Je raccroche en savourant encore un peu mes derniers moments de soumission. Et maintenant, place aux représailles.

Je me redresse d'un coup et fais face à mon agresseur, étincelant de provocation.

— Si c'est comme ça que vous le prenez, cher monsieur, je suis au regret de vous informer que vous avez perdu toute possibilité de compter sur ma collaboration.

— Comme si j'avais besoin de votre collaboration… répond l'animal en ricanant.

C'est trop fort. Pour qui il se prend ! Je sors du lit comme une bombe et dévale l'escalier. Je l'attends de pied ferme dans la salle à manger. Il ne fait même pas le moindre effort pour me poursuivre. Je l'entends descendre l'escalier posément. Il place ses mains sur l'encadrement de la porte et reste immobile, regard de fauve, sexe tendu à l'horizontale. Je dois me retenir pour ne pas aller m'agenouiller. La table nous sépare, qu'il essaie donc de m'attraper. Je m'attends à ce qu'il entame une poursuite par un côté ou l'autre, mais il tire brusquement une chaise, grimpe dessus, et en deux bonds se retrouve debout sur la table, près à me tomber dessus. Au lieu de ça, voilà qu'il entame une impro façon chanteur de rock, sur le thème inventé de *Put your fingers on your nipples... for meeee*, avec sur le « *for me* » deux coups de reins bien sentis qui font valser sa mécanique en gloire, mécanique qu'il ne se gêne pas pour tripoter à défaut de guitare. J'obéis de façon automatique et me caresse les seins, avant de me rendre compte que je rentre dans son jeu et, furieuse, je le plante dans une grande fuite vers le salon. La table y est beaucoup plus petite et il suffirait d'un pas pour dominer la situation, mais il reste sagement de l'autre côté et trouve le moment venu de se lancer dans un discours :

— Donc, tu ne veux pas être raisonnable et te plier à ma loi ?

— Non.

— Tu ne veux pas te faire perforer par mon outil contondant ?

— Non.

— Tu ne veux pas te comporter en femelle soumise ?

— Non

— Alors sois une femelle rebelle et ne pense qu'à toi.

— Plaît-il ?

— Fais-toi tout le bien que tu peux te faire sans moi. Je t'observe dans tes œuvres.

Joignant le geste à la parole pour sa part, il commence à se malaxer le membre avec dextérité et douceur. Ses yeux plantés dans les miens ne sont plus narquois mais sérieux et empreints de ferveur. Je suis surprise par le changement de climat. Mon doigt trouve sa place dans la rainure humide où Martin fait couramment des merveilles. Me caresser sous ses yeux est un plaisir que je m'accorde rarement. Un reste de pudeur ou un sens des grandes occasions... Celle-ci me semble bien choisie pour aller plus avant dans une certaine franchise, et qui sait, une pointe de vulgarité ? Je ne sais ce qui m'excite le plus de sa main absorbée sur son sexe, ou de son regard brûlant planté dans mes yeux. Il monte sur la table et s'approche doucement jusqu'au bord. Je sens le rayonnement de sa peau, odeur, chaleur, l'excitation monte d'un cran. Son sexe rutilant à hauteur de mes seins. Je m'interdis d'y toucher. D'une main il me pousse en arrière pour que je me laisse aller dans le canapé.

— Continue.

Il a parlé d'une voix nette, concentrée, sans précaution, comme il sait faire quand nous sommes très loin de la vie civile et de ses politesses. La logique du sexe nous emmène quelques fois par semaine dans un monde simple et technique où l'on peut oublier les règles de la communication. J'ouvre les jambes et entreprends l'inventaire de chaque parcelle de sensibilité. Il est descendu de la table et s'est agenouillé pour mieux voir, les yeux rivés sur mes promenades. Je sens son regard sur moi comme une langue légère et experte, une langue qu'on sentirait sans la sentir, capable de caresses virtuelles. L'excitation monte comme une marée dont je sens venir les déferlantes. Nous ne nous sommes pas encore touchés. Je sens qu'il se retient pour m'attendre, ralentit son geste, ralentit sa respiration. Le voir en équilibre instable me retourne les sens. J'insiste précisément là où mon sexe semble s'adresser directement au cerveau et je grimpe au sommet du plongeoir. Il comprend où j'en suis et lâche son cheval au galop sur la plage. Mon ventre reçoit l'écume blanchâtre. Sa bouche ouverte comme si on le tuait d'un coup de poignard dans le dos me tue à mon tour et le monde vole en éclats pas plus grands que les gouttelettes d'une vague fracassée sur la roche.

Bibliographie

Ouvrages

Baker Robin, *Sperm Wars*, New York, Basic Books, 2006.

Barus-Michel Jacqueline, *Désir, passion, érotisme...*, Paris, Érès, 2009.

Boese Alex, *Elephants on Acid and other Bizarre Experiments*, New York, Harcourt Books, 2007.

Brenot Philippe, *Éloge de la masturbation*, Paris, Zulma, 2002.

Cyrulnik Boris, *Mémoire de singe et parole d'homme*, Paris, Hachette, 1998.

Dalin Liu, *L'Empire du désir. Une histoire de la sexualité chinoise*, Paris, Robert Laffont, 2008.

De Sutter Pascal, *La Sexualité des gens heureux*, Paris, Les Arènes, 2009.

De Waal Frans, *Le Singe en nous*, Paris, Fayard, 2006.

Ferroul Yves, *Médecins et sexualités*, Paris, Ellipses, 2002.

Ferroul Yves, *La Sexualité féminine*, Paris, Ellipses, 2002.

Gould Stephen Jay, *La Foire aux dinosaures*, Paris, Seuil, 1993.

Hite Shere, *Le Nouveau Rapport Hite*, Paris, Robert Laffont, 2002 (Hamlyn, 2000).

Jacquart Danielle, Thomasset Claude, *Sexualité et savoir médical au Moyen Âge*, Paris, PUF, 1985.

Jaspard Maryse, *La Sexualité en France*, Paris, La Découverte, 1997.

Kinsey Alfred, *Le Comportement sexuel de la femme*, Paris, Amiot-Dumont, 1954.

Komisaruk Barry, Beyer-Flores Carlos, Whipple Beverly, *The Science of Orgasm*, Baltimore, The Johns Hopkins University Press, 2006.

Laqueur Thomas, *La Fabrique du sexe. Essai sur le corps et le genre en Occident*, Paris, Gallimard, 1992.

Launet Édouard, *Sexe machin*, Paris, Seuil, 2007.

Lloyd Elisabeth, *The Case of the Female Orgasm. Bias in the science of Evolution*, Cambridge, Harvard University Press, 2005.

Maines Rachel, *Technologies de l'orgasme*, Paris, Payot, 2009 (The Johns Hopkins University Press, 1998).

Margolis Jonathan, *O. The Intimate History of the Orgasm*, New York, Grove Press, 2004.

Marmonnier Christian, *Godes' story. L'histoire du sex-toy*, Paris, Seven Sept, 2008.

Mars Roch, *Les Pratiques érotiques dans le monde*, Paris, Pardès, 2005.

Masters William, Johnson Virginia, *Les Réactions sexuelles*, Paris, Robert Laffont, 1968 (Little Brown, 1966).

Mead Margaret, *Mœurs et sexualité en Océanie*, Paris, Plon, rééd. 2001 (Harper, 1928, 1971).

Muchembled Robert, *L'Orgasme et l'Occident*, Paris, Seuil, 2005.

Perel Esther, *L'Intelligence érotique*, Paris, Robert Laffont, 2006.

Picq Pascal et Brenot Philippe, *Le Sexe, l'Homme et l'Évolution*, Paris, Odile Jacob, 2009.

Piquard Jean-Claude, *Les Deux Extases sexuelles*, Montréal, Les Presses Libres, 2006.

Postel-Vinay Olivier, *La Revanche du chromosome X*, Paris, J.-C. Lattès, 2007.

Quignard Pascal, *Le Sexe et l'Effroi*, Paris, Gallimard, 1994.

Roach Mary, *Bonk, The Curious Coupling of Science and Sex*, New York, Norton, 2008.

Spira Alfred, Bajos Nathalie, *Les Comportements sexuels en France*, Paris, La Documentation française, 1993.

Symons Donald, *Du sexe à la séduction. L'évolution de la sexualité humaine*, Paris, Sans, 1994 (New York, 1979).

Verdon Jean, *Le Plaisir au Moyen Âge*, Paris, Hachette, 1996.

Yhuel Isabelle, *Les Femmes et leur plaisir*, Paris, J.-C. Lattès, 2001.

Waynberg Jacques, *Jouir c'est aimer*, Paris, Milan, 2004.

Zeldin Théodore, *Histoire des passions françaises, 1848-1945, I. Ambition et amour*, Paris, Seuil, 1978 (Oxford University Press, 1973 et 1977).

Zwang Gérard, *Aux origines de la sexualité humaine*, Paris, PUF, 2002.

Articles

Alzate Heli, Londono Maria, « Vaginal erotic sensitiviy », *Journal of Sex and Marital Therapy*, 1984, 10 (1), p. 49-57.

Baird Amee, Wilson Sarah, Bladin Peter, Saling Michael, Reutens David, « Neurological control of human sexual behavior, insights from lesion studies », *J. Neurol. Neurosurg. Psychiatry*, 2007, 78, p. 1042-1049.

Bohlen Joseph, Held James, Sanderson Margaret, Boyer Carol, « Development of a woman's multiple orgasm pattern : a research case report », *Journal of Sex Research*, 1982, 18, p. 130-145.

Burri Andrea, Cherkas Lynn, Spector Tim, « Genetic and environmental influences on self-reported G-spots in women : A twin study », *Journal of Sexual Medicine*, 2009, 7 (5), p. 1842-1852.

Burton Frances, « Sexual climax in female Maccaca Mulatta », *Proc. 3rd Int. Congr. Primat.*, Zurich 1970, vol. 3, p. 180-191.

Chivers Meredith, Rieger Gerulf, Latty Elisabeth, Bailey Michael, « A sex difference in the specicifity of sexual arousal », *Psychological Science*, 2004, 15 (11), p. 736-744.

Colson Marie-Hélène, « Le point G, le vrai et le faux », *Louvain Médical*, 2008, 127 (9), p. 73-79.

Colson Marie-Hélène, « L'orgasme des femmes, mythes, défis et controverses », *Sexologies*, 2010, 19 (1), p. 39-47.

Darling Carol, Davidson Kenneth, Jennings Donna, « The female sexual response revisited : Understanding the multiorgasmic experience in women », *Archives of Sexual Behavior*, 1991, 20 (6), p. 527-540.

Dutton D, Aron A., « Some evidence for heightened sexual attraction under conditions of high anxiety », *Journal of Personality and Social Psychology*, 1974, 30 (4), p. 510-517.

Faix A., Lapray J.-F., Courtieu C., Maubon A., Lanfrey K., « Magnetic resonance imaging of sexual intercourse : Initial experience », *Journal of Sex and Marital Therapy*, 2001, 27, p. 475-482.

Faix A., Lapray J.-F., Callede O., Maubon A., Lanfrey K., « Magnetic resonance imaging of sexual intercourse : Second experience in missionary position and initial experience in posterior position », *Journal of Sex and Marital Therapy*, 2002, 28, p. 63-76.

Foldès Pierre, Buisson Odile, « The clitoral complex : a dynamic sonographic study », *Journal of Sexual Medicine*, 2009, 6 (5), p. 1223-1231.

Giles G., Severi G., English D., McCredie M., Borland R., Boyle P., Hopper J., « Sexual factors and prostate cancer », *BJU International*, 2003, 92 (3), p. 211-216.

Goldfoot D., Westerborg-Van Loon W., Groeneveld W., Slob A., « Behavioral and physiological evidence of sexual climax in the female stump-taile macaque », *Science*, 1980, 208 (4451), p. 1477-1479.

Heath Robert, « Pleasure and brain activity in man, deep and surface electroencephalograms during orgasm », *The Journal of Nervous and Mental Disease*, 1972, 154 (1), p. 3-18.

Hirsch Esther, « Physiologie de la fonction sexuelle féminine », *Louvain Médical*, 2005, 124 (10), p. 275-278.

Holstege Gert, Ruytjens Liesbet, Georgiadis Kanniko, Wit Hero, Albers Frans, Willemsen Antoon, « Functional sex differences in human primary auditory cortex », *European Journal of Nuclear Medicine and Molecular Imaging*, 2007, 34 (12), p. 2073-2081.

Jannini Emmanuele, Gravina G., Brandetti F., Martini P., Carosa E., Di Stasi S., Morano S., Lenzi A., « Measurement of the thickness of the urethrovaginal space in women with or without vaginal orgasm », *Journal of Sexual Medicine*, 2008, 5, p. 610-618.

Jannini Emmanuele, Whipple Beverly, Kingsberg Sheryl, Buisson Odile, Foldès Pierre, Vardi Yoram, « Who's afraid of the G-spot ? », *Journal of Sexual Medicine*, 2010, 7 (1), p. 25-34.

Karakan I., Rosenbloom A., Williams R., « The clitoral erection cycle during sleep », *Psychophysiology*, 1970, 7, p. 338.

Kilgallon Sarah, Simmons Leigh, « Image content influences men's semen quality », *Biology Letters*, 2005, 1 (3), p. 253-255.

Kortekaas Rudie, Georgiadis Janniko, Kuipers Rutgers, Nieuwenburg Arie, Pruim Jan, Reinders Simone, « Regional cerebral blood flow changes associated with clitorally induced orgasm in healthy women », *European Journal of Neuroscience*, 2006, 24 (11).

Kortekaas Rudie, Van Netten J., Georgiadis Janniko, Nieuwenburg A., « 8-13 Hz fluctuations in rectal pressure are an objective marker of clitorally-induced orgasm in women », *Archives of Sexual Behavior*, 2008, 37 (2), p. 279-285.

Kortekaas Rudie, Georgiadis Janniko, Reinders Simone, Paans Anne, Renken Remco, « Men versus women on sexual brain function : Prominent differences during tactile genital stimulation, but not during orgasm », *Human Brain Mapping*, 2009, 30 (10), p. 3089-3101.

Kratochvil S., « Multiple orgasms in women », *Psychiatrická nemocnice Kroměříz*, 1993, 89 (6), p. 349-54.

Leitzmann M., Platz E., Stampfer M., Wilett W., Giovannucci E., « Ejaculation frequency and subsequent risk of prostate cancer », *Journal of the American Medical Association*, 2004, 291 (13), p. 1578-1586.

Levin Roy, « VIP, vagina, clitoral and periurethral glans – An update on human female genital arousal », *Experimental and Clinical Endocrinology*, 1991, 98 (2), p. 61-69.

Lévy Joseph, Garnier Catherine, « Drogues, médicaments et sexualité », *Drogues, santé et société*, 2008, 5 (2).

Louis-Vadhat Christine, « Amplification du point G par injection d'acide hyaluronique », communication *in Médecine et santé générique*, Nancy, 1er juin 2006.

O'Connell H., Sanjevaan K., Hutson J., « Anatomy of the clitoris », *Journal of Urology*, 2005, 174, p. 1189-1195.

Olds James, Milner Peter, « Positive reinforcement produced by electrical stimulation of septal area and other regions of rat brain », *Journal of Comparative and Physiological Psychology*, 1954, 47, p. 419-427.

Pollet Thomas, Nettle Daniel, « Partner wealth predicts self-reported orgasm frequency in a sample of chinese women », *Evolution and Human Behavior*, 2009, 30 (2), p. 146-151.

Riley A., Riley E., « An ultrasound study in human coitus », *in* Bezemer W. *et al.*, *Sex Matters*, Amsterdam, Elsevier, p. 29-36.

Schultz Willibrord, Van Andel Pek, Sabelis Ida, Mooyaart Eduard, « Magnetic resonance imaging of male and female genitals during coitus and female sexual arousal », *British Medical Journal*, 1999, 319, p. 1596-1600.

Smith George, Frankel Stephen, Yarnell John, « Sex and death, are they related ? », *British Medical Journal*, 1997, 315, p. 1641-1644.

Solano C., « L'orgasme féminin : les réponses de 27 586 femmes », *Réalités en gynécologie-obstétrique*, tiré à part, 2005.

Spector Tim, Dunn K., Cherkas L., « Genetic influences on variation in female orgasmic function : A twin study », *Biology Lettres*, 2005, 1, p. 260-263.

Spector Tim, Burri Andrea, Cherkas Lynn, « Emotional intelligence and its association with orgasmic frequency in women », *Journal of Sexual Medicine*, 2009, 6 (7), p. 1930-1937.

Thornhill Randy, Gangestad S., Corner R., « Human female orgasm and mate fluctuating asymmetry », *Animal Behavior*, 1995, 50 (6), p. 1601-1615.

Troisi Alfonso, Carosi Monica, « Female orgasm rate increases with male dominance in Japanese macaques », *Animal Behavior*, 1998, 56 (5), p. 1261-1266.

Zaviacic M., Zaviacic T., Ablin R.J., Breza J., Holoman K, « La prostate féminine, historique, morphologie fonctionnelle et implications en sexologie », *Sexologies*, XI, 41, p. 38-43.

Table

Ouvrage proposé
par Françoise Samson

Cet ouvrage a été composé et mis en pages
chez NORD COMPO (Villeneuve-d'Ascq)
Impression réalisée par CPI
en janvier 2019

N° d'impression : 2042440
N° d'édition : 7381-2813-3
Dépôt légal : juin 2012

Imprimé en France